A Monsieur Roland Anger

hommage amical
avec ma profonde reconnaissance
et mes bons souvenirs

Ottawa, le 17 décembre 1973

Bibliographie
descriptive et critique
d'Émile Nelligan

Bibliographies du Canada français
collection du Centre de recherche en civilisation canadienne-française,
dirigée par Réginald Hamel et John Hare

I

Bibliographie descriptive et critique d'Émile Nelligan

par Paul Wyczynski

La maquette de la couverture est de Jean Miville-Deschênes

BIBLIOGRAPHIES
DU CANADA FRANÇAIS

1

PAUL WYCZYNSKI

Titulaire de recherche à l'Université d'Ottawa

Bibliographie descriptive et critique d'Émile Nelligan

ÉDITIONS DE L'UNIVERSITÉ D'OTTAWA
Ottawa, Canada
1973

ISBN-0-7766-3951-X

A GUY SYLVESTRE
en témoignage d'estime
pour son œuvre de critique
qui contribue à faire connaître
et aimer la poésie

PRÉFACE

Tout lecteur averti de Nelligan connaît les principales étapes de sa fortune littéraire. En février 1904, quatre ans et demi après la réclusion du poète, l'édition procurée par Louis Dantin fit connaître une œuvre alors presque ignorée. Reproduite et commentée pendant un demi-siècle, l'œuvre demanda d'être éditée sous une forme plus complète et selon les normes les plus rigoureuses du travail intellectuel. Elle le fut en 1952, grâce à M. Luc Lacourcière qui reste non seulement le grand éditeur de Nelligan mais aussi le fondateur de l'édition critique au Canada français.

Puis, en octobre 1959, M. Paul Wyczynski publia dans Lectures *une notice sur Nelligan qui n'était que le prélude d'une fulgurante série d'études critiques destinées à faire de leur auteur le doyen des critiques de Nelligan. Ce furent, en 1960, une étude magistrale de l'inspiration du poète,* Émile Nelligan, sources et originalité de son œuvre*; en 1963, l'historique de l'École littéraire de Montréal et de la participation de Nelligan à ce mouvement, rédigé pour le deuxième tome des « Archives des lettres canadiennes »; en 1965, un essai sur les thèmes et symboles de Nelligan, publié dans l'ouvrage* Poésie et Symbole*; en 1967, deux articles remarquables, « L'Influence de Verlaine sur Nelligan » et « Nelligan et la musique »; et enfin, en 1971, un volume sur le rôle de la musique dans l'œuvre de Nelligan et une étude comparée, « Nelligan et Baudelaire ». Maintenant, pour couronner cette imposante suite d'études, M. Wyczynski nous offre le fruit de plus de quinze ans de recherches et de réflexion, le tout distillé en un seul ouvrage, sa* Bibliographie descriptive et critique d'Émile Nelligan.

La décennie qui vient de commencer se terminera en 1979, centenaire de la naissance d'Émile Nelligan. Les quelques années qui nous séparent de cet anniversaire semblent donc appelées à ajouter une abondante moisson d'hommages et d'études à celle des trois quarts de siècle qui les ont précédées. Quelle meilleure inauguration des célébrations du centenaire que la publication au seuil de cette décennie d'un état actuel des connaissances sur Nelligan, compilé avec la patience, l'érudition, voire l'amour dont seul ce maître des études nelliganiennes est capable ?

Grâce à la publication de l'instrument indispensable de travail qu'est cette bibliographie, qui vient de s'ajouter aux autres ouvrages et articles du même spécialiste, les noms de Nelligan et de Wyczynski seront désormais inséparables.

David M. HAYNE,
Université de Toronto.

INTRODUCTION

Parmi les auteurs du Québec, Nelligan est sans doute celui qui a été le mieux étudié. Plusieurs ouvrages d'envergure, un nombre considérable d'articles, une dizaine de thèses de doctorat et de maîtrise, une édition critique de ses *Poésies* — la seule au Québec avec celles du *Voyage* de F.-X. Garneau et des *Œuvres* de Saint-Denys Garneau ! — voilà qui est de bon augure pour une œuvre dont la fortune semblait, au tournant du siècle dernier, n'être pas spécialement vouée à des retentissements majeurs. Mais s'il importe de souligner que la documentation sur ce poète montréalais atteint aujourd'hui un nombre considérable d'écrits, il convient aussi d'en évaluer objectivement le contenu.

A la fin de notre ouvrage *Émile Nelligan, sources et originalité de son œuvre* (1960), nous avons publié une bibliographie descriptive et critique que le public a daigné accueillir favorablement. En août 1967, M. Baudouin Burger, à partir de nos travaux et en utilisant la documentation rassemblée par M. Réginald Hamel, a publié, dans un numéro spécial d'*Études françaises,* une bibliographie d'Émile Nelligan, sensiblement enrichie. En 1968, M. Jean-Noël Samson, sous la direction du R.P. Roland-M. Chartrand, a constitué un *Dossier de documentation sur la littérature canadienne-française,* consacré à Émile Nelligan, dossier qui résume fort opportunément les études fondamentales sur l'auteur du *Vaisseau d'Or.* Tenant compte de tous ces efforts, et à des fins d'utilité, de méthode et de continuité, nous avons cru avantageux de mettre à jour notre bibliographie de 1960, en espérant que, dans dix ans, il faudra de nouveau la compléter grâce aux travaux de recherche à venir.

Une bibliographie descriptive et critique possède, sur une simple bibliographie cumulative, l'avantage d'offrir au lecteur un résumé relativement précis de l'œuvre, ainsi que les écrits d'aloi différent qui lui ont été consacrés. Loin de se limiter à une simple énumération de titres, elle tend à mettre en place, à décrire et à estimer les matériaux accumulés, en accordant équitablement à chacun sa valeur propre. Les notices bibliographiques s'enrichissent ici de commentaires à la fois descriptifs et appréciatifs pour devenir un raccourci de l'histoire de l'œuvre manuscrite et imprimée, en même temps qu'une vue rétrospective d'une expérience artistique où s'est manifesté l'esprit créateur de l'écrivain. En somme, la bibliographie descriptive et critique doit autant parler de l'œuvre même que de sa fortune. Pour le chercheur qui s'intéresse au sujet proposé, elle offre un point de départ précis à son investigation. Elle doit être l'auxiliaire indispensable à la recherche, tant par le nombre de renseignements qu'elle contient que par la pensée personnelle de celui qui a procédé à son édification.

Nos recherches et travaux sur Émile Nelligan et son époque remontent à 1951. Depuis, tout en élargissant l'objet de ces travaux, nous sommes resté fidèle et avons respecté ce que cette œuvre poétique étonnante a suscité d'écrits et de commentaires. Des jeunes aujourd'hui tiennent toujours pour aussi actuelle qu'en 1904 la poésie de Nelligan. Combien de fois, à la lumière de ses éditions successives, par le biais des manuscrits inventoriés, nous avons pu constater que les *Poésies* de Nelligan, huit fois rééditées depuis 1904, résistaient au temps et aux mutations du goût littéraire ! La dernière édition — une édition de luxe splendide — est récente; M. Luc Lacourcière, en 1952, avec l'édition critique des *Poésies complètes* de Nelligan, a parachevé l'effort que Louis Dantin commença à l'aube du siècle. Aucun des poètes du XIXe siècle ne s'est vu accorder autant d'attention que l'auteur du *Vaisseau d'Or*. Aucun d'eux n'a connu encore, à nos jours, une telle gloire ! Quelle que soit l'explication apportée à ce phénomène littéraire — d'aucuns parlent de génie prématurément fauché, d'autres, peu nombreux, d'un mythe trop facilement cultivé — l'œuvre de Nelligan demeure; elle fascine et fait son chemin par ses qualités seules.

On a écrit abondamment sur Nelligan: thèses, livres, études, articles, comptes rendus, notes de circonstance, témoignages . . . Parmi les critiques canadiens-français Louis Dantin, Gérard Bessette et Luc Lacourcière sont associés étroitement à l'œuvre de cet auteur montréalais. D'autres travaux ont été exécutés par des chercheurs étrangers: notamment Charles ab der Halden, Louis Arnould, Yves-Gérard Le Dantec, tous Français. Soigneusement préparés, ces spécialistes ont scruté l'œuvre nelliganienne en profondeur; ils en ont mesuré la progression, repéré les thèmes majeurs, reconnu les sources et dégagé l'originalité de l'expression. Nous nous devions de leur rendre un hommage de gratitude; nous l'osons en commentant dans cette *Bibliographie* leur apport, en informant le public sur la façon dont leurs travaux encadrent l'univers poétique de Nelligan.

Tous les écrits qui font partie de la présente *Bibliographie* et qui couvrent une période de quatre-vingts ans (1890-1971), ont été lus et relus, scrupuleusement, pour respecter la pensée de leurs auteurs et apprécier la portée critique de leur apport à la vraie connaissance de l'œuvre de Nelligan. Il va sans dire qu'ils constituent, dans l'ensemble du tableau bibliographique, une sorte de mosaïque où des vues se multiplient à profusion, se complétant mais parfois se contredisant. Cependant, une constante se fait jour dans cette masse de documents: l'attrait du public pour Nelligan. L'enthousiasme de la foule n'a point décrû depuis la célèbre soirée du 26 mai 1899, au Château de Ramezay. La documentation que nous avons recueillie, ordonnée et commentée ne veut pas se limiter à servir la pensée érudite: elle se veut aussi un témoignage de portée sociologique par la résonance que l'œuvre continue d'avoir chez les générations les plus diverses de lecteurs.

La fortune d'une œuvre littéraire ne s'édifie qu'au rythme des découvertes successives qu'en fait la société, à des époques différentes, et sous des regards et des besoins renouvelés. Dans le cas de Nelligan, le premier vrai contact avec le public se produisit au cours des quatre séances publiques, organisées par l'École littéraire de Montréal, à la fin de 1898 et au début de 1899; à la suite de celles-ci les journaux — *La Patrie, La Minerve, La Presse, Le Monde illustré* — publiaient de nombreux articles, la plupart du temps élogieux. On dirait que la société montréalaise avait alors découvert l'admiration pour la poésie, en découvrant plusieurs jeunes poètes montréalais. Néanmoins, l'œuvre de Nelligan ne fut vraiment connue qu'en 1902 avec l'étude de Louis Dantin sur le poète dans *Les Débats,* qui devint, par la suite, la « Préface » de la première édition des poésies de Nelligan, publiée en février 1904. Il faut de la rigueur dans la présentation, de la maîtrise dans la méthode critique pour tenter d'investir objectivement une œuvre que l'on aime. Dantin les possédait. A partir de ce moment, un nombre considérable d'études allaient voir le jour à Montréal. Certaines d'entre elles suscitèrent un vif intérêt à Paris. Par la suite, au moment où l'œuvre de Nelligan sera rééditée — en 1925, en 1932, en 1945 — de nouveaux critiques se manifesteront dans des journaux et des revues; aucun n'a pu encore se mesurer avec l'auteur de la célèbre « Préface ». C'est pourquoi la poésie de Nelligan a continué de plaire sous l'éclairage de la pensée critique de Louis Dantin, durant un demi-siècle.

Il fallut attendre décembre 1952 pour que l'exégèse nelliganienne franchît une nouvelle étape. Après de longues et patientes recherches, M. Luc Lacourcière publia alors chez Fides, dans la Collection du Nénuphar, l'édition critique des *Poésies complètes* de Nelligan, qui fut rééditée en 1958, puis en 1966. Soigneusement préparée selon une formule analogue à celle de la *Pléiade,* accordant une large part aux notes et aux variantes, précédée d'une introduction de qualité, cette édition fixe de façon admirable les contours historique et littéraire de l'œuvre de Nelligan. Plusieurs thèses de maîtrise et de doctorat virent peu après le jour dans les universités canadiennes [1]. Ce sont des travaux d'importance que l'érudition active de M. Luc Lacourcière a favorisés d'une façon certaine.

1966 a marqué le vingt-cinquième anniversaire de la mort de Nelligan. Au printemps de cette année-là, le docteur Lionel Lafleur fondait l'Association des Amis d'Émile Nelligan. Des manifestations commémoratives ont eu lieu un peu partout dans la province. Mais au cours de la Semaine Nelligan, du 17 au 25 novembre, les célébrations atteignirent leur apogée; cérémonie sur la tombe de Nelligan, colloque à l'Université McGill, conférence à l'Université de Montréal, récitals, lancements ... Les journaux de langue française publièrent de nombreux articles de circonstance. On fut surpris de constater que les jeunes gens goûtaient en Nelligan l'être humain et l'artiste; ils le croient

---

[1] Les recherches sur Nelligan ont donné jusqu'ici, comme résultats, trois thèses de doctorat, trois thèses de maîtrise et un mémoire de diplôme d'études supérieures.

Thèses de doctorat: Gérard BESSETTE, « Les Images en poésie canadienne-française », D. ès L., Université de Montréal, 1950, 498 feuillets; publiée à Montréal, chez Beauchemin, 1960, 280 pages. Frère LÉVIS [Roger FORTIER], s.c., « Le Vaisseau d'Or d'Emile Nelligan », Ph.D., Université d'Ottawa, 1950, 233 feuillets. Paul WYCZYNSKI, « Emile Nelligan, sources et originalité de son œuvre », Ph.D., Université d'Ottawa, 1957, xxiii, 456 feuillets; publiée aux Editions de l'Université d'Ottawa, 1960, 349 pages.

Thèses de maîtrise: Gérard BESSETTE, « Les mages chez Nelligan », M.A., Université de Montréal, 1946, 100 feuillets. Jacques ASSELIN, « Les Thèmes majeurs chez Nelligan », M.A., Université de Montréal, 1957, 97 feuillets. Roland JACOB, « Emile Nelligan, poète de l'angoisse », M.A., Université de Montréal, 1960, 101 feuillets.

D.E.S.: BAUDOIN [*sic*], BURGER, « L'Expérience poétique chez Emile Nelligan », Université de Montréal, 1967, 112 feuillets.

Quatre thèses traitent partiellement de Nelligan: Michel-J. KIEFFER, c.s.v., « L'Ecole littéraire de Montréal », M.A., Université McGill, 1939, 96 feuillets. Léon-Victor [PAQUIN], i.c., « L'Influence parnassienne sur la littérature canadienne-française et, particulièrement, chez Emile Nelligan, Paul Morin, René Chopin et Arthur de Bussières », M.A., Université de Montréal, 1953, xiii, 127 feuillets. Pierre CHÂTILLON, « Les Thèmes de l'enfance et de la mort dans l'œuvre poétique de Nelligan, Saint-Denys Garneau, Anne Hébert, Alain Grandbois », M.A., Université de Montréal, 1961, vii, 46, 49 feuillets. Annette GOSSELIN, « La découverte de Verlaine au Canada français », M.A., Université d'Ottawa, 1967, 175 feuillets.

D'autres thèses sont en préparation: Annette GOSSELIN, « Le Rêve chez Emile Nelligan: phénoménologie de son imagination », D.U., Université Laval. Denis HAMEL, « La Fortune du mot 'or' dans la poésie de Nelligan », M.A., Université de Sherbrooke. Gatien LAPOINTE, « L'Angoisse chez Emile Nelligan », D.U., Université Laval. Yvette CHARTRAND, « L'Univers imaginaire de Nelligan », M.A., Université d'Ottawa. Suzan A. JOECK, « Plant and Animal Imagery in the Poetry of Emile Nelligan », M.A., University of British Columbia. Barbara WALLACE, « L'Ambiguïté des valeurs dans l'œuvre poétique d'Emile Nelligan », M.A., Dalhousie University.

Pour les renseignements généraux sur les thèses, nous référons à deux ouvrages: Antoine NAAMAN, *Guide bibliographique des thèses littéraires canadiennes de 1921 à 1969,* Montréal-Sherbrooke, Editions Cosmos, 1970, 340 pages; Maurice LEMIRE et Kenneth LANDRY, *Répertoire des spécialistes de littérature canadienne-française,* [Québec], Université Laval, 1971, vi, 93 pages (« Archives de littérature canadienne »).

éminemment fraternel. La Société des Poètes canadiens-français organisa avec succès un concours poétique intitulé: « Hommage à Nelligan ». Plusieurs jeunes écrivains ont publié leurs témoignages dans *Études françaises,* en août 1967. De tous ces écrits, dont beaucoup ne restent que de simples notes commémoratives, on retiendra trois titres: l'édition de luxe des *Poésies* de Nelligan (1967), *Émile Nelligan,* que nous avons fait paraître chez Fides, dans la collection « Écrivains canadiens d'aujourd'hui » (1967), et *Nelligan : Poésie rêvée, poésie vécue,* publié par le Cercle du Livre de France, en 1969. *Les Poésies,* publiées par les soins conjoints de la Maison Fides et de M. Gilles Corbeil, neveu de Nelligan, ornées de gravures de Claude Dulude, marquent une date dans l'édition québécoise. Le deuxième titre vise à l'approfondissement de l'œuvre de Nelligan, conçu comme notre hommage personnel au poète disparu. Quant au troisième ouvrage, il regroupe les textes de conférences prononcées à l'Université McGill, lors du Colloque Nelligan.

On est conduit à dire, que la fortune de l'œuvre de Nelligan a connu trois étapes, marquées successivement par la « Préface » de Louis Dantin, les recherches de M. Luc Lacourcière et l'intense sentiment de fidélité et d'engouement de l'année 1966. Le nom du poète ne cesse de grandir: malheureux de son vivant, il est aujourd'hui célèbre. Langage poétique, la vie intense de Nelligan ne cesse de nous émerveiller. En sa propre richesse était son destin. Âme et corps à jamais scellés dans la beauté, celle de la PAROLE poétique, c'est le destin du poète.

La présente *Bibliographie* se désire à la fois simple et fonctionnelle; nous la souhaitons, dans toute la mesure du possible, exhaustive. Elle se propose d'offrir au public une vue d'ensemble sur l'œuvre de Nelligan, sur son histoire et ses circonstances d'éditions, comme sur les nombreux écrits qui furent consacrés au poète. Les matériaux ont été ordonnés en huit sections: « L'Œuvre de Nelligan » (manuscrits et imprimés), « Ouvrages, articles et documents signés », « Articles anonymes », « Chronologie des écrits sur Nelligan », « Poèmes en hommage à Nelligan », « Discographie » et « Filmographie ». La notice explicative en tête du volume précise les principes majeurs de notre méthode bibliographique. Un index des noms d'auteurs et des titres ainsi qu'un index thématique faciliteront la consultation du volume sous le rapport de questions spéciales. Ainsi regroupée, complétée et mise à jour, la bibliographie dressée par nous en 1960, devient aujourd'hui la *Bibliographie descriptive et critique d'Émile Nelligan,* dans l'intention de rendre service aux professeurs et étudiants, aux chercheurs et aux bibliographes, aux bibliothécaires ainsi qu'aux lecteurs épris de savoir. Nous souhaiterions même qu'elle fût un modeste exemple à tous ceux qui se décideraient un jour à nous suivre, en préparant des bibliographies semblables sur les auteurs essentiels du Canada français. Ce présent volume est le premier d'une nouvelle collection « Bibliographies du Canada français » à laquelle il convient de souhaiter longue vie et succès dans l'intérêt des lettres canadiennes-françaises.

Nombreux furent ceux qui ont bien voulu accorder à ce travail leur précieux concours. Nous remercions particulièrement MM. Réginald Hamel, Baudouin Burger, Pierre Savard, Pierre Pagé, Clément Marchand, Lionel Lafleur, Roland Auger, Robert Potvin, Jean-Paul Hudon, Mlles Diane Thibeault et Lucie Robitaille, la révérende sœur Marguerite Charron, de leur aide apportée dans la recherche et l'identification des sources et documents. A MM. John Hare, Jean Ménard, Marcel Trudel, Françoys Bernier, nos collègues, notre sincère gratitude pour les nombreux encouragements qu'ils nous prodiguèrent au cours de nos longues et parfois fastidieuses enquêtes. Nous exprimons notre reconnaissance chaleureuse à Mme Madeleine Ducrocq-Poirier et à M. David M. Hayne, professeur de l'Université de Toronto et bibliographe bien connu, qui ont lu attentivement cet ouvrage à l'état de manuscrit, et nous ont fourni de nombreuses et fort judicieuses observations. Nous sommes pénétré de reconnaissance à l'égard de M. Guy Sylvestre, directeur de la Bibliothèque nationale du Canada, qui a suivi avec un intérêt tout spécial la préparation du volume, toujours prêt à nous aider. Enfin, la présente *Bibliographie* ne pourrait être ce qu'elle est sans la longue et fructueuse collaboration de MM. Maurice et Gilles Corbeil, les neveux d'Émile Nelligan, dont l'amitié nous est chère et la collaboration irremplaçable. Au ministère des Affaires culturelles du Québec et à la Faculté des Arts de l'Université d'Ottawa qui nous ont accordé des subventions pour mener à bonne fin la documentation et la publication de cette *Bibliographie,* nous disons notre gratitude. Que toute personne qui aurait peu ou prou contribué à l'élaboration et à la parution de ce travail soit assurée de notre reconnaissance. Il va de soi que nous accueillerons toujours volontiers des renseignements susceptibles d'améliorer cette documentation en vue d'une seconde édition.

P. W.

PRÉCISIONS SUR LA MÉTHODE BIBLIOGRAPHIQUE UTILISÉE

Une étude bibliographique ne se conduit pas sans difficultés. Le nombre d'ouvrages déjà écrits sur ce sujet [1] n'harmonise pas pour autant les points de vue adoptés en ce qui concerne les procédés de présentation. Beaucoup d'investigations restent divergentes en la matière. Il serait peut-être utile de distinguer en premier lieu entre le sens très restreint du terme français « bibliographie », qui signifie tout simplement liste d'ouvrages, et celui, beaucoup plus vaste, du mot « bibliography », qui désigne en anglais non seulement une « liste », mais toute une méthodologie, toute une science des livres. Cette distinction apparaît très nettement quand l'on compare le *Manuel de bibliographie* de Louise-Noëlle Malclès (liste de titres) et *A Student's Manual of Bibliography* d'Arundell Esdaile (méthodologie, manuel de la science des livres). Encore faut-il signaler que les normes établies progressivement par la Library of

---

1 En matière de bibliographie, l'on se doit de consulter d'abord les ouvrages de Louise-Noëlle MALCLÈS: *Les Sources du travail bibliographique,* Genève, Droz; Paris, Minard, 1950-1958, 3 tomes en 4 volumes, réimpression à Genève, 1966; *Cours de bibliographie à l'intention des étudiants de l'Université et des candidats aux examens de bibliothécaire,* Genève, Droz; Lille, Giard, 1954, 328 pages; *La Bibliographie,* Paris, PUF, 1967, 134 pages (collection « Que sais-je ? », n° 708); *Manuel de bibliographie,* Paris, PUF, 1963, viii, 328 pages, 2e édition en 1969, chez le même éditeur, 366 pages. A signaler d'autres ouvrages du genre utiles en français: *Code typographique : choix de règles à l'usage des auteurs et des professionnels du livre,* Paris, Syndicat national des cadres et maîtrise du livre, de la presse et des industries graphiques, 1957, xxi, 122 pages; C. GOURIOU, *Memento typographique,* Paris, Hachette, [c. 1961], xi, 128 pages; Léandre POIRIER, *Au service de nos écrivains,* Montréal, Fides, 1966, xviii, 196 pages, éd. revue et augmentée; Guy LÉVESQUE, *Manuel pratique de catalogage,* Montréal, Centrales des bibliothèques, 1969, x, 538 pages. On consultera aussi l'ouvrage préparé au Collège de Sainte-Anne-de-la-Pocatière, par Raymond BOUCHER et Denis BOUCHER: *Liste annotée d'ouvrages de consultation,* d'après sa 2e édition revue et augmentée, 1969, publiée par le Collège (texte polycopié), dans la collection « Guides du personnel », 8; volume 1: *Ouvrages généraux,* ix, 208 pages; volume 2: *Sciences humaines,* ix, 193 pages.

A retenir aussi quelques ouvrages anglais de grande utilité: Ronald B. MCKERROW, *An Introduction to Bibliography for Literary Students,* Oxford, Clarendon Press, [1927], xv, 359 pages, réimprimé en 1948 et en 1964; Cecil HUNT, *How to write a Book,* New York, Philosophical Library, 1952, viii, 150 pages; Arundell ESDAILE, *A Student's Manual of Bibliography,* London, George Allen and Unwin, [1954], 392 pages; *A Manual of Style,* Chicago, The University of Chicago Press, 1956, x, 532 pages: on consultera surtout la 12e édition, revue et augmentée, publiée par le GOVERNMENT OF CANADA, *Style Manual for Writers and Editors,* Ottawa, Queen's Printer, 1962, ix, 186 pages; Fredson BOWERS, *Principles of Bibliographical Description,* New York, Russel & Russell, 1962, xvii, 505 pages; DAG HAMMARSKJOLD LIBRARY, *Bibliographical Style Manual,* New York, United Nations, 1963, vi, 62 p.; Blanche Prichard MCCRUM et Helen Dudenbostel JONES, *Bibliographical Procedures and Style : A Manual for Bibliographers in the Library of Congress,* Washington, Library of Congress, 1966, vii, 133 pages. On consultera aussi avec profit l'ouvrage d'André MORIZE, *Problems and Methods of Literary History,* New York, Biblo and Tannen, 1966, x, 314 pages, surtout le chapitre IV, « Establishing a Critical Bibliography », p. 70-81.

Congress, avec la collaboration des associations professionnelles de bibliothécaires, conviennent de plus en plus aux recherches bibliographiques et catalographiques. Nous pensons ici à l'ouvrage *Anglo-American Cataloguing Rules,* publié par l'American Library Association (Chicago, 1967, 400 pages). Il est donc normal que nous profitions de ces règles bibliographiques déjà établies, bien que nous sachions qu'elles n'apportent cependant pas une solution à tous les problèmes que pose la *Bibliographie descriptive et critique d'Émile Nelligan.*

Il va de soi que notre méthode se veut éclectique. Certains écarts qui nous éloignent ici et là des règles établies se justifient par la nature complexe de notre documentation. Les matériaux que nous décrivons sont, dans la plus grande partie, des livres et des manuscrits. Toutefois, l'inventaire inclut également l'iconographie, certains documents juridiques, plusieurs textes accompagnés de partitions musicales, des témoignages enregistrés sur bandes sonores, des objets d'art, une discographie, une filmographie. Bref, cette bibliographie s'est efforcée de couvrir la vie entière de Nelligan et le destin de son œuvre; comme la vie, elle implique un certain nombre d'imprévus. Préparée dans cette optique, une bibliographie consiste pour nous à accueillir de façon uniforme, dans un tout compartimenté, la documentation qui se rapporte à l'œuvre, à l'homme et à son époque.

Notre méthode découle de cette ferme conviction que la bibliographie comprend, d'abord et surtout, des notices proprement dites, assorties de commentaires dans le cas d'une bibliographie critique. Et dans la notice bibliographique nous établissons la distinction entre les éléments d'information essentiels et ceux de caractère accessoire.

1. *Les éléments d'information essentiels*

   a) Auteur: nom et prénoms.

   b) Titre, et sous-titre s'il y a lieu.

   c) Lieu d'édition.

   d) Éditeur: personne ou entreprise responsable.

   e) Date de publication, entre crochets [. . .] si elle n'est pas indiquée à la page de titre.

   f) Pagination, suivie du nombre de hors-texte; la pagination tient compte de la dernière page imprimée, sans toujours inclure l'« Achevé d'imprimer » qui s'éloigne parfois du texte proprement dit. Si l'ouvrage est composé de plusieurs volumes, nous indiquons, après la date de publication, soit le nombre des volumes, suivi de la pagination correspondant à chacun d'eux, soit le volume qui nous intéresse suivi de sa propre pagination. Il se peut, en dernier lieu, que la pagination précise les passages importants de l'ouvrage.

2. *Les éléments de caractère accessoire*

a) Précisions à propos des éditions ultérieures.

b) Titre de la collection si l'ouvrage en fait partie.

c) Nom du préfacier, de celui qui a signé l'avant-propos ou l'introduction, qui a établi ou annoté le texte.

d) Format: dimensions de l'ouvrage en centimètres.

e) Autres précisions sur les caractéristiques spécifiques de l'ouvrage.

Exemples:

CHARBONNEAU, Jean, **Des influences françaises au Canada**, Montréal, Beauchemin, 1916, t. 1, xix, 229 pages, surtout p. 85-97.

NELLIGAN, Émile, **Poésies complètes, 1896-1899**, Montréal et Paris, Fides, [1958], 331 pages. (2e éd., Collection du Nénuphar. Texte présenté, établi, annoté et revu par Luc Lacourcière. Sixième édition des poésies de Nelligan; deuxième édition de ses **Poésies complètes**.)

Le lecteur averti trouvera dans cette présentation quelques différences au chapitre de la vedette secondaire eu égard aux règles suivies en général par les catalogueurs. On remarquera également que, dans l'ensemble de la notice bibliographique, la première unité constitue un tout où les éléments sont séparés par des virgules, tandis que, dans la deuxième unité, les données se juxtaposent. Nous croyons que la notice bibliographique ainsi conçue acquiert un relief sous l'angle de la progression logique et de la somme globale des indications bibliographiques. Cette formule s'applique à la présentation uniforme des livres et des brochures.

Dans le cas d'articles, de revues et de journaux, la même formule est utilisée mais avec cette différence qu'elle contient des précisions au sujet du titre et de la livraison du journal.

Exemples:

COLLARD, Marcel, *Un coup d'œil féminin sur l'œuvre du poète canadien, Émile Nelligan*, dans *Le Soleil*, 70e année, n° 142, 13 juin 1967, p. 29.

FOURNIER, Guy, *Émile Nelligan,* dans *Perspectives,* vol. 8, n° 52, 24 décembre 1966, p. 10-15.

Il n'est pas toujours facile d'assurer aux titres des œuvres une présentation uniforme. Plusieurs tendances ont déjà fait leur chemin; selon les cas, les méthodes divergent ou se complètent. Cette difficulté tient au fait que les titres sont d'une variété inépuisable. Certains bibliographes considèrent trois grandes catégories: titres en forme d'énumération, titres en forme de proposition, titres en sommaire explicatif. Dans le premier cas, les substantifs prennent en général la majuscule ainsi que les adjectifs qui précèdent le premier substantif: *Notes et Variantes sur un nouveau Nelligan, Le Beau Risque.* Dans le deuxième cas, le mot initial prend seul la majuscule: *Le Thème de la sœur dans l'œuvre de Nelligan.* Enfin, dans un titre sommaire explicatif, la première lettre du premier substantif seul prend la majuscule, à moins que ce ne soit l'adjectif qui le précède: *Colloque sur le poète Émile Nelligan en fin de semaine à McGill, Nouvelles Études de littérature canadienne-française.* Si le titre commence par un article indéfini, le substantif qui suit prend une minuscule: *Un document unique sur le fier poète Émile Nelligan.* Il y a certes d'autres combinaisons à envisager: titre redoublé, titre encadré dans un autre titre, locutions adverbiales et adjectives. Nous en restons aux cas essentiels.

Ceux qui ont eu l'occasion de se pencher sur les manuscrits de Nelligan, connaissent sans doute son obsession de la majuscule. Il la mettait un peu partout, même à la conjonction et à la préposition: il écrivait ses titres, pourrait-on dire, à l'anglaise. En voici deux exemples tirés à même le plan établi de sa main: « Villa D'Enfance », « Sonnet de Gretchen sur 3 Perroquets Morts ». Il a donc fallu uniformiser leur transcription, exception faite des deux poèmes: *Le Vaisseau d'Or* et *La Romance du Vin.* Il s'agit ici de poèmes clefs. La majuscule du vocable final s'avère plus que le simple vestige d'un procédé fantaisiste. Moyen d'intensification, elle appartient, dans les deux cas, à la métaphore nominale génitive: nous la gardons pour respecter l'accent lyrique de l'image.

Pour les titres des œuvres littéraires et des ouvrages critiques, nous employons les caractères gras. Les titres des articles et ceux des journaux et des revues, ainsi que ceux des parties de livres sont imprimés en italique. Le titre est composé en romain lorsqu'il désigne une société (Association des Amis d'Émile Nelligan), un mouvement littéraire (L'École littéraire de Montréal), une manifestation socioculturelle (Colloque Nelligan), ou le titre d'une collection (Collection du Nénuphar, mais « Écrivains canadiens d'aujourd'hui »). Aussi en romain, mais placés entre guillemets, figurent les titres des manuscrits

(Joseph-Marie MELANÇON, « Journal », 118 feuillets), des thèses et des mémoires (Yves GARON, a.a., « Louis Dantin, sa vie et son œuvre », thèse de doctorat ès lettres, Université Laval, Québec, 1960, xiii, 641 feuillets), de même que les titres des documents officiels et des poèmes cités séparément dans les commentaires ou dans les notices bibliographiques.

La présentation de la pagination peut soulever quelques controverses. Il arrive que le livre soit paginé en chiffres romains (le plus souvent dans le cas de l'« Introduction », de l'« Avant-propos » ou de la « Préface »), et en chiffres arabes (corps de l'ouvrage). Certains bibliographes conseillent pour la première partie les chiffres romains majuscules; d'autres préfèrent les imprimer en minuscules. D'aucuns croient que, si la pagination en chiffres arabes commence à la suite de la pagination en chiffres romains, ces deux paginations doivent être séparées dans la collation par une virgule (xiv, 140 p.). En revanche, si la pagination en chiffres arabes continue la pagination en chiffres romains — ce qui n'arrive que très, très rarement — le joint se fait par l'emploi d'un trait d'union en collation (xxii-156 p.). Pour suivre la majorité des bibliographes, nous employons la virgule pour unir deux paginations différentes du même ouvrage.

Exemple:

NELLIGAN, Émile, **Émile Nelligan et son œuvre**, Montréal, [Beauchemin], 1903 (?), xxxiv, 164 pages.

La virgule surgit dans la pagination lorsqu'il s'agit d'un texte imprimé de journal ou de revue, et situé dans des pages qui ne se suivent pas: 1, 4, 6. On précise ainsi que l'article commence à la page 1, continue à la page 4 et se termine à la page 6. Dans certains cas rares, l'ouvrage peut avoir trois groupes de pagination: xi, 240, v pages. A la fin d'un signalement, le mot « pages » est écrit au complet; l'abréviation, un seul « p », désigne une ou plusieurs pages consécutives de journaux, ou encore indique l'importance du passage particulier d'un ouvrage.

Exemples:

HERTEL, François [X Rodolphe Dubé], *Du mot dans les lettres françaises,* dans *Rythmes et Couleurs* (Paris), vol. 1, n° 12, octobre-novembre 1967, p. 6-13.

GOULET, Antoine, *Poètes du Canada, de France et de Belgique,* dans *Le Travailleur* (Worcester), vol. 37, n° 6, 9 février 1967, p. 1, 4.

LABERGE, Albert, **Peintres et Écrivains d'hier et d'aujourd'hui**, Montréal, Édition privée, 1938, 248 pages, surtout p. 225-229.

Le nom de la ville est indiqué après le titre du journal, entre parenthèses, lorsqu'il s'agit d'un périodique étranger. Le X placé devant le nom mis entre crochets, signifie que celui-ci est le vrai nom de l'auteur dont la vedette principale donne le pseudonyme.

Il arrive parfois, en particulier dans les commentaires, que le texte cité contienne une autre citation. Dans ce cas, la citation « secondaire » sera mise entre demi-guillemets: '. . .'.

Enfin, il convient de préciser le rôle de quelques signes typographiques déjà bien connus, mais que notre *Bibliographie* a majorés d'une fonction spéciale: crochets, trait long et petit losange placé ici et là devant le titre.

Les crochets tiennent en quelque sorte lieu de parenthèses, avec néanmoins une différence: les parenthèses sont destinées à encadrer des éléments de caractère accessoire (note explicative, renseignement supplémentaire, renvoi rapide), alors que les crochets apportent à la notice bibliographique une précision importante, un élément ajouté ou restitué.

Exemples:

DUMONT, G.-A., **L'École littéraire de Montréal. Réminiscences**, Montréal, Librairie G.-A. Dumont, [1917], 15 pages.

LE DANTEC, Y[ves]-G[érard], *La Vie poétique,* dans *Revue des deux mondes* (Paris), 124e année, n° 14, juillet 1954, p. 334-346, surtout p. 336-339.

Le trait long est un signe employé à la place de l'« *Idem* » pour indiquer la répétition du nom d'un écrivain dont plusieurs ouvrages sont mentionnés selon l'ordre chronologique de leur publication, dans la présente *Bibliographie.* Quant au losange, placé avant une notice bibliographique, il indique tout simplement que l'écrit est important.

Toutes les notices de notre *Bibliographie* sont numérotées. Un seul numéro correspond à la notice, au commentaire et à la note qui le suivent. Dans le cas d'une réimpression, le numéro entre parenthèses renvoie à la première publication:

452
(R 389)

Parfois, cependant, pour faciliter une vue globale sur un écrit plusieurs fois remanié et publié, nous groupons tous les renseignements en une seule notice bibliographique.

Bien entendu, notre méthode ne prétend aucunement révolutionner la science bibliographique. L'exposé qu'on vient de lire n'a d'autre but que de rappeler les règles fondamentales de cette science, afin d'en mieux saisir certaines divergences. Notre attention s'est portée tout spécialement sur des notices bibliographiques auxquelles nous avons voulu assurer une présentation uniforme et attribuer un groupement logique.

* *
*

Liste récapitulative
des signes conventionnels et des abréviations

♦	Placé devant la notice bibliographique désigne que le document est important.
—	Remplace « *Idem* » dans les énumérations bibliographiques.
<	Provient de . . .
>	Devient . . .
∽	Comparer à . . .
+	Poème de Nelligan cité au complet sans que le titre soit mentionné.
*	Poème de Nelligan partiellement cité avec le titre.
**	Poème de Nelligan partiellement cité sans titre.
***	Poème de Nelligan dont le titre seul est mentionné.
« . . . . . . »	Guillemets, réservés d'après l'usage à la citation, mais aussi pour indiquer les titres de manuscrits, de parties de livres, de sections d'un ensemble ou les titres des poèmes séparément cités.
'. . . . . .'	Les demi-guillemets délimitent une citation dans une citation.
( )	Précisions ordinaires, notices explicatives, sommaires, d'après l'usage courant de la parenthèse.
(?)	Faits, renseignements ou jugements incertains.
(A)	Autographe de Nelligan.
(R . . .)	Placé au-dessous du numéro d'une notice bibliographique signifie que celle-ci n'est que la reprise du texte antérieur dont le numéro figure entre parenthèses et est précédé d'un R; exemple: 484 (R 452).
[X . . .]	Précise le nom véritable de l'auteur dont la vedette principale contient le pseudonyme; exemple: Hertel, François [X Rodolphe Dubé].

- ( )	On indique ainsi le double numérotage de livraisons d'un journal. Entre parenthèses, le numéro courant, devant la parenthèse, le numéro de la livraison de l'année; exemple: 17- (4742).
[. . .]	Passage supprimé dans une citation.
[—]	Élément reconstitué dans une notice bibliographique; exemple: É[douard]-Z[otique] Massicotte; [1947].
[II]	Deuxième version d'un poème.
[s.a.]	Sans auteur.
[s.d.]	Sans date.
[s.é.]	Sans éditeur.
[s.l.]	Sans lieu.
[*sic*]	Incorrection dans la citation ou dans le titre.
Cf.:	Confer . . . , comparer à . . . , comparer avec . . .
éd.	Édition.
ELM	École littéraire de Montréal en séance ordinaire.
f.	Feuillet, feuillets.
n°, n°s	Numéro, numéros.
p.	Page, pages.
t.	Tome, tomes.
vol.	Volume, volumes.

A. – L'Œuvre de Nelligan

I. – Manuscrits [1]

1

1) *Salons allemands.*

Manuscrit très précieux, c'est le plus ancien que nous connaissions : il remonte à septembre 1897; il fait partie d'un album de textes manuscrits, en vers et en prose, offert en guise de cadeau de noce à Louis-Joseph Béliveau, cet ami de Nelligan, membre de l'École littéraire de Montréal et libraire dont la boutique était située au 1617 de la rue Notre-Dame. Le poème de Nelligan — avec l'indication « un sonnet extrait de Pauvre Enfance » — figure à la page 23, parmi d'autres textes qui se veulent des témoignages d'amitié de la part de neuf membres du cénacle : Germain Beaulieu, Albert Ferland, Jean Charbonneau, Arthur de Bussières, Gustave Comte, G.-A. Dumont, E.-Z. Massicotte, Henry Desjardins et le docteur Pierre Bédard. Ici Nelligan italianise et francise son nom en signant: « Emil Nélighan ». Il en fera autant pour son « Sculpteur sur marbre », sonnet publié dans *Le Monde illustré* du 11 décembre 1897.

2

2) *Collection Nelligan-Corbeil* [2].

En dépôt à la Bibliothèque nationale du Québec, la Collection Nelligan-Corbeil comprend : *a)* une couverture cartonnée rouge d'un « Scrap-book » de Nelligan, *b)* un grand carton découpé en forme de livre ouvert, *c)* cinquante-six feuillets manuscrits, *d)* un dossier iconographique.

3 a) *Couverture cartonnée rouge.*

Il s'agit de la couverture qui reste d'un « scrap-book » dont toutes les pages avaient été arrachées. A l'intérieur de cette couverture, côté gauche, Nelligan a collé quelques poèmes recueillis dans le journal hebdomadaire *Le Samedi* qui les imprimait dans le coin intitulé « Émaux et Camées ». Ce sont: « Gaspard Hauser chante » et « Ariette » (« Il pleure dans mon cœur ») de Verlaine; un extrait de *Contemplations* de Victor Hugo, « Au pays du soleil » de René-Marie Lefebvre, « L'Immaculée » d'Armand Halleux, « Rondel d'hiver » de Georges Gillet, « Avril » d'Henry Verdun, « Chopin » (quelques paragraphes en prose, non signés) et « A Dreamer », un poème en anglais, dont il est difficile d'identifier l'auteur, car la feuille en est mutilée; il semble qu'il ait été publié dans le journal *London Sun.*

---

1 Nous avons en notre possession plusieurs manuscrits de Nelligan de valeur secondaire : poèmes transcrits de mémoire ou notes éparses, ces documents sont postérieurs à l'année 1900. Nous prions les personnes qui possèderaient des inédits de Nelligan de nous les faire parvenir pour que nous puissions en faire un jour l'inventaire le plus complet possible.

2 Après l'internement de Nelligan, en 1899, tous les papiers du poète passèrent entre les mains de sa mère et de ses sœurs. Plusieurs furent définitivement perdus. En 1951, le R.P. Jean Corbeil, c.s.c., confia ce qui restait de ce dossier à M. Luc Lacourcière. Celui-ci le retourna au Ministère des Affaires culturelles du Québec, le 14 février 1969. M. Gilles Corbeil, neveu du poète, déposa ces manuscrits à la Bibliothèque nationale du Québec, le 19 février 1969.
Comme nous n'avons pas eu accès à ces documents avant le 19 février 1969, nos renseignements sur la Collection Nelligan-Corbeil étaient, de ce fait, incomplets dans nos précédents travaux. Nous remercions M. Gilles Corbeil de nous avoir donné la permission de consulter cette collection pour en faire aujourd'hui une description complète.

4 b) *Grand carton découpé en forme de livre ouvert.*

Légèrement colorée au crayon vert, il s'agit probablement d'une chemise exécutée par la mère du poète, devant servir à insérer un dossier d'articles de journaux et des poésies de Nelligan. A l'intérieur, du côté gauche, en haut, figure cette inscription calligraphiée: « 1899. Samedi, 16 septembre 1899 ». Plus bas, se trouvent collés: l'article de Saint-Hilaire, publié dans *Les Débats* du 23 mai 1900, ainsi que « Les Saintes au vitrail » (commençant: « Je sais en une église », connu aujourd'hui sous le titre d'« Amour immaculé »), poème publié dans *La Patrie* du 16 septembre 1899. Du côté droit, la même main a inscrit: « Poésie écrite de la main même d'Émile Nelligan ». Plus bas: une photo du poète provenant probablement du *Nationaliste*.

5 c) *Cinquante-six feuillets manuscrits.*

Cinquante-six feuillets, non numérotés, format 13″×8″, de couleur blanche jaunâtre, sauf deux feuillets de couleur brune. Ceux-ci sont écrits au recto et au verso, tandis que, sur les autres feuillets, la transcription au propre se fait d'un seul côté de la page. Deux feuillets ne sont pas de l'écriture de Nelligan. Voici les titres des poèmes avec le folio correspondant entre parenthèses: « Petit Hameau » (1); « Aubade rouge » (2); « Pan moderne » (3); « Virgilienne » (4); « Château rural » (5); « Qu'elle est triste... » (6-8); « Maints soirs » (9, recto, papier brun); « J'eus ce rêve », c'est-à-dire « Château rural », première version (9, verso, papier brun); « Je veux m'éluder » (10, recto, papier brun); « Petit coin de cure » (10, verso, papier brun, poème devenu: « La Sieste ecclésiastique »); « La Sorella dell' amore » (11, l'écriture n'est pas de Nelligan); « Les Chats » (12, deux quatrains d'un sonnet inachevé à moins que la page suivante, contenant les deux tercets, ait été perdue); « Le Chat fatal » (13-16); « Le Spectre » (17-21); « La Terrasse aux spectres » (22-23); « La Vierge noire » (24-25); « Soirs hypocondriaques » (26-27); « Fra Angelico » (28); « Fra Angelico », deuxième version (29, l'écriture n'est pas de Nelligan, les vers 3 et 4 manquent); « Le chef d'œuvre posthume » (30, poème connu aujourd'hui sous le titre « Sculpteur sur marbre »); « Quand tu nous vins », c'est-à-dire « Le Tombeau de Chopin » (31, le premier quatrain et le titre manquent); « Je les eus » (32, fragment d'un poème [« Sonnet de Gretchen sur trois perroquets morts »] dont Louis Dantin cite le titre et un autre tercet dans *Les Débats* du 21 septembre 1902); « Petite chapelle »: titre (33); « Le Récital des Anges » (34, plan, en haut de la page); « A mon ange gardien » (34, titre remplacé par « Sonnet aux anges », celui-ci aussi rayé pour devenir « Prélude triste », en bas de la page); « Le Suicide d'Angel Valdor » (35-47); « Frère Alfus » (48-54); « Motifs du Récital des Anges » (55-56, plan autographe). Bref, nous y trouvons vingt-deux poèmes dont deux en deux versions (« Château rural » et « Fra Angelico »), deux tercets, fragment du poème inachevé (« Sonnet de Gretchen sur les trois perroquets morts »), et un titre de section: « Petite chapelle ». De plus, le folio 34 offre la première ébauche d'un plan, « Le Récital des anges », qui sera élaboré sur les deux derniers feuillets, avec un titre modifié: « Motifs du récital des anges ». Ces deux plans autographes permettent de déceler chez Nelligan l'obsession des majuscules. Luc Lacourcière signale, dans son édition critique (p. 133-134), l'existence du poème manuscrit « Chapelle dans les bois »: « Dans le manuscrit de la collection Nelligan-Corbeil, cette pièce s'intitule: *En petite chapelle* et offre plusieurs variantes. » Il est difficile d'expliquer pourquoi le manuscrit en question ne figure pas parmi les papiers qui composent présentement la Collection Nelligan-Corbeil à la Bibliothèque nationale du Québec. Le folio 33 ne contient que « Petite Chapelle, pour Serge Usène », c'est-à-dire le titre de la section du recueil et la dédicace à Louis Dantin, « Serge Usène » étant l'anagramme patronyme d'Eugène Seers.

6 d) *Dossier iconographique.*

Il s'agit de six photos et de trois daguerréotypes. Dans la première série on trouve: une photo de Nelligan lors de sa Première Communion, deux photos de Mme David Nelligan, une photo d'Éva et de Gertrude Nelligan, une autre qui représente les deux sœurs du poète et Mlle Béatrice Hudon (future Mme Campbell), une photo de Nelligan à l'âge de 40 ans. Les trois daguerréotypes perpétuent les souvenirs respectifs du jeune Nelligan avec ses sœurs, de Nelligan à l'âge de cinq ans, ainsi que de la mère et du père du poète sur un fond de montagne.

3) « *Carnets* » *d'hôpital.*

7 « CARNET » I. Petit calepin de 66 feuillets, 6″×4″, couverture de carton noir. Nous pouvons, selon toute vraisemblance, le dater aux années 1922-1924. Ce carnet, ainsi que le suivant, a été donné par le poète au docteur Panet-Raymond, alors interne à Saint-Jean-de-Dieu, dans les années 1930. Ce dernier les a remis à sa future belle-sœur, Mme André Laurendeau, qui les a offerts à Paul Wyczynski. Écrits au crayon, les textes pourraient y être groupés en cinq catégories: dix-huit poèmes de Nelligan transcrits de mémoire, des textes français allant de La Fontaine à Fernand Gregh, quatre poèmes d'auteurs canadiens-français (P.-J.-O. Chauveau, William Chapman, Albert Lozeau et Pamphile Le May), dix textes anglais et quelques articles de journaux. Les poèmes de Nelligan sont: « Le Tombeau de la négresse » [p. 16-17]; « La Voileau [*sic*] d'Or » [p. 18-19], (« Le Vaisseau d'Or »: nous donnerons toujours le titre correspondant à celui du poème qui figure dans l'édition Lacourcière); « Mon âme » [p. 20-21]; « Ma mère » [p. 22], (avec, en exergue, ce vers de Rodenbach: « Ma mère a voulu garder la sainte femme »); « Our Lady of Snows » [p. 23-24], (« Notre-Dame-des-Neiges » sous un titre anglais); « Poésie belge » [p. 25], (« Chapelle de la morte »); « Le Regret des joujoux » [p. 26-27]; « La Cloche en la brume » [p. 27-28]; « Le Salon » [p. 72], (le premier tercet dont les deux premiers vers sont invertis); « Fantaisie créole » [p. 74]; « L'Idiote aux cloches » [p. 75-76]; « Les Horbeaux [*sic*], [p. 90-91], (il s'agit du sonnet « Les Corbeaux » que le poète signe ici « Émile Nelligan, Hindelang »); « Soirs angélisés » [p. 110-111], (« Les Angéliques »); « La Bénédictine » [p. 112-113]; « Caprice blanche » [*sic*], [p. 114-115], (« Le Caprice blanc »); « Deicis » [*sic*], [p. 116-117], (« Les Déicides », première partie); « Gondolar » [p. 121], (« Le Fou »: plusieurs variantes); « L'Immaculé [*sic*] Conception » [p. 125], (« Amour immaculé », premier quatrain).

8 « CARNET » II. Tout petit carnet, 4″×3″, de 39 feuillets de papier crème, couverts des deux côtés d'écriture au crayon, genre de calepin sur lequel une aide-infirmière aurait eu l'habitude de noter ses consignes. Aucun poème de Nelligan n'y figure. Le poète s'amuse ici à transcrire des textes de poètes étrangers: Thomas Moore, Sully Prudhomme, Paul Verlaine, Musset, Henry Longfellow, Georges Rodenbach, Fernand Gregh, Henri Murger, Jean Richepin.

9 « CARNET » III. Du même format que le carnet n° 2, ce manuscrit compte 50 feuillets dont seulement 32 ont été remplis par le poète malade

qui écrivait au crayon. Parmi les poèmes français et anglais qu'on y trouve, figurent ses propres poèmes, transcrits, selon son habitude, de mémoire. Un conte, « Noël au Pérou », mériterait d'être étudié de près. Ce carnet est aujourd'hui en la possession de Luc Lacourcière.

10 « CARNET » IV. Carnet d'autographes, 7″×5½″, couverture grise, 30 feuillets détachables de couleurs différentes, couverts des deux côtés d'écriture au crayon et à la plume, 60 pages en tout. Ce calepin appartenait à Mme Simon Bournival (Angélina Grenier), qui fut aide-infirmière à Saint-Jean-de-Dieu pendant les dernières années du séjour de Nelligan en cet hôpital. Le manuscrit date des années 1934-1938. Excepté le premier feuillet où Nelligan a écrit des deux côtés (p. 1 et 2), dans tous les autres cas, il n'a noirci que le verso, le recto des feuillets étant réservé aux mots-souvenirs des amies d'Angélina Grenier. Les autographes de Nelligan peuvent être regroupés en deux catégories: les poèmes d'autres poètes d'un côté et ses propres poèmes de l'autre, les uns et les autres transcrits de mémoire. Dans la première catégorie se trouvent des textes qui, d'après Nelligan, proviendraient des poètes suivants: Joseph Bédier, Louis Bouilhet, Alfred de Musset, Aristide Bruant, Sully Prudhomme, Fernand Gregh, Henri Bormier, Paul Verlaine, Henri Marteau, Henri Rochefort, Antony Valabrègue, Octave Crémazie, Georges Rodenbach, Jean Gillet (?), L.-A. Rolland, Victor Hugo. Le deuxième groupe comprend: « Beauté cruelle » [p. 20], « Déraison » [p. 36], « Le Vaisseau blanche » [*sic*] où les deux tercets sont suivis d'un vers d'origine inconnue, suivi, à son tour, des deux premiers alexandrins de « Mazurka », et de ce vers juxtaposé: « Comme des serpents morts sur le pont d'un vaisseau » [p. 38]; « Adieu Sœur chérie », poème inconnu, signé « Origène », probablement de Nelligan [p. 40]; « Les Corbeaux » [p. 56]; « Pâques fleuries » (« Communion pascale » moins les vers 7 et 8), poème signé et, entre parenthèses: « Paysages d'Âme » [p. 58].

11 « CARNET » V. Carnet d'autographes, 5¾″×5″, couverture vert foncé, 36 feuillets de couleurs différentes, dont seulement quelques-uns ont été couverts d'écriture. Comme le précédent, ce cahier appartenait aussi à Mme Simon Bournival (Angélina Grenier); il date des années 1939-1941. Cinq pages sont de l'écriture de Nelligan: « Sonnet » (deux vers), [p. 54]; « Rêve et Dort » [*sic*] (deux vers d'Henri Bornier), [p. 55]; « Thème sentimental » (la seule variante se situe au quatrième vers: « palais » à la place de « château »), [p. 56]; « Ne jamais la voir, ne jamais l'entendre » (trois strophes d'Armand Sully Prudhomme), [p. 57]; « Bohême [*sic*] champêtre » [p. 58]. Différent du texte en sizains, portant dans l'édition Lacourcière le titre de « Bergère », « La Bohème champêtre » — il s'agit du même poème — est écrit ici en quintils:

> Vous que j'aimai sous les hauts houx,
> Bergère, à la mode champêtre,
> De ces soirs vous en souvenez-vous ?
> Vous étiez l'astre à ma fenêtre
> Et l'étoile d'or en les houx.
>
> Aux soirs de bohême [*sic*] champêtre
> Vous que j'aimais sous les hauts houx,
> Où donc maintenant êtes-vous ?
> Vous êtes l'ombre à ma fenêtre
> Et la tristesse dans les houx.

Une photographie de Nelligan, prise peu avant sa mort et publiée dans la revue *Affaires*, a été découpée, pour être collée à la page 53.

II. – *Imprimés*

1) *Prose.*

12 NELLIGAN, Émile-Edwin, *C'était l'automne . . . et les feuilles tombaient toujours,* dans **Collège Sainte-Marie, souvenir annuel,** album-souvenir, publié par les Pères de la Compagnie de Jésus, [Montréal], Imprimerie du Messager, 1916-1923, vol. 1, n° de l'année 1921, p. 494-495.

Le texte est celui d'un devoir de classe de Nelligan, en date du 8 mars 1896. Rare échantillon de sa prose, il contient déjà les traits originaux du futur poète, et surtout l'un de ses thèmes préférés, celui de la mort. Ce texte a été reproduit en appendice de l'ouvrage de Paul Wyczynski, *Émile Nelligan, sources et originalité de son œuvre,* p. 296-297, et, plus récemment, dans son *Émile Nelligan* (collection « Écrivains canadiens d'aujourd'hui »).

13

2) *Chronologie de l'œuvre poétique de Nelligan.*

NOTE

Ce serait trop ambitieux de vouloir situer tous les poèmes de Nelligan de cette section dans un ordre strictement chronologique. Les renseignements sur les circonstances de leur composition sont minces et pas toujours explicites. Notre souci premier a été de découvrir des références sur les origines de chaque poème et de les faire suivre de celles qui tracent, sommairement, l'histoire de ses publications successives. Nous retenons toujours le premier titre, en spécifiant, par les signes appropriés (>, <, ≷), ses changements réels ou possibles. Ce procédé n'est aucunement celui de l'édition critique, mais vise uniquement à baliser l'œuvre de Nelligan d'indications suffisamment précises quant aux sources, écrites et orales, afin de conférer à l'ensemble un certain relief chronologique. Nous avons ainsi pu éclairer l'origine de cent vingt-huit titres.

Nos sources principales sont d'abord les manuscrits du poète : Collection Nelligan-Corbeil, ses « Carnets » d'hôpital, ses autographes, de même que quelques poèmes transcrits par ses amis. Viennent en second lieu, les journaux de l'époque et les deux recueils collectifs : *Soirées du Château de Ramezay* et *Franges d'autel.* D'autre part, l'étude de Louis Dantin, publiée dans *Les Débats* en 1902, nous a servi de guide au même titre que la première édition des *Poésies* de Nelligan, parue chez Beauchemin, en 1904. Enfin, nous devons à l'édition Lacourcière de précieux renseignements de chronologie, bien que nous les utilisions à notre façon, en les complétant ou en les rectifiant.

Tous les poèmes de Nelligan, à quelques exceptions près, ont été conçus et composés dans une courte période de trois ans : du printemps de 1896 à l'été de 1899. Lors de son internement, le 9 août 1899, les journaux de l'époque avaient publié vingt-trois de ses poèmes : *Le Samedi,* neuf; *Le Monde illustré,* sept; *La Patrie,* cinq; *Le Petit Messager du Très Saint-Sacrement,* un; *L'Alliance nationale,* un. *Le Spectateur* de Hull en a réimprimé un. Les procès-verbaux de l'École littéraire de Montréal mentionnent les titres de dix-neuf poèmes de Nelligan entre le 10 février 1897 et le 26 mai 1899. (Trois ou quatre autres furent lus par ses amis, sans que le titre soit indiqué.) Cependant, les cahiers d'archives pour la période du 5 avril 1897 au 18 mars 1898 font défaut. C'est par le truchement des journaux — *Le Monde illustré, La Patrie, La Presse, La Minerve,* — qu'on apprend que Nelligan a soumis à l'École littéraire d'autres poèmes dont plusieurs furent imprimés dans des feuilles montréalaises. Au total, le poète a récité aux séances de l'École — à moins que ses amis ne le fissent à sa place — trente-trois poèmes. Une fois Nelligan interné, Charles Gill y lut, à deux reprises, « L'Homme aux cercueils » et Jean Charbonneau, « Un rêve de Watteau ».

Entre le 9 août 1899 et le 17 août 1902, les journaux montréalais publièrent quinze inédits de Nelligan : *Les Débats, Les Vrais Débats, L'Avenir* (trois titres successifs du même journal), huit; *La Patrie,* quatre; *Le Monde illustré,* deux; *Le Petit Messager du Très Saint-Sacrement,* deux; *La Presse,* un. De plus, *L'Alliance nationale* reproduit « Rêve d'artiste » d'après le texte paru dans *La Patrie*; *L'Avenir* réimprime « Amour immaculé ». Le poème « L'Idiote aux cloches », paru d'abord dans *La Patrie* du 7 janvier 1899, réapparaît dans *Les Débats* du 15 avril 1900. Le sonnet « Les Communiantes », publié dans *La Patrie* du 29 avril 1899, est reproduit dans *Le Petit Messager du Très Saint-Sacrement,* en juin 1899.

Durant l'année 1900, parurent deux recueils collectifs : *Les Soirées du Château de Ramezay,* en mars, et *Franges d'autel,* en septembre. Le premier contient dix-sept poèmes de Nelligan dont onze inédits : « Le Récital des anges », « Un rêve de Watteau », « Bohème blanche », « La Passante », « La Romance du Vin », « Les Camélias roses », « La Bénédictine » « Devant deux portraits de ma mère », « Devant mon berceau », « Fra Angelico », et « Potiche ». Les poèmes « L'Idiote aux cloches », « Le Talisman », « Sainte-Cécile » (sous le titre d'« Organiste des anges »), « Amour immaculé » et « Rêve d'artiste » ont déjà paru dans *La Patrie,* respectivement le 7 janvier, le 11 mars, le 8 avril, les 16 et 23 septembre 1899. Quant à « L'Homme aux cercueils », ce poème fut publié pour la première fois dans *Les Débats* du 19 décembre 1899. D'autre part, pour saluer, en quelque sorte, la parution du premier recueil collectif de l'École littéraire, *Le Monde illustré* du 21 avril 1900 reproduisit « Le Récital des anges ».

Dans *Franges d'autel,* ce recueil préparé sous la direction de Louis Dantin, parurent cinq poèmes de Nelligan : « Les Déicides », « Réponse du crucifix », « Les Communiantes », « Communion pascale » et « Petit Vitrail ». Seuls les deux derniers sont inédits. (Les deux premiers avaient déjà été publiés dans *Le Petit Messager du Très Saint-Sacrement* et « Les Communiantes » parurent dans *La Patrie* du 29 avril 1899.)

Au moment où Louis Dantin débutait, en 1902, son *Émile Nelligan,* cinquante et un poèmes de son ami avaient déjà été publiés dans les journaux et dans les deux recueils collectifs : ils représentent à peu près un tiers de son œuvre. Louis Dantin a semblé ignorer les poèmes parus dans *Le Samedi,* sous le pseudonyme d'Émile Kovar, ainsi que les trois pièces publiées dans *Le Monde illustré,* à savoir : « Le Voyageur », « Vieux Piano » et « Moines en défilade ». Le critique s'appuya essentiellement sur les cahiers manuscrits dont il est aujourd'hui difficile de reconstituer la tenue. Il cite dix poèmes de Nelligan *in extenso,* des extraits de trente-quatre poèmes et mentionne douze titres (« Les Moines noirs » et « Les Moines blancs » réfèrent au même poème !), en y insérant six fragments; il ne signale qu'à l'occasion trois pièces, à propos des vers cités isolément. Son étude concerne donc l'existence de soixante-cinq poèmes de Nelligan.

A la même époque s'amorça l'organisation de ces poèmes en un recueil qui paraîtra en 1904, pour devenir la première édition des poésies de Nelligan. Le choix de Louis Dantin s'est arrêté à cent sept pièces, dont trente-neuf entièrement inconnues. En 1952, l'édition critique Lacourcière a enrichi l'édition Dantin de cinquante-cinq poèmes : six parus après 1904, dix-sept venus de la collection Nelligan-Corbeil, et trente-deux trouvés dans des journaux ou des archives privées.

Comme titre de son recueil, Nelligan inventa d'abord « Récital des anges » pour le transformer ensuite en « Motifs du récital des anges ». Louis Dantin n'en tint aucunement compte et titra la première édition des poésies de son *Émile Nelligan et son œuvre* (1904). On fit de même pour les deuxième et troisième éditions, en 1925 et en 1932. Titre fictif, il fut changé en *Poésies* avec la quatrième édition (1945), pour devenir *Poésies complètes 1896-1899*, lors de la parution de l'édition critique de M. Luc Lacourcière, en 1952.

Quant aux titres des sections, Nelligan en signala une, en septembre 1897, en dédiant sa pièce « Salons allemands », « à L.-J. Béliveau, un sonnet extrait de Pauvre Enfance ». A bien y penser ce fut peut-être le premier titre de son recueil à peine amorcé. Dans le plan autographe des « Motifs du récital des anges », que Nelligan élabora vraisemblablement au début de 1899, les poèmes sont regroupés en sept sections : « Clavecin céleste », « Villa d'Enfance », « Petite Chapelle », « Vesprées mystiques » (raturé et remplacé d'abord par « Mysticisme », ensuite par « Choses mystiques »), « Intermezzo », « Lied », « Les pieds sur les chenêts ». Ce plan ne sembla être ni complet ni définitif. Ainsi, Louis Dantin s'inspira probablement d'un autre plan, plus parfait, tout en apportant à l'organisation du recueil ses propres idées et changements. Les titres des sections s'y lisent : « L'Âme du poète », « Le Jardin de l'Enfance », « Amours d'élite », « Les Pieds sur les chenêts », « Virgiliennes », « Eaux-fortes funéraires », « Petite Chapelle », « Pastels et Porcelaines », « Vêpres tragiques », « Tristia ». On constate que Dantin n'a retenu que deux titres qui figuraient dans le plan autographe de Nelligan; il est aussi fort possible que sous sa plume « Villa d'Enfance » ait pu devenir « Le Jardin d'Enfance ». L'édition Lacourcière respecte intégralement le plan de la première édition, en groupant le reste de l'œuvre de Nelligan en trois sections : « Pièces retrouvées », « Après 1904 », « Poèmes posthumes ».

Voilà donc les grandes étapes de l'histoire de l'œuvre poétique de Nelligan. Le lecteur consultera les tableaux synoptiques, situés en appendice de la présente *Bibliographie*, chaque fois qu'il lui sera nécessaire de reprendre une vue globale sur l'histoire de l'œuvre de Nelligan. « La liste récapitulative des signes conventionnels et des abréviations », située à la fin de nos « Précisions sur la méthode bibliographique utilisée », permet de saisir le sens des sigles employés dans cette section.

14 **Rêve fantasque**

1896-13 juin: Dans *Le Samedi,* vol. 8, n° 2, p. 6. (Sous le pseudonyme d'Émile Kovar.)

Cette pièce témoigne déjà d'une forte adhésion à l'art verlainien. Le jeune poète imite, manifestement, « La Nuit du Walpurgis classique » qui fait partie des *Poèmes saturniens.* Sous le titre figure la mention « Pour *Le Samedi* », qui nous apprend que Nelligan participe à un concours littéraire, organisé par le rédacteur du *Samedi,* Louis Perron. Les huit poèmes suivants portent la même étiquette. « Rêve fantasque » témoigne aussi d'une tendance d'encadrer le thème lyrique d'images parnassiennes comme le font deviner plusieurs titres de Nelligan, par exemple « Fontaine aux cygnes », inscrit dans son plan autographe « Motifs du récital des anges ».

15 **Silvio Corelli pleure**

1896-11 juillet: Dans *Le Samedi,* vol. 8, n° 6, p. 10. (Sous le pseudonyme d'Émile Kovar.)

1900-26 août: Dans *Les Débats,* 1re année, n° 39, p. 1.
Sous le titre abrégé de « Silvio pleure ». Chaque strophe est numérotée. Cette fois, le poète y a apposé son vrai nom. Cette double publication a permis à Luc Lacourcière — de même que celle de « Nuit d'été » — d'identifier le pseudonyme d'Émile Kovar.

16 **Nuit d'été > Nuit d'été** [II]

1896-18 juillet: Dans *Le Samedi,* vol. 8, n° 7, p. 1. (Sous le pseudonyme d'Émile Kovar.)

Une version corrigée figure dans la première édition. Dans l'édition Lacourcière, le texte paru dans *Le Samedi* devient variante: p. 291-292.

17 **La Chanson de l'ouvrière**

1896-1er août: Dans *Le Samedi,* vol. 8, n° 9, p. 7. (Sous le pseudonyme d'Émile Kovar.)

Dédiée à Denys Lanctôt, cette chanson a été inspirée par Pierre Dupont dont Nelligan connaissait plusieurs pièces.

18 **Nocturne** ⤼ **Nocturne séraphique**

1896-15 août: Dans *Le Samedi,* vol. 8, n° 11, p. 8. (Sous le pseudonyme d'Émile Kovar.)

Sonnet dédié à Denys Lanctôt. Il est impossible de conclure que le titre « Nocturne séraphique », mentionné dans le procès-verbal de l'École littéraire, de la réunion du 22 février 1899, concerne le même texte que celui publié dans *Le Samedi.*

19 **Cœurs blasés**

1896-22 août: Dans *Le Samedi,* vol. 8, n° 12, p. 6. (Sous le pseudonyme d'Émile Kovar.)

20 **Mélodie de Rubinstein**

1896-29 août: Dans *Le Samedi,* vol. 8, n° 13, p. 8. (Sous le pseudonyme d'Émile Kovar.)

21 **Charles Baudelaire > Le Tombeau de Charles Baudelaire** [II], (A)

1896-12 sept.: Dans *Le Samedi,* vol. 8, n° 15, p. 5. (Sous le pseudonyme d'Émile Kovar.)

Ce texte, complètement remanié au point de devenir un nouveau poème, « Le Tombeau de Charles Baudelaire », figure parmi « Poèmes posthumes » dans l'édition Lacourcière, p. 241. Le manuscrit en a été fourni par le docteur Émile Legrand, ainsi qu'un fragment d'un autre poème, intitulé « Le Tombeau ».

22 **Béatrice**

1896-19 sept.: Dans *Le Samedi,* vol. 8, n° 16, p. 6. (Sous le pseudonyme d'Émile Kovar.)

Béatrice Hudon, la cousine germaine du poète, en est l'inspiratrice.

23 **Berceuse**

*** 1897-10 févr.: ELM.

-25 févr.: Joseph Melançon transcrit ce poème de six vers dans son « Journal », le 25 février, [p. 11-12].

+ 1935: Jean CHARBONNEAU, **L'École littéraire de Montréal,** Montréal, Éditions Albert Lévesque, 1935, p. 118.

24 **Le Voyageur**

*** 1897-10 févr.: ELM.

-2 oct.: Dans *Le Monde illustré,* 14ᵉ année, n° 700, p. 358.

25 **Carl Vohnder est mourant**

*** 1897-25 févr.: ELM.

Le titre témoigne chez Nelligan d'un goût pour l'exotisme allemand: « Frère Alfus » en est un autre exemple.

26 **Sonnet d'une villageoise ⌔ Sonnet d'or**

*** 1897-25 févr.: ELM.

27 **Tristia ⌔ Tristesses ⌔ Tristesse blanche**

*** 1897-25 févr.: ELM.

S'agit-il ici de la première version du poème qui s'intitulera « Tristesses », lors de la séance de l'École du 4 février 1898 ? Faut-il reconnaître dans ce poème « Tristesse blanche » que Louis Dantin cite au complet dans son étude publiée dans *Les Débats,* le 7 septembre 1902, à la page 2, sans mentionner le titre ? Quoi qu'il en soit, « Tristesse blanche » figure dans l'édition Dantin, p. 152-153, à la suite d'un autre poème de facture identique, intitulé « Sérénade triste ». Tous les deux font partie de la dernière section du recueil: « Tristia ».

28 **Je sais là-bas...**

1897-févr.: Texte transcrit par Joseph Melançon.

Luc Lacourcière note: « Ce fragment inédit nous a été conservé et communiqué par M. l'abbé Joseph Melançon qui l'avait transcrit dans son journal intime en février 1897 » (Édition Lacourcière, p. 318). Mais le « Journal » de l'abbé Melançon n'en garde pas de trace. Serait-il opportun d'avancer que le texte y a été inséré sur une feuille volante ? S'agit-il réellement d'un fragment ? La composition du poème rappelle la « Berceuse », composée à la même date.

29 **Aubade** ⌔ **Aubade rouge**

*** 1897-15 mars: ELM.

Il se peut qu'il s'agisse de l'« Aubade rouge » qui fait partie de la Collection Nelligan-Corbeil (folio 2).

30 **Harem céleste** ⌔ **Billet céleste** ⌔ **Le Récital des anges**

*** 1897-15 mars: ELM.

D'après Alfred DesRochers, Nelligan s'ingéniait à chercher des titres scandaleux. « Harem céleste » pourrait être le « Billet céleste ». (Cité par Luc Lacourcière, p. 309.)

31 **Sonnet hivernal** ⌔ **Hiver sentimental**

*** 1897-15 mars: ELM.

Luc Lacourcière suggère de rapprocher ce sonnet d'« Hiver sentimental ». (Édition Lacourcière, p. 309.)

32 **Le Coursier**

*** 1897-8 mai: Petite Poste en famille. E. N., *Peck-à-boo Villa,* dans *Le Monde illustré,* 14e année, nº 679, p. 23.

Ce sonnet semble être définitivement perdu. Imparfait, sans doute, il n'a pas été accepté par la rédaction du *Monde illustré.*

33 **Vieux Piano**

1897-29 mai: Dans *Le Monde illustré,* 14e année, nº 682, p. 68.

Ce poème est signé « Émil Nellighan » et porte en exergue un quatrain tiré de l'« Absente », ce sonnet qui appartient au recueil *Soirs moroses* de Catulle Mendès.

34 **Moines en défilade** > **Cloître noir** [II] ⌔ **Les Moines**

1897-10 juillet: Dans *Le Monde illustré,* 14e année, nº 688, p. 164.

Ce texte constitue la première version du « Cloître noir » et marque le début du cycle monacal chez Nelligan. Le poème « Moines en défilade » figure dans l'édition Lacourcière, à la section « Pièces retrouvées », p. 216. A comparer aussi avec un autre titre, « Les Moines », inscrit par le poète dans le plan autographe des « Motifs du récital des anges ».

35 **Paysage** > **Paysage fauve**

1897-21 août: Dans *Le Monde illustré,* 14e année, nº 694, p. 260.

Ce « Paysage » — avec la note: « Montréal, août 1897 », et la signature du poète: « Émil [*sic*] Nelligan » — deviendra plus tard « Paysage fauve ».

36 **Salons allemands** (A) > **Salons hongrois** (A)

1897-sept.: Dans « L'Album » offert en cadeau de noce à Louis-Joseph Béliveau, ami de Nelligan et membre de l'École littéraire de Montréal.

Signé « Émil Néllighan » et précédé d'une note « Un sonnet tiré de *Pauvre Enfance* », ce sonnet figure à la

p. 23, parmi d'autres textes en vers et en prose, signés par neuf jeunes écrivains: Germain Beaulieu, Albert Ferland, Jean Charbonneau, Arthur de Bussières, Gustave Comte, G.-A. Dumont, E.-Z. Massicotte, Henry Desjardins et le docteur Pierre Bédard. Il existe un manuscrit postérieur à ce texte; il nous a été fourni par Luc Lacourcière; le titre en est différent: « Salons hongrois ». Ce poème témoigne du penchant de Nelligan vers l'exotisme allemand. Deux ans plus tard, dans le plan autographe, le poète donne le titre de « Lied » à l'une des sections de son recueil où l'on trouve des titres comme « Thème allemand » et « Sur des motifs de pipeau ».

37 **Rythmes du Soir > Soirs d'automne** [II]

1897-9 sept.: Dans *L'Alliance nationale,* vol. 3, n° 9, p. 113.

Première version de « Soirs d'automne ». Étant donné que deux vers seuls demeurent inchangés par rapport à la deuxième version, Luc Lacourcière a classé ce poème dans la section « Poèmes retrouvés » (p. 217). La deuxième version, « Soirs d'automne », figure déjà dans la première édition des poésies de Nelligan (p. 81).

38 **Sculpteur sur marbre < Chef d'œuvre posthume** (A)

1897-11 déc.: Dans *Le Monde illustré,* 14e année, n° 710, p. 522. (Signé: « Émil Néllighan ».)

Un autographe non daté et le folio 30 de la Collection Nelligan-Corbeil offrent des versions passablement remaniées sous le titre de « Chef d'œuvre posthume ». Dantin n'a pas retenu cette pièce. Luc Lacourcière note que « la famille Nelligan était amie du sculpteur Casimiro Mariotti, qui fut le parrain de Gertrude, sœur d'Émile ». (Édition Lacourcière, p. 311.)

39 **Danse des Gypsies**

*** 1897-16 déc.(?): *École littéraire de Montréal,* dans *Le Monde illustré,* 14e année, n° 713, 1er janvier 1898, p. 563.

« La dernière réunion de l'École littéraire de Montréal, lisons-nous, a été remarquablement intéressante. La réunion avait lieu chez M. le docteur Bédard, qui sut [*sic*] bénéficier ses amis de sa large hospitalité. Après les exposés de Germain Beaulieu, d'E.-Z. Massicotte, de Jean Charbonneau, Nelligan lit deux de ses poésies: »Danse des Gypsies« et »Fantômes«. » Il est difficile de dater cette réunion avec exactitude: le compte rendu n'en dit rien. Cependant, le même hebdomadaire, en date du 8 janvier 1898, p. 579, fournit d'autres renseignements sur une réunion-réveillon, tenue le 23 décembre, chez Louis-Joseph Béliveau. On peut en conclure que la réunion chez le docteur Pierre Bédard aurait eu lieu la semaine précédente.

40 **Fantômes**

*** 1897-16 déc.(?): *École littéraire de Montréal,* dans *Le Monde illustré,* 14e année, n° 713, p. 563.

Voir « Danse des Gypsies ». Les deux poèmes ne nous sont pas parvenus. D'après Luc Lacourcière, le poème « Fantômes » pourrait être rapproché du « Chat fatal » ou du « Spectre ». A notre avis, il pourrait aussi être le premier titre du poème « La Terrasse aux spectres ».

41 **Les Tristesses ~ Tristia ~ Tristesse blanche**

*** 1898-4 févr.: *École littéraire de Montréal,* dans *Le Monde illustré,* 14e année, n° 720, 19 février 1898, p. 682.

Compte rendu d'une réunion de l'École littéraire, tenue le 4 février 1898, au cours de laquelle Nelligan lit ce poème. (Voir « Tristia », notice 27.)

42 **Sonnet d'or**

1898-12 mars: Dans *Le Monde illustré,* 14e année, n° 723, p. 726.

Signé « Émil Nellighan », ce sonnet ne figure pas dans l'édition Dantin.

43 **Sur un portrait de Dante > Sur un portrait de Dante** [II]

1898-21 mai: Dans *Le Monde illustré,* 15e année, n° 733, p. 39. (Première version.)

1904-6 mars: Charles GILL, *Émile Nelligan,* dans *Le Nationaliste,* 1re année, n° 1, p. 4.

Version entièrement remaniée. D'après Charles Gill, Nelligan l'a griffonnée « au bas d'une sanguine représentant le grand Florentin ». Le texte figure dans l'édition Lacourcière, section « Notes et Variantes », p. 312.

44 **L'Ultimo Angelo del Correggio**

1898-22 oct.: Dans *La Patrie,* 20e année, n° 203, p. 11. (Avec une dédicace: « Pour Madame W. Hately ».)

Nombreuses variantes par rapport au texte portant le même titre dans l'édition Dantin, p. 144.

45 **Les Déicides**

1898-oct.: Dans *Le Petit Messager du Très Saint-Sacrement,* 1re année, n° d'octobre, p. 306-307.

1900: Dans **Franges d'autel,** p. [68-69].

Richement illustré par J.-B. Lagacé. Si les quatre autres poèmes de Nelligan qui font partie de ce recueil ne se sont mérité qu'un simple motif graphique, celui-ci est encadré d'une composition qui représente plusieurs scènes bibliques.

46 **L'Idiote aux cloches**

*** 1898-9 déc.: ELM.
*** -29 déc.: ELM, lu à la première séance publique.
1899-7 janv.: Dans *La Patrie,* 20e année, n° 266, p. 10. A la même page un compte rendu de la première séance de l'École littéraire, écrit par Françoise.
-[mars]: Dans **Les Soirées du Château de Ramezay,** p. 321.
1900-15 avril: Dans *Les Débats,* 1re année, n° 20, p. 1.
*** 1902-7 sept.: Louis DANTIN, *Émile Nelligan,* dans *Les Débats,* 3e année, n° 146, p. 2.

47 **Le Récital des anges > Billet céleste ⌒ Harem céleste**

*** 1898-29 déc.: ELM, lu à la première séance publique.
1900-[mars]: Dans **Les Soirées du Château de Ramezay,** p. 320. (Sous le titre: « Le Récital des anges ».)
-21 avril: Dans *Le Monde illustré,* 16e année, n° 833, p. 822. (Aussi sous le titre « Récital des anges ».)
Sous le titre présentement connu, le poème a paru dans l'édition Dantin, p. 98. Le premier titre est celui que Nelligan espérait donner à son recueil, devenu par la suite « Motifs du récital des anges ». Il est fort probable que ce plan autographe, assorti de ce titre, ait été conçu au début de 1899. (Voir Collection Nelligan-Corbeil, folios 34, 55-56.)

48 **Un rêve de Watteau > Rêve de Watteau**

*** 1898-9 déc.: ELM.
*** -29 déc.: ELM, première séance publique.
1900-[mars]: Dans **Les Soirées du Château de Ramezay,** p. 307.
** 1902-21 sept.: Louis DANTIN, *Émile Nelligan,* dans *Les Débats,* 3e année, n° 148, p. 3.
Dantin cite les deux derniers vers.
1904-21 mai: Dans *Le Journal de Françoise,* 3e année, n° 4, p. 382.

49 **Bohème blanche > Premier remords**

*** 1899-3 févr.: ELM.
1900-[mars]: Dans **Les Soirées du Château de Ramezay,** p. 311.
Publié pour la première fois sous le titre de « Premier remords » dans l'édition Dantin, p. 13.

50 **Le Perroquet**

*** 1899-10 févr.: ELM.
*** -24 févr.: ELM, poème lu à la deuxième séance publique, tenue au Monument national.

51 **Le Roi du Souper**

*** 1899-10 janv.: ELM.

52 **Le Menuisier funèbre ◠ L'Homme aux cercueils**

*** 1899-10 févr.: ELM.

D'après Louvigny de Montigny, il s'agirait du même poème.

53 **Le Suicide du sonneur**

*** 1899-10 févr.: ELM.

Il s'agit probablement du poème qui sera plus tard connu sous les titres « Le Suicide de Val d'or » et « Le Suicide d'Angel Valdor ».

54 **Les Carmélites**

* 1899-22 févr.: ELM.

*** 1902-24 août: Louis DANTIN, *Émile Nelligan,* dans *Les Débats,* 3e année, n° 144, p. 2.

Le premier quatrain est cité.

55 **Nocturne séraphique ◠ Nocturne**

*** 1899-22 févr.: ELM.

S'agit-il ici du même sonnet que celui intitulé « Nocturne », dans *Le Samedi* du 15 août 1896 ?

56 **Notre-Dame-des-Neiges**

*** 1899-22 févr.: ELM.

*** -24 févr.: ELM, lu au cours de la deuxième séance publique.

1903-mars: Louis DANTIN, *Émile Nelligan et son œuvre,* dans *Revue canadienne,* vol. 43, n° 3, p. 280-281.

57 **La Négresse ◠ Le Tombeau de la négresse**

*** 1899-24 févr.: ELM, poème lu au cours de la deuxième séance publique.

Il est quasiment sûr qu'il s'agit du poème connu aujourd'hui sous le titre « Le Tombeau de la négresse », publié en mars 1903, dans *Revue canadienne.* En écho à certains symbolistes, Nelligan titrait ses poèmes: « Le Tombeau de Chopin », « Le Tombeau de Charles Baudelaire », « Le Tombeau de la négresse ». Quoi qu'il en soit, ce dernier titre figure déjà dans le plan autographe des « Motifs du récital des anges ». (Au sujet d'un manuscrit conservé par le docteur E. Quenneville, voir notice 515.)

58 **Le Talisman**

1899-11 mars: Dans *La Patrie,* 21e année, n° 14, p. 14.

-23 mars: Dans *Le Spectateur* (Hull), vol. 10, n° 47, p. 2.

*** -26 mai: ELM, lu au cours de la quatrième séance publique.

1900-[mars]: Dans **Soirées du Château de Ramezay,** p. 314.

59 **Le Suicide de Val d'or**

*** 1899-31 mars: ELM.

Il s'agit probablement du texte perfectionné que Nelligan a lu d'abord à l'École lors de la réunion du 10 février, sous le titre: « Le Suicide du sonneur ». Mais il est aussi fort possible que les deux titres, provisoires, ne soient que deux premières étapes dans la composition du poème « Le Suicide d'Angel Valdor » qui appartient à la Collection Nelligan-Corbeil (folios 35-47).

60 **Amour immaculé > Saintes au Vitrail > Amour immaculé ⌒ Passion immaculée ⌒ Union immaculée**

*** 1899-7 avril: ELM, lu à la troisième séance publique.

-16 sept.: Dans *La Patrie,* 21e année, n° 172, p. 14. (Sous le titre: « Les Saintes au Vitrail ».)

1900-[mars]: **Les Soirées du Château de Ramezay,** p. 313. (Sous le titre: « Amour immaculé ».)

1901-6 janv.: Dans *L'Avenir,* 1re année, n° 12, p. 1. (Sous le titre: « Amour immaculé ».)

Nelligan a beaucoup hésité sur le titre de ce poème avec lequel il désirait traduire sa conception de l'amour idéal. Les deux autres titres — « Passion immaculée » et « Union immaculée » — se succèdent dans le plan autographe des « Motifs du récital des anges ».

61 **Petit vitrail de chapelle > Petit vitrail**

1899-7 avril: ELM.

Mentionné sous le titre allongé: « Petit vitrail de chapelle ». Le titre abrégé figure dans le plan autographe « Motifs du récital des anges ».

1900-[sept.]: Dans **Franges d'autel,** p. [74]. (Sous le titre : « Petit Vitrail ».)

1902-7 sept.: Louis Dantin, *Émile Nelligan,* dans *Les Débats,* 3e année, n° 146, p. 2.

Exception faite pour le neuvième vers. Plus tard, ce poème sera écarté par Dantin: il ne figure pas dans l'édition de 1904.

62 **La Passante**

*** 1899-7 avril: ELM, poème lu au cours de la troisième séance publique.

1900-[mars]: Dans **Les Soirées du Château de Ramezay,** p. 315.

63 **Prière vespérale ⌒ Prière du soir ⌒ Soirs de prière**

*** 1899-7 avril: ELM, poème lu à la troisième séance publique.

Luc Lacourcière est sérieusement fondé à suggérer que les deux premiers titres concernent la même pièce (p. 299). Louvigny de Montigny est également de cet avis. Le plan autographe des « Motifs du récital des anges » contient deux titres — « Soirs de prière » et « Musiques roses » — qui pourraient fort bien en constituer d'autres variantes.

64 **L'Organiste des anges > Sainte Cécile ⌒ L'Organiste du Paradis**

1899-8 avril: Dans *La Patrie,* 21e année, n° 37, p. 14.

Paraît sous le titre « L'Organiste des anges », avec l'étiquette « Pour le Coin de Fanchette »; le texte offre plusieurs variantes.

1900-[mars]: Dans **Les Soirées du Château de Ramezay,** p. 309. (Sous le titre de « Sainte Cécile ».)

Dans le plan autographe des « Motifs du récital des anges », la première partie du recueil, « Clavecin céleste », s'ouvre par le titre d'« Organiste du Paradis ».

1920-nov.: Dans *La Revue nationale,* vol. 1, n° 11, p. 21. (Sous le titre de « Sainte Cécile », accompagné de la photographie du tableau « Concert mystique » d'Eugène Sonrel.)

65 **Les Communiantes**

1899-29 avril: Dans *La Patrie,* 21e année, n° 55, p. 14. (La pièce est dédiée à Louis Fréchette et figure dans « Le Coin de Fanchette ».)

-juin: Dans *Le Petit Messager du Très Saint-Sacrement,* 2e année, n° de juin, p. 168.

1900-[sept.]: Dans **Franges d'autel,** p. [38].

-17 nov.: Dans *Le Monde illustré,* 17e année, n° 863, p. 451.

1905-20 mai: Dans *Le Journal de Françoise,* 4e année, n° 4, p. 49.

66 **Rêve d'artiste**

*** 1899-26 mai: ELM, poème lu au cours de la quatrième séance publique.

-23 sept.: Dans *La Patrie,* 21e année, n° 178, p. 6. (Avec cette dédicace: « A Mlle R[obertine] B[arry] ».)

1900-[mars]: Dans **Les Soirées du Château de Ramezay,** p. 319.

1904-19 mars: Dans *Le Journal de Françoise,* 2e année, n° 24, p. 301.

-oct.: Dans *L'Alliance nationale,* vol. 10, n° 10, page de titre.

Il s'agit d'un des quatre poèmes inspirés par Françoise (Mlle Robertine Barry), cette chroniqueuse à *La Patrie* et « la sœur d'amitié » de Nelligan.

1936: « Rêve d'art » (A), manuscrit signé Émile-Conrad Nelligan, communiqué à Luc Lacourcière par la sœur Saint-Adélard-Marie qui avait soigné Nelligan pendant deux ans. (Cf.: Édition Lacourcière, p. 287.)

A partir du plan autographe de Nelligan on pourrait déduire que « Sœur virginale » fut le premier titre de ce poème. A noter également que le même plan contient un autre titre, « Le Rêve » auquel il est cependant difficile d'assigner un poème définitivement fixé dans le recueil de Nelligan.

67 **Le Robin des bois**

*** 1899-26 mai: Dans *La Presse,* 11e année, no 173, p. 7.

Les procès-verbaux pas plus que les journaux ne nous éclairent sur les poèmes de Nelligan dits à la quatrième séance publique de l'École littéraire de Montréal. *La Presse,* seule, en rapporte les titres: « Le Talisman », « La Romance du Vin », « Le Robin des bois » et « Rêve d'artiste ».

68 **La Romance du Vin**

*** 1899-26 mai: ELM, poème lu à la quatrième séance publique, au Château de Ramezay.

1900-[mars]: Dans **Les Soirées du Château de Ramezay,** p. 324-325.

1900-1er avril: Dans *Les Débats,* 1re année, no 18, p. 1.

** 1902-14 sept.: Louis Dantin, *Émile Nelligan,* dans *Les Débats,* 3e année, no 147, p. 1.

Le poème peut être tenu pour le credo artistique de Nelligan. Il est aussi une réplique indirecte à la critique d'E. de Marchy dont un article malveillant sur la poésie de Nelligan avait été diffusé par *Le Monde illustré* du 11 mars 1899, p. 706-707.

69 **L'Homme aux cercueils ⁓ Le Menuisier funèbre**

*** 1899-17 nov.: ELM, lu par Charles Gill.

-19 déc.: Dans *Les Débats,* 1re année, no 3, p. 1.

1900-[mars]: Dans **Les Soirées du Château de Ramezay,** p. 323.

-3 avril: Dans *La Presse,* 16e année, no 128, p. 5.

Figure dans un compte rendu de la cinquième séance publique de l'École littéraire, tenue le 2 avril, au Château de Ramezay.

70 **Les Camélias roses > Les Camélias ⁓ Camélias morts**

1899-16 déc.: Dans *La Patrie,* 21e année, no 248, p. 14.

Sous le titre: « Les Camélias roses ». Poème imprimé dans la page féminine, « Coin de Fanchette », dirigée par Françoise.

1900-[mars]: Dans **Les Soirées du Château de Ramezay,** p. 310.

Sous le titre simplifié: « Les Camélias ». Quelqu'un s'étant aperçu du pléonasme, fit supprimer sans doute dans le titre cet adjectif dont Nelligan abusait dans bien d'autres cas: « Caprice blanc », « Cloître noir », « Fantaisie rose », « Fantaisie blanche », « Fantaisie créole », « Perroquets verts »... Le troisième titre, « Camélias morts », fait partie du plan autographe, « Motifs du récital des anges », section « Les Pieds sur les chenets ».

71 **Le Tombeau de Charles Baudelaire** (A) < **Charles Baudelaire**

1899 (?):

Gérard Bessette a communiqué le manuscrit de ce poème à Luc Lacourcière. D'après le docteur Robert Pagé, ce texte appartint initialement au docteur Émile Legrand, psychiatre à l'Hôpital Saint-Jean-de-Dieu. Une note y indique d'ailleurs que ce poème, ainsi qu'un fragment intitulé « Le Tombeau », auraient été écrits par le poète peu de temps après son internement, donc postérieurement au 9 août 1899.

72 **Sieste ecclésiastique** < **Petit Coin de cure**

1900-14 janv.: Dans *Les Débats,* 1re année, n° 7, p. 1.

Le titre est ainsi précisé: « Vers sans malice ». La Collection Nelligan-Corbeil offre une version légèrement différente (folio 10, verso), sous le titre: « Petit Coin de cure ».

** 1902-24 août: Louis DANTIN, *Émile Nelligan,* dans *Les Débats,* 3e année, n° 144, p. 2.

Dantin cite un tercet d'un poème qui, par son thème, ressemble aux versions connues, sans pour autant leur appartenir.

73 **La Bénédictine**

1900-[mars]: Dans **Les Soirées du Château de Ramezay,** p. 308. (Moins les vers 5 et 6.)

1902-13 sept.: Dans *Le Journal de Françoise,* 1re année, n° 12, p. 133.

Poème publié au complet; il sera repris dans le même journal, 5e année, n° 23, 2 mars 1907, p. 357-358.

74 **Devant deux portraits de ma mère**

1899 (?): Dans *Le Spectateur* (Hull) *.

1900-[mars]: Dans **Les Soirées du Château de Ramezay,** p. 316.

75 **Devant mon berceau**

1900-[mars]: Dans **Les Soirées du Château de Ramezay,** p. 318.

** 1902-7 sept.: Louis DANTIN, *Émile Nelligan,* dans *Les Débats,* 3e année, n° 146, 7 septembre 1902, p. 2.

Les quatrains 3 et 4 sont cités. Le poème date probablement de la fin de 1898 car il figure dans le plan autographe des « Motifs du récital des anges ».

76 **Fra Angelico**

1900-[mars]: Dans **Les Soirées du Château de Ramezay,** p. 312. (Moins les vers 3 et 4.)

La Collection Nelligan-Corbeil contient deux rédactions de ce poème: « Fra Angelico » dédié à Madame W. Y.

---

* Ce renseignement provient d'une source secondaire.

Hately (folio 28), et « Fra Angelico » moins les vers 3 et 4 (folio 31) dont la forme scripturaire n'est manifestement pas de Nelligan. Ce poème fut reproduit en 1900. L'édition Lacourcière le donne en référant au manuscrit que contient le folio 28.

77 **Potiche**

1900-mars: Dans **Les Soirées du Château de Ramezay,** p. 317.

1905-5 août: Dans *Le Journal de Françoise,* 4e année, n° 9, p. 129.

78 **Bohème champêtre > Bergère**

*** 1900-[mars]:

Louvigny de Montigny nous a raconté que lors de la publication des *Soirées du Château de Ramezay,* il avait en sa possession un manuscrit de Nelligan intitulé « Bohème champêtre ». Tout porte à croire que le texte soit celui de « Bergère » car Nelligan l'a transcrit de mémoire (cf.: « Carnet » d'hôpital V, p. 58), vers les années 1940, en gardant comme titre « Bohême [*sic*] champêtre ».

79 **La Réponse du crucifix**

1900-avril: Dans *Le Petit Messager du Très Saint-Sacrement,* 3e année, n° d'avril, p. 107.

-9 sept.: Dans *Les Débats,* 1re année, n° 41, p. 8.

Avec une note pour annoncer la publication prochaine des *Franges d'autel.* Le dernier paragraphe se lit ainsi: « Nous ne faisons que signaler l'apparition du volume qui sera probablement bientôt mis en vente chez nos principaux libraires. Joseph Saint-Hilaire en fera la semaine prochaine l'étude approfondie que mérite à plus d'un titre *Franges d'autel.* »

-[sept.]: Dans **Franges d'autel,** p. [46].

-15 déc.: Dans *Le Monde illustré,* 17e année, n° 867, p. 516.

80 **Clair de lune intellectuel**

1900-24 juin: Dans *Les Débats,* 1re année, n° 30, p. 2.

+ 1902-31 août: Louis DANTIN, *Émile Nelligan,* dans *Les Débats,* 3e année, n° 145, p. 2.

81 **Jardin sentimental**

1900-15 juillet: Dans *Les Débats,* 1re année, n° 33, p. 1.

** 1902-21 sept.: Louis DANTIN, *Émile Nelligan,* dans *Les Débats,* 3e année, n° 148, p. 3.

Louis Dantin cite le deuxième tercet.

82 **Chapelle de la morte**

1900-14 oct.: Dans *Les Vrais Débats,* n° transitoire entre *Les Débats* et *L'Avenir,* p. 1.

1903-mars: Louis DANTIN, *Émile Nelligan et son œuvre,* dans *Revue canadienne,* t. 43, n° 3, p. 281.

Nelligan aimait le mot « chapelle ». Dans son plan autographe toute une section s'intitule: « Petite chapelle », plus tard dédiée à Serge Usène (Louis Dantin). Il y propose plusieurs titres: « Chapelle funèbre », « Chapelle d'antan », « Chapelle ruinée ». Ce dernier devient le titre d'un autre sonnet qui figure dans la première édition et qui, lors de la correction du plan autographe, fut changé en « Le Récital des cloches ». Dans le « Carnet d'hôpital » I, « Chapelle de la morte » change de titre: « Poésie belge ». On devine ici une forte influence de Rodenbach.

83 **Communion pascale**

1900: Dans **Franges d'autel,** p. [48].

Avec un motif décoratif, en haut et en bas du poème, par J.-B. Lagacé.

** 1902-24 août: Louis DANTIN, *Émile Nelligan,* dans *Les Débats,* 3e année, n° 144, p. 2.

Cinq distiques cités: vers 1-6, 9-12.

1903-11 avril: MADELEINE [X Anne-Marie GLEASON], *Émile Nelligan,* dans *La Patrie,* 25e année, n° 41, p. 6. (Poème cité en entier.)

1904-avril: Dans *L'Alliance nationale,* vol. 10, n° 4, page de titre.

Publié sans nul doute à la suite de la parution de la première édition des poésies de Nelligan où « Communion pascale » ne figure pas.

84 **Sainte Cécile > Rêve d'une nuit d'hôpital ~ Rêve d'hôpital**

1901-18 août: Dans *Les Débats,* 2e année, n° 90, p. 1.

Sous le titre de « Sainte Cécile ». L'inscription en exergue, « Rêve d'une nuit d'hôpital », sera devenue un titre dans la première édition des poésies de Nelligan (p. 99). Le plan autographe des « Motifs du récital des anges » contient: « Rêve d'hôpital ».

85 **Les Petits Oiseaux**

1902-26 avril: Dans *La Patrie,* 24e année, n° 53, p. 22.

Le poème figure dans la page féminine, « Le Royaume des femmes », dirigée par Madeleine.

86 **Le Vaisseau d'Or**

** 1902-17 août: Louis DANTIN, *Émile Nelligan,* dans *Les Débats,* 3e année, n° 143, p. 2. (Les deux tercets.)

1903-mars: ID., *Émile Nelligan et son œuvre,* dans *Revue canadienne,* t. 43, n° 3, p. 279. (C'est la première fois que ce poème est cité au complet.)

1912-4 mars: Autographe. Communiqué par le docteur Lionel Lafleur et publié dans Paul WYCZYNSKI, **Émile Nelligan,** Fides, [1967], p. 89.

Transcrit de mémoire, ce texte offre quelques variantes.

1923 (?): Autographe. Poème transcrit dans son « Carnet » d'hôpital I, p. [18-19].

Quelques variantes. Le titre: « Le Voileau [*sic*] d'Or ».

1935 (?): Autographe. Communiqué par Raymond Gauthier, de Montréal, à Paul Wyczynski.

Quelques variantes. Le manuscrit est aujourd'hui déposé au Centre de recherche en civilisation canadienne-française, de l'Université d'Ottawa.

1936-28 déc.: Autographe. Transcrit de mémoire pour un père dominicain, le sonnet sera reproduit, en fac-similé, dans *Le Petit Journal*, vol. 16, n° 5, 23 nov. 1941, p. 14. Quelques variantes. (Cf.: notice 691.)

1937-14 sept.: Autographe. Transcrit de mémoire pour le journaliste Hervé de Saint-Georges, qui publia le dernier tercet du sonnet une première fois dans *La Patrie*, 59e année, n° 175, 18 septembre 1937, p. 19, et une autre fois, dans le même journal, toujours en fac-similé, le 19 novembre 1941, p. 3.

1969-26 sept.: « Le [*sic*] Trois mâts 'Espérance' ». Autographe d'un poème, déposé à la Bibliothèque nationale du Québec, qu'on croit être « une ébauche du 'Vaisseau d'Or' ». Ce texte transcrit sur un seul feuillet proviendrait, dit-on, du fonds Charles Gill et aurait été communiqué par celui-ci à Raoul LaBerge. L'écriture n'est pas de la main de Nelligan. Il nous est absolument impossible de conclure si le texte copié d'après un manuscrit que nous ne connaissons pas soit « une ébauche » du « Vaisseau d'Or ». Afin de faciliter la recherche sur ce texte, nous le reproduisons ici en entier de même que la note explicative qui l'accompagne.

LE [*sic*] TROIS MÂTS « ESPÉRANCE »

Un grand voilier bâti dans le bois vif
Il a voiles, mâture: grée à l'avenant
A la proue, Éros tendu amenant
Au gré la boussole, génie inventif.

II

Vers le rêve mystique et les désirs accueillis,
Vogura [*sic*] loin de l'écueil sournois, cycle mondial
Captera les merveilles: la Pensée, l'Idéal
De métaux précieux à l'aventure, recueillis.

III

Nef, lesté d'or, d'espoir et de gloire;
Sans escale, il revient à son port.
Sur les mers incertaines, orageuses: apport
Des embruns haineux de ma certaine Victoire.

ENVOI

Hélas ! est-ce là propice à la névrose
Qui souffle sur mon âme solitaire et morose ? —

N.B. 26 sept. 69

Une autre version du « Bateau Ivre » de Rimbault [*sic*] ou mieux encore une ébauche du « Vaisseau d'Or », trouvée parmi les paperasses d'Émile Nelligan dès l'âge [*sic*] de 15 ans et recueillie par Charles Gill (poète) qui en fit part à son élève en dessin.

Raoul LaBerge
professeur CECM
par succession.

NOTE

L'examen approfondi des autographes du « Vaisseau d'Or » permet de constater que Nelligan use toujours de l'imparfait dans le premier vers : « C'était un grand vaisseau taillé dans l'or massif », contrairement au texte publié par Louis Dantin en mars 1903, dans *Revue canadienne*, où le verbe est au passé simple : « Ce fut un grand vaisseau taillé dans l'or massif. » Toutes les éditions reprennent sans commentaire le texte publié par Louis Dantin. Néanmoins, l'intention première du poète exigeait le premier vers à l'imparfait. D'ailleurs, tous les verbes du premier quatrain — « ses mâts touchaient l'azur », « s'étalait à sa proue » — sont à l'imparfait, puisqu'il s'agit d'évoquer dans le passé une durée continue, un déroulement lointain du destin qui se prolonge à l'arrière-plan d'autres actions qui ne durent pas. Pour ces dernières, le passé simple ne surgit que dans le second quatrain et dans le premier tercet : le moment précis de la tragédie l'exige. Tout porte à croire que le premier vers du « Vaisseau d'Or » est mutilé par une correction trop hâtive de Louis Dantin : il conviendrait donc de respecter la volonté du poète dans la prochaine édition revue et corrigée de ses poésies.

87 **Bénédictin mourant ⌔ Le Moine mourant ⌔ La Mort du moine**

*** 1902-24 août: Louis DANTIN, *Émile Nelligan,* dans *Les Débats,* 3e année, n° 144, p. 2.

Au cours d'un entretien avec Louvigny de Montigny, celui-ci nous a expliqué que Nelligan a récité chez lui ce poème qui portait alors le titre de « Bénédictin mourant ». Un examen du deuxième quatrain de ce poème:

Apportez-lui le Viatique.
Saint Bénédict, aidez sa mort !

confirme cette affirmation. Le deuxième titre figure dans le plan autographe des « Motifs du récital des anges ». Une remarque de Dantin du 31 août 1902 permet de déduire que le poème est une imitation de Louis Veuillot (« Pierre Hernschem »), qui porta à l'origine le titre de « Mort du moine ».

88 **Le Cloître noir < Moines en défilade**

** 1902-24 août: Louis DANTIN, *Émile Nelligan,* dans *Les Débats,* 3e année, no 144, p. 2.

Louis Dantin cite les deux tercets dont le deuxième offre deux variantes en rapport avec les deux versions connues.

+ 1907: Charles ab der Halden a cité cette pièce dans son volume *Nouvelles Études de littérature canadienne-française* (p. 370) d'après l'édition Dantin et l'a comparée avec la version parue en 1897.

89 **Confession nocturne**

** 1902-24 août: Louis DANTIN, *Émile Nelligan,* dans *Les Débats,* 3e année, no 144, p. 2.

Dantin cite les deux premiers vers:

> Prêtre, priez pour moi, c'est la nuit dans la ville,
> Mon âme est le donjon des mortels péchés noirs.

Dans ce poème, en forme de rondel, les vers 1, 7 et 13 devraient être identiques. Il semble que, dans le manuscrit de Nelligan, ils le fussent, car le treizième vers, d'après l'édition de 1904, reproduit fidèlement celui du début, cité par Dantin. Cependant, dans la même édition, les vers 1 et 7, tous les deux identiques, se lisent ainsi:

> Prêtre, je suis hanté, c'est la nuit dans la ville.

Ce changement est-il imputable à Louis Dantin ?

90 **La Mort de la prière** (Fragments)

** 1902-24 août: Louis DANTIN, *Émile Nelligan,* dans *Les Débats,* 3e année, no 144, p. 2.

Quatrain à rimes croisées. Dantin cite dans son étude six extraits de poèmes qui ne nous sont pas parvenus dans leur intégrité; Luc Lacourcière les a groupés sous le titre « Fragments », p. 228-230: « Vision », « Le Fou », « Le Soir », « Je plaque », « Je sens voler ». Un autre extrait, « Refoulons la sente », également de ce groupe, a été ajouté en 1904, dans le « Post scriptum » de la « Préface » de Louis Dantin, p. xxiv. « La Mort de la prière » fut le titre voulu par Nelligan. Dantin le suggère avec cette remarque: « Tournez la page: voici la *Mort de la Prière,* et le poète oubliant soudain son *Credo,* se dit hypnotisé par Voltaire, qu'entre nous il n'a jamais lu. »

91 **Rondel à ma pipe**

** 1902-24 août: Louis DANTIN, *Émile Nelligan,* dans *Les Débats,* 3e année, no 144, p. 2. (Moins le premier quatrain.)

Nelligan aimait griller une cigarette, allumait la pipe pour rêver avec plus de bonheur. Cette pièce, d'après Louvigny de Montigny, a été composée pendant quelques jours de maladie, durant l'hiver de 1898-1899.

92 **Vision < Déraison** (Fragments)

** 1902-24 août: Louis DANTIN, *Émile Nelligan,* dans *Les Débats,* 3e année, n° 144, p. 2.

Deux quatrains à rimes embrassées. Le titre a été inventé par Luc Lacourcière.

* 1936:

Dans son « Carnet IV », Nelligan transcrit ce poème au printemps de 1936, sous le titre « Déraison ». Louis Dantin a mentionné aussi ce titre sans qu'il fût mis en italiques: « . . . déjà, parmi des traits étincelants, la Déraison montrait sa griffe hideuse ». Il faudra donc revenir au titre de Nelligan, fort suggestif au demeurant: le manque de raison gît jusque dans les images qui se juxtaposent sans lien logique. A remarquer aussi que dans le « Carnet IV » les deux strophes hétérométriques repérées pour telles sont suivies d'un autre quatrain en alexandrins, qui semble provenir d'un poème de Nelligan jusque là inconnu et dont le titre aurait dû être « Un Soldat mort »:

> Et je hais tellement que tellement je veux
> De mes longs doigts crispés m'arracher les cheveux,
> Me tordre et me brisant en crises de démons,
> Avorter tout mon être en crachant mes poumons.
>
> *Un Soldat mort.*

93 **Les Balsamines**

*** 1902-31 août: Louis DANTIN, *Émile Nelligan,* dans *Les Débats,* 3e année, n° 145, p. 2.

D'après Louis Dantin, ce poème aurait été inspiré par François Coppée.

1906-1907-hiver:

Un autographe de ce sonnet est parvenu à Guy Delahaye; celui-ci l'a communiqué à Luc Lacourcière.

94 **Éventail ⌒ Éventail ancien**

* 1902-31 août: Louis DANTIN, *Émile Nelligan,* dans *Les Débats,* 3e année, n° 145, p. 2.

Deux premiers quatrains sont cités. Le deuxième titre est celui que Nelligan a inscrit dans un plan provisoire de son recueil « Motifs du récital des anges », section « Intermezzo ». Dans le même plan, section « Villa d'enfance », Nelligan rapporte « Le Saxe », titre qui devint « Le Saxe de famille », significatif au même degré que « Éventail » de l'art descriptif des objets de l'intérieur.

95 **Gretchen la pâle**

* 1902-31 août: Louis DANTIN, *Émile Nelligan,* dans *Les Débats,* 3e année, n° 145, p. 2.

Dantin cite le titre et les deux premiers vers.

96 **L'Idiot putride**

*** 1902-31 août: Louis DANTIN, *Émile Nelligan,* dans *Les Débats,* 3e année, no 145, p. 2.

Dantin écrit: « Il (Nelligan) a offert en libation à Rollinat 'L'Idiot putride'. » S'agit-il ici d'une version ou d'un poème apparenté à « L'Idiote aux cloches » ? Quant à l'influence de Rollinat, réelle et marquante, elle rappelle que Nelligan lisait *Les Névroses*; il aurait pu tout autant lire « Les Cloches » de Rollinat, qui furent publiées dans *Le Samedi,* vol. 7, no 44, livraison de Pâques, 4 avril 1896, p. 13.

97 **Mort du moine** ⌒ **Bénédictin mourant** ⌒ **Moine mourant**

*** 1902-31 août: Louis DANTIN, *Émile Nelligan,* dans *Les Débats,* 3e année, no 145, p. 2.

Dantin a rapporté les circonstances de la composition de ce poème, en précisant qu'il s'agissait ici d'une imitation d'un poème médiocre, « Pierre Hernschem » de Louis Veuillot, trouvé dans le recueil intitulé *Les Couleuvres.*

98 **Devant le feu**

+ 1902-7 sept.: Louis DANTIN, *Émile Nelligan,* dans *Les Débats,* 3e année, no 146, p. 2.

99 **Fantaisie blonde** ⌒ **Fantaisie rose** ⌒ **Fantaisie nègre** ⌒ **Fantaisie blanche** ⌒ **Fantaisie créole**

*** 1902-7 sept.: Louis DANTIN, *Émile Nelligan,* dans *Les Débats,* 3e année, no 146, p. 2.

Dantin mentionne le premier titre. Les trois autres sont inscrits dans le plan autographe « Motifs du récital des anges », respectivement dans les sections « Lied » et « Les Pieds sur les chenets ». « Fantaisie créole » figure dans l'édition Dantin, p. 117, en tête de la section « Pastels et Porcelaines ».

100 **Le Fou** (Fragments)

* 1902-7 sept.: Louis DANTIN, *Émile Nelligan,* dans *Les Débats,* 3e année, no 146, p. 2.

Louis Dantin a présenté ce bref poème de huit vers de la façon suivante: « Il y a de l'émotion humaine dans 'L'Idiote aux cloches', et dans l'étrange complainte intitulée: 'Le Fou'. » Le poète a aussi pensé à un autre titre: « Gondolar ». Ce néologisme peut être issu de l'adjectif « gondolant » qui désigne vulgairement et en langage argotique ce ou celui qui fait rire (du verbe « se gondoler »: rire à se tordre). En tout cas, Nelligan intitule ainsi ce poème dans son « Carnet I » (p. 121), version sensiblement différente du fragment cité par Dantin et reproduit dans l'édition Lacourcière, p. 229. On pourrait même supposer que le poème transcrit à l'hôpital représente sa version intégrale. Il convient donc de le citer en entier, tout en signalant de nombreuses incorrections.

Gondolar

Gondolar, Gondolard,
Que fais-tu sur le chemin si tard [?]

Ma mère est folle et je suis fou
Et je m'en vais, j'on [*sic*] ne sais où.

Gondolar, Gondolard
Chez mademoiselle Bernhard.

On assassina le pauvre idiot
On l'écrasa sous un chariot
Et puis le chien après l'idiot.

Dies irae dies illa
A jenou [*sic*] devant ce trou-là
Gondola, Gondola.

A remarquer également que « gondola » est, dans bien des chansons populaires, un leitmotiv de ritournelle. Nelligan le masculinise au point d'en faire une personnification qui, sous des traits légèrement falots, implique tout au plus un masque bizarre pour tamiser ainsi le destin tragique d'un être humain.

101 **Le Mai d'amour**

** 1902-7 sept.: Louis DANTIN, *Émile Nelligan,* dans *Les Débats,* 3ᵉ année, nº 146, p. 2.

Seule est citée la dernière strophe.

-14 sept.: Dans *Les Débats,* 3ᵉ année, nº 147, p. 1.

Poème publié *in extenso,* probablement grâce à Louis Dantin qui collabore aux *Débats.* Il est imprimé à part de la cinquième tranche de l'étude *Émile Nelligan* qui figure à la p. 2 de la même livraison.

102 **Placet pour des cheveux > Placet**

1902-7 sept.: Louis DANTIN, *Émile Nelligan,* dans *Les Débats,* 3ᵉ année, nº 146, p. 2.

Le titre ici est: « Placet pour des cheveux ». Mais il s'agit en dernier ressort du même poème qui apparaît dans l'édition Dantin, sous le titre abrégé (p. 29).

103 **Sérénade triste**

+ 1902-7 sept.: Louis DANTIN, *Émile Nelligan,* dans *Les Débats,* 3ᵉ année, nº 146, p. 2.

Non titré, le poème est cité en entier. Dans son plan autographe « Motifs du récital des anges », section « Lied », le poète avançait un autre titre: « Sérénade aux feuilles ». Le thème des feuilles qui se développe au rythme d'une apostrophe, fait songer que ces deux titres sont relatifs au même poème.

1913-19 déc.: Dans *L'Étudiant,* 3ᵉ année, nº 7, p. 2.

104 **Ténèbres**

** 1902-7 sept.: Louis DANTIN, *Émile Nelligan,* dans *Les Débats,* 3e année, no 146, p. 2.

Ce poème devrait se situer parmi les derniers poèmes de Nelligan. Dantin y reconnaît son ami et « ses étranges angoisses », et cite les deux quatrains de ce sonnet.

105 **Tristesse blanche ⌒ Tristia ⌒ Tristesses**

\+ 1902-7 sept.: Louis DANTIN, *Émile Nelligan,* dans *Les Débats,* 3e année, no 146, p. 2.

Fort probablement, il s'agit ici d'un seul et même poème qui, antérieurement, s'intitula tour à tour « Tristia » et « Tristesses ». Le premier est devenu le titre de la dernière section du recueil de Nelligan. A signaler aussi que « Tristesse blanche » constitue un poème jumeau à la « Sérénade triste », tant par sa facture, que par sa tonalité.

106 **La Belle Morte**

1902-14 sept.: Louis DANTIN, *Émile Nelligan,* dans *Les Débats,* 3e année, no 147, p. 2.

Dantin remarque: « Il se peut même que le symbolisme pur ait inspiré telle ou telle pièce comme « La Belle Morte », d'une prosodie irrégulière et d'une étrangeté voulue. » Bien que plus court, ce poème se rapporte, par sa prosodie, à la « Sérénade triste » et à la « Tristesse blanche ».

107 **Christ en croix ⌒ Le Jésus de plâtre**

\+ 1902-14 sept.: Louis DANTIN, *Émile Nelligan,* dans *Les Débats,* 3e année, no 147, p. 2.

Poème daté de la fin de 1898. Son premier titre fut, sans nul doute, « Le Jésus de plâtre », inscrit dans la quatrième section du plan autographe « Motifs du récital des anges ». Le début de ce poème soutient cette indication:

> Je remarquais toujours ce grand Jésus de plâtre
> Dressé comme un pardon au seuil du vieux couvent.

Il est pourtant fort possible que Nelligan ait pensé à un autre titre, notamment « Mysticisme », tout en hésitant d'en faire un titre de section ou un titre de poème.

108 **Les Corbeaux**

* 1902-14 sept.: Louis DANTIN, *Émile Nelligan,* dans *Les Débats,* 3e année, no 147, p. 2.

Dantin cite les deux tercets et propose Verlaine comme source d'inspiration. Mais le point de vue de Luc Lacourcière semble plus acceptable: « Il serait plus exact de rapprocher la pièce des « Aspirations » de Rollinat ou encore d'Edgar Poe. » (Éd. Lacourcière, p. 293.)

109 Le Jardin d'antan ⤼ Les Jardins anciens

* 1902-14 sept.: Louis DANTIN, *Émile Nelligan,* dans *Les Débats,* 3ᵉ année, nº 147, p. 2.

Dantin cite les cinq premières strophes. Le plan autographe des « Motifs du récital des anges » contient, dans la section « Villa d'enfance », un autre titre: « Les Jardins anciens ».

110 Roses d'octobre ⤼ Les Roses d'hiver

+ 1902-14 sept.: Louis DANTIN, *Émile Nelligan,* dans *Les Débats,* 3ᵉ année, nº 147, p. 2.

Le deuxième titre est mentionné par Louis Dantin dans la partie de son étude, du 7 septembre. Il se peut qu'il ait changé lui-même le titre pour mieux l'ajuster à la thématique du poème. C'est une hypothèse.

111 Soir d'hiver

** 1902-14 sept.: Louis DANTIN, *Émile Nelligan,* dans *Les Débats,* 3ᵉ année, nº 147, p. 2.

Dantin ne cite que les trois premières strophes; la quatrième n'est, en fait, que la répétition de la première: elle assure pourtant à l'ensemble du poème une sorte d'encadrement musical et d'équilibre de composition.

112 Les Angéliques ⤼ Soirs angélisés ⤼ Angélus du soir

** 1902-21 sept.: Louis DANTIN, *Émile Nelligan,* dans *Les Débats,* 3ᵉ année, nº 148, p. 3.

Seul le dernier tercet est cité: Dantin veut mettre ainsi en évidence, chez Nelligan, « l'image symbolique, dont la sensation se prolonge, dont le sens se creuse et s'étend dans les lointains de l'âme, y éveillant par sa note profonde toute une gamme d'harmoniques aiguës ». Dans le premier carnet d'hôpital, ce poème figure, avec quelques variantes, sous le titre de « Soirs Angélisés ». Dans le plan autographe « Motifs du récital des anges », se trouvent deux autres titres semblables, à savoir « Soir de névrose » et « Angélus du soir ».

113 Caprice blanc ⤼ Caprice triste

** 1902-21 sept.: Louis DANTIN, *Émile Nelligan,* dans *Les Débats,* 3ᵉ année, nº 148, p. 3.

La citation ne comprend que les deux premiers vers. Notons cependant que Nelligan adorait les « Caprices » de Paganini et nous savons qu'il rêvait d'écrire une série de « Caprices poétiques ». Le titre « Caprice triste » figure dans le plan autographe des « Motifs du récital des anges ».

114 Châteaux en Espagne

** 1902-21 sept.: Louis DANTIN, *Émile Nelligan,* dans *Les Débats,* 3ᵉ année, nº 148, p. 3.

Dantin cite les vers 1, 2 et 4 du premier quatrain.

115 **Le Corbillard**

** 1902-21 sept.: Louis DANTIN, *Émile Nelligan,* dans *Les Débats,* 3e année, n° 148, p. 3.

Cinq vers cités: 4-8. De tonalité qui rappelle et la poésie de Baudelaire et celle de Rodenbach, « Le Corbillard » est le seul poème à rimes plates que nous connaissions dans l'œuvre de Nelligan.

116 **Five O'Clock**

1902-21 sept.: Louis DANTIN, *Émile Nelligan,* dans *Les Débats,* 3e année, n° 148, p. 3.

Poème cité au complet avec cette remarque: « Je trouve encore un charme troublant et bizarre, pour l'âme autant que pour l'oreille, dans la fantaisie intitulée 'Five O'Clock'. » Luc Lacourcière, de son côté, dans son édition critique, précise: « Elle a été inspirée, comme deux autres pièces de cette section, 'Gretchen la pâle' et 'Frisson d'hiver', par une jeune Allemande qui demeurait dans le voisinage de Nelligan, qu'il admirait comme une sorte d'Aurélia, mais à qui il n'osa jamais parler » (p. 290).

117 **Hiver sentimental ⌒ Le Givre dans les vitres**

** 1902-21 sept.: Louis DANTIN, *Émile Nelligan,* dans *Les Débats,* 3e année, n° 148, p. 3.

Dantin cite les deux premiers vers. Il est fort possible que le titre premier ait été « Le Givre dans les vitres », prévu ensuite par Nelligan pour la section « Les Pieds sur les chenets »: voir son plan autographe « Motifs du récital des anges ».

118 **Je plaque...** (Fragments)

** 1902-21 sept.: Louis DANTIN, *Émile Nelligan,* dans *Les Débats,* 3e année, n° 148, p. 3.

Louis Dantin a qualifié à tort « d'insipide métaphore » ce tercet bien tourné et riche en images suggestives.

119 **Lied fantasque**

** 1902-21 sept.: Louis DANTIN, *Émile Nelligan,* dans *Les Débats,* 3e année, n° 148, p. 3.

Le premier quatrain est cité. Louis Dantin tente d'expliquer l'image par une perception trop librement interprétée. En réalité, le poète imite ici le « Sabbat » de Théodore de Banville, qu'on trouve dans *Odes funambulesques,* Paris, Charpentier, 1878, p. 415. A noter aussi que la sixième section du plan autographe des « Motifs du récital des anges » s'intitule « Lied ».

120 **Pour Ignace Paderewski**

** 1902-21 sept.: Louis DANTIN, *Émile Nelligan,* dans *Les Débats,* 3e année, n° 148, p. 3.

Louis Dantin cite les deux premiers vers. A l'origine de ce poème, cherchons les impressions que Nelligan a gardées du passage de Paderewski à Montréal, au printemps de 1896. Selon Louvigny de Montigny, Nelligan assista au concert du 6 avril et, peut-être, à celui du surlendemain. (Voir: Paul WYCZYNSKI, *Nelligan et la musique,* Ottawa, Éditions de l'Université d'Ottawa, 1971, p. 26-31.)

121 **Le Regret des joujoux**

** 1902-21 sept.: Louis DANTIN, *Émile Nelligan,* dans *Les Débats,* 3e année, n° 148, p. 3.

Louis Dantin cite les vers 5 et 6.

1903-mars: ID., *Émile Nelligan et son œuvre,* dans *Revue canadienne,* t. 43, n° 3, mars 1903, p. 282.

Le poème est cité au complet. Le titre figure déjà dans le plan autographe « Motifs du récital des anges », section « Villa d'enfance ».

122 **Ruines** ⌒ **La Ruine**

** 1902-21 sept.: Louis DANTIN, *Émile Nelligan,* dans *Les Débats,* 3e année, n° 148, p. 3.

Dantin cite les vers 3 et 4. Dans le plan autographe « Motifs du récital des anges », section « Villa d'enfance », Nelligan inscrit « La Ruine »: il s'agit vraisemblablement du même poème. D'autres titres y traduisent également le thème de la fuite du temps: « La Villa morte » est probablement le premier titre de « Fuite de l'Enfance », et « Le Souvenir », est un titre réservé à quelques poèmes du cycle maternel.

123 **Le Soir sème l'Amour . . . > Le Soir** (Fragments)

** 1902-21 sept.: Louis DANTIN, *Émile Nelligan,* dans *Les Débats,* 3e année, n° 148, p. 3.

Trois personnifications en deux vers. Dans l'édition Lacourcière, ce poème figure sous le titre: « Le Soir ». Il est plus judicieux d'identifier uniformément les fragments sans titre par le début du premier vers: « Le Soir sème l'Amour . . . », « Je plaque . . . », « Je sens voler . . . ».

124 **Sonnet de Gretchen sur les trois perroquets morts**

** 1902-21 sept.: Louis DANTIN, *Émile Nelligan,* dans *Les Débats,* 3e année, n° 148, p. 3.

Dantin ne cite qu'un tercet et le titre est énoncé sous la forme d'une paraphrase. Deux autres tercets, sans titre, figurent dans la Collection Nelligan-Corbeil (folio 32). Le texte commence ainsi: « Je les eus de Bâton-Rouge ». (Voir aussi la note dans l'édition Lacourcière, p. 294.)

125 **La Sorella dell' amore**

** 1902-21 sept.: Louis DANTIN, *Émile Nelligan,* dans *Les Débats,* 3e année, n° 148, p. 3.

La citation n'offre que le deuxième tercet. Dans la Collection Nelligan-Corbeil (folio 11), le texte figure au complet. Son écriture n'est pas celle de Nelligan. En bas du texte cette note: « Sonnet de Nelligan copié par Éva Nelligan. » (Voir édition Lacourcière, p. 320.)

126 **Le Soulier de la morte**

** 1902-21 sept.: Louis DANTIN, *Émile Nelligan,* dans *Les Débats,* 3e année, n° 148, p. 3.

Seul, le dernier vers est cité. Louis Dantin y décèle « une allusion archi-symbolique », et semble sous-estimer ce poème. En réalité, il s'agit d'un poème très bien tourné, dont la signification est profonde. Nelligan a aussi écrit un rondel dont le titre est semblable, « Le Missel de la morte », ainsi fixé à la suite de ce que nous révèle son plan autographe: « Missel blanc ».

127 **Virgilienne**

** 1902-21 sept.: Louis DANTIN, *Émile Nelligan,* dans *Les Débats,* 3e année, n° 148, p. 3.

Les deux premiers vers sont cités. Le texte intégral de ce poème figure dans la Collection Nelligan-Corbeil (folio 4). Tout porte à croire que le premier titre en fut: « Sur des motifs de pipeau », inscrit dans le plan autographe des « Motifs du récital des anges » et amplement justifié par ces deux vers:

Du pipeau qui chevrote à clair de lune
Sa vieille sérénade aux houx !

128 **Je sens voler . . .** (Fragments)

** 1902-28 sept.: Louis DANTIN, *Émile Nelligan,* dans *Les Débats,* 3e année, n° 149, p. 3.

Quatrain à rimes embrassées, cité en dernier lieu dans l'étude de Dantin. « Il (Nelligan) s'est dépeint lui-même tout entier, dit le critique, avec ses dons superbes, avec ses impuissances fatales, avec la catastrophe, enfin qui l'a brisé en plein essor, dans ces vers qui pourraient être son épitaphe. »

129 **La Cloche dans la brume**

1903-mars: Louis DANTIN, *Émile Nelligan et son œuvre,* dans *Revue canadienne,* vol. 43, n° 3, p. 282.

130 **Mon âme**

1903-mars: Louis DANTIN, *Émile Nelligan et son œuvre,* dans *Revue canadienne,* vol. 43, n° 3, p. 279-280.

131 **Le Tombeau de la négresse ⌔ La Négresse**

1903-mars: Louis DANTIN, *Émile Nelligan et son œuvre,* dans *Revue canadienne,* vol. 43, n° 3, p. 278.

Paru en première place parmi les poèmes imprimés. Nous avons la quasi certitude que ce texte est celui de « La Négresse », titre mentionné à la deuxième séance publique de l'École littéraire de Montréal, le 24 février 1899.

132 **Refoulons la sente . . .**

** 1904: Louis DANTIN, « Post-scriptum » à la Préface « Émile Nelligan », dans **Émile Nelligan et son œuvre,** Montréal, Beauchemin, 1904, p. xxxiv.

La première édition des poésies de Nelligan contient cent sept poèmes dont trente-huit ne furent, nulle part, mentionnés: on trouve les titres de ceux-ci dans la colonne 2 du tableau synoptique IV, notice 1423.

Quatre tercets, dont chacun n'a qu'une seule rime, sont cités dans « Post-scriptum » de la « Préface »; ce texte fut ajouté à celui publié antérieurement dans *Les Débats,* au moment de la préparation de la première édition des poésies de Nelligan. Si l'on en croit Dantin, il illustrerait les points faibles de la poésie de Nelligan.

133 **A une femme détestée**

1908-21 mars: Dans *Le Journal de Françoise,* 6e année, n° 24, p. 371.

Poème publié avec mention « vers inédits ».

134 **Le Vent, le triste vent d'automne**

1908-5 déc.: Dans *Le Journal de Françoise,* 7e année, n° 17, p. 261.

135 **A Georges Rodenbach ⌔ Jeunesse blanche**

1909-6 févr.: Dans *Le Journal de Françoise,* 7e année, n° 21, p. 325.

1930 (?):

(A) Transcrit de mémoire autour des années 1930, le poème porte ici le titre de « Jeunesse blanche », démarqué du titre d'un recueil de Rodenbach, publié en 1886. (Rodenbach était l'auteur préféré de Nelligan, rappelons-le; d'autres titres le confirment: « Diptyque », « Petit Tableau de Flandre » (en surcharge), ce dernier inscrit dans le plan autographe.)

136 **Le Crêpe**

1909-févr.: Dans *Le Terroir,* vol. 1, n° 2, p. 46.

Luc Lacourcière mentionne que « le manuscrit de la Collection Nelligan-Corbeil ne présente que deux légères variantes de ponctuation ». Ce manuscrit ne se trouve pourtant pas parmi les papiers de la Collection Nelligan-Corbeil.

137 **Un poète**

1909-mars: Dans *Le Terroir,* vol. 1, n° 3, p. 71.

138 **Le Tombeau de Chopin**

1909-juin: Dans *Le Terroir,* vol. 1, n° 6, p. 236.

La Collection Nelligan-Corbeil contient ce poème, moins le premier quatrain (folio 33).

139 **Le Figaro rouge**

* 1937-18 sept.: SAINT-GEORGES, Hervé de, *Pour avoir eu trop de génie, Émile Nelligan vit à jamais dans un rêve tragique qui ne se terminera qu'avec la mort,* dans *La Patrie,* 59e année, n° 175, p. 19, 21.

Nelligan aurait dit: « Ma dernière pièce fut 'Le Figaro rouge'... elle est demeurée inachevée. » (Voir notice 573.)

3) *Éditions des poésies de Nelligan.*

140 [NELLIGAN, Émile], **Émile Nelligan et son œuvre,** Montréal, [Beauchemin], 1903 (?), xxxiv, 164 pages. (Avec une préface de Louis Dantin et une photo de Nelligan sur la couverture.)

Première édition des poésies de Nelligan, préparée par Dantin et ses amis. Bien que la page de titre fût datée de 1903, le volume ne parut qu'en février 1904. En tête du recueil on trouve la « Préface » de Dantin, antérieurement publiée comme une suite d'articles hebdomadaires dans *Les Débats,* du 17 août au 28 septembre 1902. Le volume contient 107 poèmes de Nelligan.

NOTE

La « Préface » de Dantin doit être considérée comme la première étude clef de l'histoire des écrits consacrés à Nelligan. Elle est composée de six parties et d'un « Post-Scriptum ». Nous présentons ici les variantes qui existent entre le texte de Dantin publié dans *Les Débats,* et celui qui figure en tête de la première édition des *Poésies* de Nelligan.

ÉTUDE DE LOUIS DANTIN SUR ÉMILE NELLIGAN

	Dans *Les Débats* (1902)	La Préface (1904)
17 août	« où pétillait l'enthousiasme »	« où rutilait l'enthousiasme » (p. iv).
	« de la lui conserver »	« de la lui garder » (p. vi).
24 août	« Il aime assez les prêtres et se recommande à leurs prières : Prêtres, priez pour moi, c'est la [nuit dans la ville, Mon âme est le donjon des [péchés mortels noirs. Et pourtant, il y a deux ou trois pièces fortement irrévérencieuses dans lesquelles des abbés trop joufflus caressent des filles trop accortes : Ohé ! Ohé ! quel chapelet Se dit là derrière les portes Belle laitière aux hanches fortes »	Passage supprimé dans la « Préface »
31 août	« Ce qui est plus grave, et l'eût assurément détourné de sa vraie voie, c'est que, voulant à toute force « avoir des idées », il se soit parfois contenté de celles d'autrui. »	« Ce qui est plus grave, et l'eût aisément détourné de sa vraie voie, c'est que, voulant, malgré tout, « avoir des idées », il se soit parfois contenté de celles d'autrui » (p. xii).
31 août	« Le lendemain, Nelligan m'arrivait avec la *Mort du Moine*, un pur décalque, sans mérite aucun ! »	« Le lendemain, Nelligan m'arrivait avec la *Mort du Moine*, un pur décalque ! » (« sans mérite aucun » supprimé dans la « Préface ») (p. xii).
31 août	« Il a commis plusieurs de ces emprunts maladroits . . . »	« Il a commis souvent de ces emprunts maladroits . . . »
31 août	« Après tout nous ne parlerons pas de l'Orient mieux que Loti ni de l'Inde mieux que Leconte de Lisle. »	« Après tout, nous ne décrirons pas l'Orient mieux que Loti, ni l'Inde mieux que Leconte de Lisle » (p. xiv).
7 sept.	« la préciosité de Rostand aussi bien que ses acrobaties rythmiques ? »	« la préciosité de Rostand, en même temps que ses acrobaties rythmiques ? » (p. xvi).
7 sept.	« aux lames des ciseaux ? » (2e strophe)	« aux lames du ciseau ? » (2e strophe) (p. xvi).
14 sept.	« avec les quelques réserves voulues; »	« avec seulement quelques réserves » (p. xxi);
14 sept.	« Si fluide et soluble dans l'air, »	« plus vague et plus soluble dans l'air » (p. xxiii).
14 sept.	« Et voici la troisième, où la musique a finalement absorbé l'image, la pensée, le bon sens. Tout, mais dont l'absurdité même fait ressortir la grâce harmonique triomphante. Pleurez, oiseaux de février Au sinistre frisson des choses; Pleurez, oiseaux de février, Pleurez mes pleurs; pleurez mes [roses; Mes amours de genévrier. »	omis dans la « Préface »

	Dans *Les Débats* (1902)	La Préface (1904)
21 sept.	« il y saisit des rapports très lointains, très indirects, mais qui frappent pourtant »	« il y saisit des rapports très lointains, très indirects, qui frappent pourtant » (p. xxv).
21 sept.	« ou bien, plus originale encore, »	« ou bien, originale encore, » (p. xxvii).
21 sept.	« Et c'est une allusion archi-symbolique, oh ! la la, que cette morale »	« Et c'est une allusion symbolique, oh ! combien ! que cette morale » (p. xxviii).
21 sept.	« traîné par des cheveux »	« traîné par les cheveux » (p. xxviii).
21 sept.	« ni bon poète qui ne déraisonne »	« ni bon poète ne divague » (p. xxviii).
21 sept.	« Si j'en oublie qu'ils me le pardonnent, ils étaient tous dignes de mémoire. »	omis dans la « Préface »
28 sept.	« Pierre Bédard, plutôt prosateur que poète, »	« Pierre Bédard, moins poète que prosateur, » (p. xxx).
28 sept.	« Antonio Pelletier, H. de Trémaudan, d'autres peut-être, »	« Antonio Pelletier, d'autres peut-être, » (p. xxx).

141 — **Émile Nelligan et son œuvre,** Montréal, Édouard Garand, 1925, xxxix, 166 pages.

Simple réédition du volume paru en 1904.

142 — **Émile Nelligan et son œuvre,** Montréal, [Imprimerie Excelsior], 1932, xlviii, 166 pages.

Troisième édition des poésies de Nelligan. Volume imprimé sur papier des Indes avec couverture tachetée brun noisette, et titre fini en vieil or repoussé. Outre la « Préface » de Dantin, s'y trouvent aussi des « Notes pour la troisième édition » (p. xxxix-xlviii) du père Thomas-M. Lamarche. Ces « Notes » seront reproduites dans la *Revue dominicaine,* octobre 1932, p. 560-571.

143 — **Poésies,** Montréal, Fides, 1945, 232 pages.

Quatrième édition des poésies de Nelligan. A la page huit: « Notes de l'éditeur ». La préface de Dantin a maintenant pour titre: « Le Poète ». Les notes du père Thomas-M. Lamarche, o.p., n'y figurent plus. Les pages 223-228 offrent une liste de variantes des textes.

144 NELLIGAN, Émile, **Poésies complètes,** 1896-1899, Montréal et Paris, Fides, [1952], 331 pages. (Collection du Nénuphar; texte établi et annoté par Luc Lacourcière; une photo de Nelligan en regard de la page de titre.)

Cinquième édition des poésies de Nelligan, première édition critique des *Poésies complètes.* Aux cent sept pièces de la première édition s'ajoutent cinquante-cinq poèmes: trente-cinq découverts éparpillés dans des revues et des journaux, dix-huit inédits trouvés dans la Collection

Nelligan-Corbeil, et deux — « Je sais là-bas » et « Le Tombeau de Charles Baudelaire » — fournis l'un par Joseph Melançon et l'autre par le docteur Émile Legrand. Les poèmes provenant de la Collection Nelligan-Corbeil sont: « Petit Hameau », « Aubade rouge », « Pan moderne », « Virgilienne », « Château rural », « Qu'elle est triste », « Maints Soirs », « Je veux m'éluder », « Prélude triste », « La Sorella dell' amore », « Frère Alfus », « Le Suicide d'Angel Valdor », « Les Chats », « Le Chat fatal », « Le Spectre », « La Terrasse aux spectres », « La Vierge noire », « Soirs hypocondriaques ». Les quatre autres poèmes de la Collection Nelligan-Corbeil — « Petit coin de cure » (cf.: « La Sieste ecclésiastique »), « Fra Angelico », « Le Chef d'œuvre posthume » (cf.: « Sculpteur sur marbre »), « Quand tu nous vins » (cf.: « Le Tombeau de Chopin »), se retrouvent dans l'édition Lacourcière parmi les variantes. Cette édition a contribué grandement à la connaissance de l'œuvre de Nelligan. En plus d'une substantielle « Introduction » (p. 7-29), la section « Notes et Variantes » (p. 279-322) apporte de précieux renseignements sur l'histoire de chaque poème. Il va de soi qu'après vingt ans, une scrupuleuse mise à jour s'impose pour inclure dans l'édition monumentale tous les détails révélés ou précisés par les études récentes.

145 — **Poésies complètes, 1896-1899,** Montréal et Paris, Fides, [1958], 331 pages. (Collection du Nénuphar; texte établi et annoté par Luc Lacourcière.)

Cette seconde édition des *Poésies complètes* apporte quelques précisions à la biographie de l'auteur et à l'histoire de l'œuvre. Le sonnet « Ancolie », qu'on publie à titre de poème posthume, n'est cependant pas de Nelligan mais de Joséphin Soulary: un papillon à la page 278 rétablit cette vérité. On lira à ce sujet le compte rendu de Paul Wyczynski, dans *Revue de l'Université d'Ottawa,* vol. 28, n° 4, 1958, p. 539-540. L'« Introduction » est maintenant divisée en quatre sections.

146 — **Poésies complètes, 1896-1899,** Montréal et Paris, Fides, [1966], 331 pages. (Collection du Nénuphar; texte établi et annoté par Luc Lacourcière.)

Troisième édition des *Poésies complètes* de Nelligan; elle est conforme à la deuxième « sauf qu'on a retranché le sonnet « Ancolie » qui n'était pas de Nelligan », comme l'explique Luc Lacourcière dans sa « Note pour la troisième édition », p. 30.

147 — **Poésies,** Montréal et Paris, Fides, [1967], 259 pages. (D'après le texte établi par Luc Lacourcière. Gravures de Claude Dulude.)

Magnifique hommage au poète disparu, réalisé conjointement par Gilles Corbeil, neveu de Nelligan, et les Éditions Fides. Ici il faut distinguer trois éditions: l'*édition de luxe,* imprimée en deux couleurs, reliée et titrée or, sous étui de velours; l'*édition de grand luxe,* imprimée en deux couleurs, sur papier fait main, tirée à 55 exemplaires, reliée en velours sous jaquette rhodoïd, et étui de velours; l'*édition de très grand luxe,* imprimée en deux couleurs sur papier fait main, tirée à 30 exemplaires, reliée en velours sous jaquette rhodoïd, dans un étui de velours, contenant les gravures tirées par l'artiste Claude Dulude sur sa presse à bras, et qu'il a signées et numérotées dans chacun de ces trente exemplaires.

4) *Choix de poèmes.*

148 **Émile Nelligan. Poèmes choisis, présenté** [sic] **par Éloi de Grandmont et précédé** [sic] **d'une chronologie, d'une bibliographie et de jugements critiques,** Montréal-Paris, Fides, [1966], 168 pages. (Collection « Bibliothèque canadienne-française ».)

Nelligan en édition de poche. La « Présentation » est d'Éloi de Grandmont. La « Chronologie » et la « Bibliographie » se limitent au strict nécessaire. Les « Jugements critiques » (p. 15-25) sont ceux de Louis Dantin, de Charles ab der Halden, de Luc Lacourcière, de Samuel Baillargeon et de Paul Wyczynski. Les quatre-vingt-douze poèmes ont été choisis par Jean-Paul Pinsonneault.

149 **Émile Nelligan,** Montréal et Paris, Fides, [1967], 191 pages. (Collection « Écrivains canadiens d'aujourd'hui »; l'« Introduction à l'œuvre d'Émile Nelligan », le « Choix de poèmes », la « Chronologie synthétique » et la « Bibliographie » sont de Paul Wyczynski.)

Hommage à Nelligan à l'occasion du 25e anniversaire de sa mort. Composée de quatre parties — « Nascuntur poetæ », « Cheminements du rêve », « Thématique », « Univers de la parole » —, l'« Introduction » vise surtout l'approfondissement de l'œuvre. Une riche documentation iconographique.

5) *Poèmes de Nelligan dans les recueils de textes* [3].

150 [DANTIN, Louis], **Franges d'autel,** Montréal, [s.é.], 1900, [77 pages], surtout p. [38], [46], [48], [68-69], [74].

Illustré de dix-huit grandes compositions et de vingt-six dessins de J.-B. Lagacé, ce recueil contient les poésies de Louis Dantin (qui signe ici également « Serge Usène », anagramme de son vrai nom Eugène Seers), de Lucien Renier [4], d'Arthur de Bussières [5], de Louis Fréchette, d'Albert Ferland, d'Amédée Gélinas, de J.-B. Lagacé et d'Émile Nelligan dont cinq poèmes sont reproduits dans l'ordre suivant: « Les Communiantes », « La Réponse du crucifix », « Communion pascale », « Les Déicides », et « Petit Vitrail ». Composé de deux sonnets, le poème « Les Déicides » est encadré d'une grande composition, tandis que les quatre autres pièces ne sont assorties que d'un petit dessin graphique ornemental. Nous savons aujourd'hui que ce recueil a été conçu, compilé et imprimé par Louis Dantin, d'après les textes antérieurement publiés dans le *Petit Messager du Très Saint-Sacrement.* Selon toute vraisemblance Dantin serait aussi l'auteur de cette dédicace:

---

3 Les recueils de textes sont présentés ici dans l'ordre chronologique de leur parution.

4 Pseudonyme de Joseph Melançon qui signa aussi « Lucien Reinier » et « Lucien Rainier ».

5 La table des matières donne: « A. de Bussière ».

« Au Dieu caché sous la nuée du Sacrement, — à Celui qui est la suprême Poésie, étant la substance de l'Idéal et l'absolu du Mystère, — ces pages sont vouées et offertes. — Elles voudraient être une fumée d'encensoir devant son Trône, — un chant où vibrerait quelque chose de ses harmonieuses Beautés, — ou bien, pour l'autel de son Sacrifice, une frange où l'or mêlerait l'étincellement de ses paillettes au dessin délicat et capricieux de la dentelle » (p. 5).

151 École littéraire de Montréal (L'), **Les Soirées du Château de Ramezay,** Montréal, E. Senécal, 1900, xv, 402 pages, surtout p. 305-325.

Ce volume collectif contient un nombre considérable de poésies choisies chez les seize membres de l'École, ainsi que des extraits de « Véronica », le drame de Louis Fréchette. La préface de Charles Gill et le discours d'inauguration de Wilfrid Larose ouvrent le volume. Dix-sept poèmes de Nelligan y sont reproduits: « Un rêve de Watteau », « La Bénédictine », « Sainte Cécile », « Les Camélias », « Bohème blanche », « Fra Angelico », « Amour immaculé », « Le Talisman », « La Passante », « Devant deux portraits de ma mère », « Potiche », « Devant mon berceau », « Rêve d'artiste », « Le Récital des anges », « L'Idiote aux cloches », « L'Homme aux cercueils », « La Romance du Vin ». On est surpris de ne pas retrouver ici le texte du « Vaisseau d'Or »; était-il, en 1900, entre les mains de quelque ami du poète ?

152 Ferland-Angers, Albertine, **Essai sur la poésie religieuse canadienne,** Montréal, l'auteur-éditeur, 1923, 77 pages, surtout p. 31-32.

« La Réponse du crucifix » de Nelligan figure ici, intercalée entre des poèmes de Lozeau et de Lucien Rainier.

153 [École littéraire de Montréal], **Les Soirées de l'École littéraire de Montréal,** Montréal, [s.é.], 1925, 342 pages, surtout p. 20-25.

Mélange de prose et de vers, ce livre est le deuxième volume collectif publié par l'École littéraire de Montréal. Au début, Engelbert Gallèze (Lionel Léveillé) évoque le souvenir des membres disparus: Beauregard, Gill, Lozeau, Demers. Nelligan, dit-on, a subi les influences de Byron, de Poe, de Rollinat, de Baudelaire, de Verlaine et de Rodenbach. Gallèze cite Lozeau mais le témoignage de celui-ci est peu respectueux de la chronologie. Le volume contient le texte du « Vaisseau d'Or » et une strophe de la « Romance du Vin ».

154 *Poésie,* revue parisienne publiée par les Éditions « Caravelle », 6e année, décembre 1927, numéro spécial: « Cahier canadien », p. 229-244.

Ce cahier vit le jour grâce à Mme Claude Rehny et au peintre Charles Huot. Il ne reproduit qu'un seul poème de Nelligan: « Le Vaisseau d'Or ». D'autres poètes, dont on a retenu les textes, sont cités dans l'ordre: Maurice Hébert, Francis DesRoches, Léon-Pamphile Le May, Alphonse Desilets, Alfred Garneau, Eva O'Doyle, Octave Crémazie, Georges Boulanger, Alphonse Poisson, William Chapman, Joseph Lenoir, Alice Lemieux, Louis Fréchette.

155 Roy, Mgr Camille, **Morceaux choisis d'auteurs canadiens**[6], Montréal, Beauchemin, 1934, 443 pages, surtout *Émile Nelligan,* p. 209-213.

Figurent dans ce recueil: « Le Vaisseau d'Or », « Devant deux portraits de ma mère », « Les Communiantes », « Sérénade triste », « La Romance du Vin ». On y trouve deux observations sur les textes choisis, ainsi que trois lignes d'introduction. La date de naissance de Nelligan est erronée: 1882 au lieu de 1879.

156 **Ici des poètes canadiens vous parlent du Canada,** Rio de Janeiro, Imprensa Nacional, [1943], 191 pages, surtout p. 91-93, 174.

Préface de Marcel Dugas. Le regroupement des poèmes obéit aux exigences thématiques. Voici les titres des sections: « Liminaires », « Horizons », « Intimité de Dieu », « Fantaisie », « Pierres, murs et ciments », « Du côté du cœur », « Saisons », « En manière d'épilogue ». « Le Mai d'amour » de Nelligan figure dans la quatrième section, tandis que son « Soir d'hiver » fait partie de « Saisons ».

157 Marion, Séraphin, et Watson Kirkconnel, **Tradition du Québec — The Quebec Tradition,** Montréal, Éditions Lumen, 1946, 245 pages, surtout p. 90-91.

Ce recueil de textes en vers et en prose est essentiellement destiné aux Canadiens anglais. Les textes français, choisis par Séraphin Marion, ont été traduits par Watson Kirkconnel: la version anglaise figure en regard de la version française. Le plan du volume respecte les thèmes. Un seul poème de Nelligan a été choisi pour la troisième section: « Devant deux portraits de ma mère » — « Before Two Portraits of My Mother ».

158 Marion, Séraphin, **Beaux Textes des lettres françaises et canadiennes-françaises avec notes explicatives,** Ottawa, [s.é.], 1957, 292 pages, surtout p. 274-275.

Recueil de textes où le groupement se fait selon les grandes époques littéraires. Les textes canadiens-français constituent le dernier chapitre. De Nelligan on retient « Le Vaisseau d'Or » et « Soir d'hiver ».

159 Smith, A. J. M., **The Oxford Book of Canadian Verse in English and French,** Toronto, Oxford University Press, 1960, lvi, 445 pages, surtout p. 124-131. (Avec une « Introduction » d'A. J. M. Smith.)

C'est une ambitieuse entreprise que ce recueil, où alternent des œuvres de poètes canadiens de langue anglaise et de langue française. Une introduction soigneusement préparée (p. xxiii-li), en facilite la lecture. Huit pièces de Nelligan sont ici reproduites: « La Romance du Vin », « Le Mai d'amour », « Devant deux portraits de ma mère », « Placet », « Les Communiantes », « Le Cloître noir », « L'Idiote aux cloches », « Le Vaisseau d'Or ».

160 Cabiac, Pierre, **Feuilles d'érables et Fleurs de lys,** Paris, Éditions de la Diaspora française, 1965, 249 pages, surtout p. 155-170. (Avec « En guise de préface » de François Hertel.)

Hommage d'un Français après sa découverte du Québec, ce recueil de textes est plus motivé par le sentiment que par les exigences de la

[6] Dans toutes les éditions ultérieures le choix de poèmes demeure inchangé.

raison critique: de nombreuses pages de présentation pèchent par leurs approximations. L'introduction à l'œuvre de Nelligan est entachée d'interprétations naïves. Quant au choix de poèmes, il est tout aussi inégal: « Clair de lune intellectuel », « Devant le feu », « Devant deux portraits de ma mère », « Devant mon berceau », « Rêve d'artiste », « Caprice blanc », « Amour immaculé », « Nuit d'été », « Soirs d'automne », Soir d'hiver », « Le Salon », « Vieille armoire », « Vieille romanesque », « Rêve d'une nuit d'hôpital », « Chapelle dans les bois », « Prière du soir », « La Romance du Vin », « Ténèbres » et « Le Vaisseau d'Or ».

161 MONAY, Félicien, et Jeanne-Marie DULONG, **Guide méthodologique de l'explication de texte,** Montréal, Centre éducatif et culturel inc., 1965, 77 pages, surtout p. 63-68.

Analyse du « Vaisseau d'Or », destinée aux élèves de la 4e année du cours secondaire. Dans la composition du sonnet les auteurs distinguent quatre étapes: splendeur du génie poétique, naufrage, mise à sac, désespoir du poète. L'étude de détail paraît intéressante, mais il manque à l'ensemble — et surtout à la conclusion — la mise en valeur des points structuraux et signifiants du sonnet en question.

162 BLAIS, Jacques, P. LANGLOIS et A. MAREUIL, **Textes pour la lecture et l'explication,** Montréal, HMH, 1967, 352 pages, surtout p. 36, 67. (« Collection de français », secondaire I.)

Les textes en vers et en prose d'auteurs français, québécois ou d'ailleurs se suivent et s'ordonnent par groupes thématiques. Les deux poèmes de Nelligan — « Devant le feu » et « Petit Hameau » — font partie des deux premières sections qui s'intitulent respectivement « Enfances » et « Animaux-Belle nature ». Mais on est surpris de ne pas rencontrer Nelligan dans la section « Les Rêves et la Vie ».

163 SYLVESTRE, Guy, et H. GORDON GREEN, **Un siècle de littérature canadienne — A Century of Canadian Literature,** Montréal-Toronto, Éditions HMH — The Ryerson Press, 1967, xxxi, 601 pages, surtout p. 182-183.

Préparé à l'occasion du Centenaire du Canada, le recueil groupe les auteurs canadiens de langue française et de langue anglaise. Le volume offre trois poèmes de Nelligan: « Le Vaisseau d'Or », « Clair de lune intellectuel » et « Vision ».

164 RENAUD, André, **Recueil de textes littéraires canadiens-français,** Montréal, Éditions du Renouveau Pédagogique, 1969, 320 pages, surtout p. 68-78.

On trouve dans ce recueil — qui est le pendant du *Manuel de littérature canadienne-française* de Roger Duhamel — onze poèmes de Nelligan, accompagnés de brèves notes explicatives. Le questionnaire qui s'y rattache se trouve aux pages 86-87. Les poèmes retenus sont: « Un poète », « Clair de lune intellectuel », « Les Angéliques », « Rêve d'artiste », « Violon d'adieu », « Tristesse blanche », « Musiques funèbres », « Billet céleste », « Paysage fauve », « L'Idiote aux cloches », « La Romance du Vin ».

6) *Poèmes de Nelligan dans les anthologies*[7].

165 FOURNIER, Jules, **Anthologie des poètes canadiens,** Montréal, [s.é.], 1920, 309 pages, surtout p. 240-253.

Environ quatre-vingts poètes y sont représentés. Plusieurs membres de l'École littéraire de Montréal ont contribué, au cours des années 1919 et 1920, à la sélection de ces textes. Chaque auteur est l'objet de brèves notes biographiques et bibliographiques. Dans la présentation de Nelligan, on reconnaît l'influence de Dantin et de Charles ab der Halden; dix-huit poèmes donnent la meilleure idée de l'œuvre de Nelligan: « Clair de lune intellectuel », « Devant deux portraits de ma mère », « Le Vaisseau d'Or », « Devant le feu », « Le Mai d'amour », « Soirs d'automne », « L'Homme aux cercueils », « L'Idiote aux cloches », « La Cloche dans la brume », « Roses d'octobre », « Tristesses blanches », « Amour immaculé », « Mon âme », « Devant mon berceau », « Le Jardin d'antan », « Soir d'hiver », « Les Communiantes », « La Romance du Vin ».

166 — **Anthologie des poètes canadiens,** Montréal, Granger Frères, 1933, 299 pages. (Troisième édition, mise à jour et préfacée par Olivar Asselin.)

De dix-huit dans la première édition, les poèmes de Nelligan ne sont plus maintenant que treize: « Clair de lune intellectuel », « Devant deux portraits de ma mère », « Le Vaisseau d'Or », « Devant le feu », « Le Mai d'amour », « Soirs d'automne », « L'Homme aux cercueils », « L'Idiote aux cloches », « Roses d'octobre », « Tristesse blanche », « Devant mon berceau », « Soir d'hiver », « La Romance du Vin ».

167 SYLVESTRE, Guy, **Anthologie de la poésie canadienne d'expression française,** Montréal, Éditions Bernard Valiquette, 1942, 141 pages, surtout p. 55-59.

C'est ici que commence l'histoire de « L'Anthologie » de Guy Sylvestre, illustrée par un choix qui va de Georges-Étienne Cartier à Medjé Vézina. Une solide introduction (p. 11-28) révèle des lectures attentives et un esprit épris de poésie. On reproduit « Le Vaisseau d'Or », « Devant le Feu », « Soir d'hiver », et « Tristesse blanche » de Nelligan.

168 — **Anthologie de la poésie canadienne-française,** Montréal, Beauchemin, 1958, xxiii, 298 pages, surtout p. 79-86. (Deuxième édition revue et augmentée.)

Excellente édition. Les poèmes de Nelligan figurent ici dans l'ordre suivant: « Le Vaisseau d'Or », « Sérénade triste », « Tristesse blanche », « Soir d'hiver », « Devant le feu », « Le Jardin d'antan », « Clair de lune intellectuel », « La Romance du Vin », « Placet », « Vision ».

---

[7] Les anthologies suivent ici l'ordre chronologique de leur parution; dans le cas de plusieurs éditions, celles-ci sont groupées, il va de soi, dans une suite bibliographique. Il est à noter que *Le Vaisseau d'Or* et *La Romance du Vin* figurent en bonne place dans toutes ces anthologies.

169 — **Anthologie de la poésie canadienne-française,** Montréal, Beauchemin, 1963, xxiii, 376 pages, surtout p. 80-87. (Quatrième édition [8], revue et augmentée.)

Quelques changements mineurs dans l'introduction de la 2e édition. Notes bio-bibliographiques pour chaque poète. Le regroupement des poèmes se fait ainsi: « Le Romantisme », « Poètes du terroir », « L'École littéraire de Montréal », « Artistes et humoristes », « Traditions vivantes », « Voies nouvelles », « La Jeune Poésie ». On y trouve dix poèmes de Nelligan: « Le Vaisseau d'Or », « Sérénade triste », « Tristesse blanche », « Soir d'hiver », « Devant le feu », « Le Jardin d'antan », « Clair de lune intellectuel », « La Romance du Vin », « Placet », « Vision ».

170 Rièse, Laure, **L'Âme de la poésie canadienne-française,** Toronto, The MacMillan Company of Canada, 1955, xxxi, 263 pages, surtout p. 122-139.

L'importance de Nelligan, appelé le « ... véritable chef de l'École littéraire de Montréal, quoiqu'il n'en soit pas le fondateur ... » est à juste titre soulignée. Vingt poèmes de Nelligan figurent dans cette anthologie: « Clair de lune intellectuel », « La Cloche dans la brume », « Mon âme », « Devant mon berceau », « Le Jardin d'antan », « Devant le feu », « Soir d'hiver », « Rose d'octobre », « Soirs d'automne », « Le Lac », « Le Mai d'amour », « L'Idiote aux cloches », « Les Communiantes », « Sérénade triste », « Tristesse blanche », « Amour immaculé », « L'Homme aux cercueils », « Devant deux portraits de ma mère », « Le Vaisseau d'Or », « La Romance du Vin ».

171 Bosquet, Alain, **Poésie du Québec,** Montréal-Paris, HMH-Seghers, 1968, 275 pages, surtout p. 14-15. (Deuxième édition.)

Avec ce volume l'auteur désirait « mettre fin à l'indifférence [...], au mépris qui opposent nos lettres (françaises) à la poésie canadienne ». Il fait son choix à partir de Grandbois. De Nelligan, à qui il accorde une place en compagnie d'Alfred Desrochers et de Robert Choquette, il ne retient que « Le Vaisseau d'Or », une strophe de « Soir d'hiver » et un quatrain de la « Romance du Vin ».

172 Cotnam, Jacques, **Poètes du Québec,** Montréal, Fides, 1969, 222 pages, surtout p. 59-67. (Collection « Bibliothèque canadienne-française ».)

Précédé d'une introduction et d'une bibliographie, ce choix de poèmes se répartit en quatre sections: « A l'aube de la poésie québécoise », « L'École littéraire de Montréal », « Poètes contemporains », « Jeune poésie ». On reproduit de Nelligan: « Le Vaisseau d'Or », « Devant deux portraits de ma mère », « Le Jardin d'antan », « Rêve de Watteau », « Le Cloître noir », « Sérénade triste » et « La Romance du Vin ».

173 Weber, Karl L., Ramon, J. Hathorn et Neal R. Johnson, **Poésie de la France et du Canada français,** Don Mills, Longmans Canada, 1969, xvii, 427 pages, surtout p. 279-287.

Cette anthologie s'adresse surtout aux étudiants de langue anglaise. La deuxième partie, consacrée à la poésie canadienne-française, se

[8] La troisième édition de cette anthologie n'est qu'une simple réimpression.

subdivise en quatre sections, intitulées respectivement « The Beginnings of French-Canadian Poetry », « L'École patriotique de Québec », « L'École littéraire de Montréal », « Modern Trends in French Canadian Poetry ». Les poésies choisies ne sont pas traduites. Mais chaque section ainsi que les poésies de chaque poète sont précédées d'une notice explicative en anglais. On a retenu de Nelligan: « Devant mon berceau », « Le Regret des joujoux », « Devant deux portraits de ma mère », « La Fuite de l'enfance », « Ruines », « Gretchen la pâle », « Frisson d'hiver », « Le Lac », « Charles Baudelaire », « Les Chats ». On doute fort qu'il s'agisse là des meilleurs poèmes de Nelligan.

174 VIATTE, Auguste, **Anthologie littéraire de l'Amérique francophone,** Sherbrooke, Université de Sherbrooke, 1971, 519 pages, surtout p. 70-73. (« Avant-propos » par Antoine Naaman.)

L'ouvrage couvre un monde très vaste, celui des littératures canadienne-française, louisianaise, haïtienne, celles de la Guadeloupe, de la Guyane et de la Martinique. De ce fait, le choix ne peut que rendre partiellement même justice aux auteurs marquants. Les notices sont obligatoirement brèves, sans aucun indice bibliographique relatif aux études sur les auteurs retenus. L'Anthologie accueille néanmoins trois poèmes de Nelligan: « Le Vaisseau d'Or », « Ténèbres », « La Romance du Vin ».

7) *Poèmes de Nelligan mis en musique.*

175

NOTE

Cette section bibliographique ne retient dans l'ordre chronologique que ceux des poèmes de Nelligan qui ont mérité une partition musicale imprimée. Il convient pourtant de noter que de nombreuses soirées musicales eurent lieu partout au Québec, en 1966 et en 1967, à l'époque du vingt-cinquième anniversaire de la mort de l'auteur de la « Romance du Vin ». Accompagnés de guitares ou de pianos, des jeunes dirent ou chantèrent les poèmes de Nelligan. Ceux qui ont assisté à ce genre de soirées, que ce fût au Patriote, au Restaurant Vaisseau d'Or ou au Gesù de Montréal, en apprécièrent l'enthousiaste originalité. La soirée nelliganienne organisée par le Club musical et littéraire de Montréal, le 1er décembre 1966, fut un sommet : après une conférence du docteur Lionel Lafleur, le comédien Paul Dupuis dit plusieurs poèmes, tandis que Pierre Bourdon détaillait des mélodies ajustées à une dizaine de pièces de Nelligan. Ces compositions de circonstance qui n'auront probablement jamais le privilège d'être imprimées, témoignent néanmoins de l'adhésion de la jeunesse québécoise à la poésie de celui qui lui avait montré le chemin de la libre création artistique. Retenons également que le compositeur Léo Roy a mis en musique soixante-deux poèmes de Nelligan. Ces manuscrits font aujourd'hui partie de la Fondation Léo Roy, actuellement présidée par le docteur Guy Marcoux.

176 1914 — **L'Idiote aux cloches,** mélodie [9] de D.-A. Fontaine, avec l'accompagnement de L. Daveluy, dans *Le Passe-Temps,* vol. 20, n° 497, 11 avril 1914, p. 126-127.

---

[9] Les mélodies désignées par les notices 175, 176, 177, 180 sont reproduites dans l'appendice de la présente bibliographie.

177 1920 (?) — **Le Sabot noir,** mélodie de Charles Baudouin, Paris, Nouvelle édition mutuelle, H. Hérelle et Cie — éditeurs, N.E.M. 2044, 3 pages.

La mélodie ne s'applique qu'à la deuxième partie de « Mon sabot de Noël » de Nelligan. Le musicien a conçu son propre titre à partir de ce distique:

Nous avons tant de désespoir
Que notre sabot en est noir.

178 1921 (?) — **Soir d'automne,** nocturne-mélodie de Charles Baudouin, Paris, Nouvelle édition mutuelle, H. Hérelle et Cie — éditeurs, N.E.M. 2045, 4 pages.

179 1949 — **Soir d'hiver,**

Le Perroquet,

L'Idiote aux cloches, mélodies de Maurice Blackburn.

180 1962 — **L'Idiote aux cloches,** mélodie de François Dompierre.

181 1965 — **Soir d'hiver,** mélodie de Claude Léveillée, Montréal, Fides et Claude Léveillée, Productions Michel Legrand, 252, rue du Faubourg St-Honoré, Paris, et Éditions April Music, 14, avenue Hoche, Paris, 4 pages.

182 1967 — **La Vierge noire,** mélodie de François Dompierre.

8) *Traductions* [10].

183 Dudek, Louis, *Three Translations From Émile Nelligan,* dans *First Statement,* vol. 2, n° 3, octobre 1943, p. 18-20.

Excellente traduction de trois poèmes de Nelligan: « Soir d'hiver », « Clair de lune intellectuel », « Sérénade triste ». Louis Dudek sait rendre en anglais non seulement le sens de ces poèmes, mais aussi leurs ambivalences de tonalité. L'art de la traduction respecte la prosodie et les exigences de la rime. Bref, une introduction de qualité à l'œuvre de Nelligan, destinée au lecteur de langue anglaise. A signaler également qu'en une notice biographique « Émile Nelligan » (p. 19-20) est fort bien résumé le destin de l'auteur du « Vaisseau d'Or ». Remarques pertinentes sur le caractère lyrique de la poésie dont voici un exemple: « Émile Nelligan had genius: extreme emotional sensitivity, a fine feeling for sounding words, and an absorbing imagination. His images are not separate and striking metaphors, as in much of modern poetry; they are symbolic perceptions in which the whole poem is absorbed, as in the three poems translated here. Their explicit lyricism is more than lyricism: it is heavy with poetic perception, because the same visionary perception fills every lyrical image. There is nothing like this among our English Canadian poets. »

---

[10] Les traductions des poésies de Nelligan sont ici présentées dans l'ordre chronologique.

184 **Selected Poems by Émile Nelligan,** traduction de P. F. Widdows, Toronto, The Ryerson Press, 1960, xv, 39.

Bonne introduction. Les poèmes traduits en anglais sont au nombre de 32. Le texte français figure en regard de la version anglaise. Font partie du recueil: « Clair de lune intellectuel », « Le Vaisseau d'Or », « Clavier d'antan », « Berceuse », « Le Regret des joujoux », « Devant le feu », « Premier remords », « Ma mère », « Devant deux portraits de ma mère », « Le Jardin d'antan », « La Fuite de l'enfance », « Ruines », « Les Angéliques », « Le Berceau de la muse », « Rêve d'artiste », « Amour immaculé », « Châteaux en Espagne », « Soir d'hiver », « Rondel à ma pipe », « Soirs d'automne », « La Cloche dans la brume », « Christ en croix », « Sérénade triste », « Tristesse blanche », « La Passante », « La Vierge noire », « L'Idiote aux cloches », « Le Perroquet », « La Romance du vin », « Vision », « Le Fou », « Je sens voler ». Il s'agit ici incontestablement de la meilleure traduction anglaise des poésies de Nelligan.

185 GLASSCO, John, **The Poetry of French Canada in Translation,** Toronto, Oxford University Press, 1970, xxvi, 270 pages, surtout *Émile Nelligan,* p. 42-53. (Introduction et commentaires de John Glassco.)

Le choix de textes va de Marc Lescarbot à Gilles Vigneault. Trois auteurs ont assuré la traduction des pièces de Nelligan: George Johnston (« Before Two Portraits of My Mother », « Old Fantaisist », « The Poet's Wine »); A. J. M. Smith (« The Ship of Gold ») et P. F. Widdows (« Autumn Evenings », « By the Fireside », « Castles in Spain », « Evening Bells », « The Idiot Girl », « The Muses' Cradle », « The Parrot », « Roundel to my Pipe »).

B. – Ouvrages, articles et documents signés sur la vie, l'œuvre et l'époque de Nelligan

186 A.D.L. [1], *Aventures véridiques d'un Groupe d'éponges. Première saturnale,* dans *Le Samedi,* vol. 7, n° 12, 24 août 1895, p. 10. *Deuxième saturnale,* dans *Le Samedi,* vol. 7, n° 16, 21 septembre 1895, p. 3.

Description des réunions d'une petite société littéraire qui s'était nommée le « Groupe des six éponges », et qui tenait ses réunions à Montréal, au café Ayotte, rue Sainte-Catherine. Ses six membres se cachaient tous sous des pseudonymes: Paul Phyr dit Jean Ga-Hu, Carolus Glatigny, Casimir Girardin, Philémon de Baucis, Albain Garnier et Paolo de Ruggieri. Nous n'avons pu identifier jusqu'ici que les deux premiers qui sont Henry Desjardins et Louvigny de Montigny. L'activité littéraire de ce cénacle est à l'origine de l'École littéraire de Montréal.

187 A.L., *Paul Wyczynski-Émile Nelligan,* dans la *Revue dominicaine,* vol. 56, mai 1960, p. 249.

Compte rendu du volume *Émile Nelligan, sources et originalité de son œuvre.*

188 ABRAN, Serge, *Le Nationalisme en littérature,* dans *Le Devoir,* vol. 60, n° 113, 15 mai 1969, p. 4.

L'auteur avance l'idée que « le nationalisme en littérature ne vaut rien ». Il ne bée pas d'admiration devant la poésie de Crémazie, de Fréchette, ou de Pamphile Le May. Il formule d'ailleurs des réserves justifiées sur la poésie de Nelligan. Au film de Claude Fournier, il reproche sa forme: « Au point de vue formel, c'est un navet: ces avocats qui ergotent, ce président du tribunal faussement paternel ou sérieux [. . .], ce mélange indigeste de citations de Mao et de pitreries [. . .]. J'espère bien qu'un tel film ne franchira pas nos frontières, sinon quelle honte ! »

189 ALLARD, Jacques, *Commentaire sur la conférence de M. Yves Garon,* dans **Nelligan : poésie rêvée, poésie vécue,** Montréal, Le Cercle du Livre de France, 1969, p. 79-85.

Le commentateur ne revient pas sur l'excellente conférence du R.P. Yves Garon, mais il s'efforce plutôt de répondre brièvement à l'invitation de celui-ci, à savoir, pousser davantage l'étude parallèle des œuvres de Nelligan et de Dantin selon les principes de l'analyse psychocritique. Il le fait par le biais d'une prospection forcément rapide, en regroupant ses comparaisons autour des thèmes de l'enfance, de la femme et de la mort. Il serait intéressant de continuer un tel dialogue avec les œuvres, car il laisse présager des points de convergence significatifs.

190 ALYN, Marc, *Poèmes choisis d'Émile Nelligan,* dans *Le Figaro littéraire* (Paris), n° 1117, 11-17 septembre 1967, p. 27.

Simple présentation du volume publié chez Fides dans la collection « Bibliothèque canadienne-française ».

---

[1] Nos recherches sur les origines de l'Ecole littéraire de Montréal sont demeurées infructueuses quant à l'identité de l'auteur qui se cache sous ces initiales.

191 ANJOU, s.j., Marie-Joseph d', *Émile Nelligan. Poésies complètes,* dans *Collège et Famille,* vol. 2, n° 2, avril 1953, p. 79.

Présentation rapide de la cinquième édition des *Poésies complètes* de Nelligan.

192 ANJOU, René d', *Émile Nelligan demeure le plus méconnu de nos poètes,* dans *Le Soleil,* 69e année, n° 275, 19 novembre 1966, p. 22.

Le titre surprend: Nelligan n'est-il pas, dans le contexte littéraire québécois, le poète le mieux étudié ? En lisant l'article de René d'Anjou, on en est convaincu.

193 (R 192) — *Émile Nelligan demeure le plus méconnu de nos poètes,* dans *La Parole,* vol. 16, n° 44, 14 décembre 1966, p. 8.

Reprise de l'article publié dans *Le Soleil* du 19 novembre 1966.

194 ANSEL, Franz, *Émile Nelligan et son œuvre,* dans *Durandal : revue catholique d'art et de littérature* (Bruxelles), 12e année, 1905, p. 229-230.

Feuilletant la première édition des *Poésies* de Nelligan, le critique belge crut lire l'œuvre d'un jeune Parisien influencé par Gautier, Baudelaire, Rodenbach et Soulary.

195 ARNOULD, Louis, *L'École littéraire de Montréal,* dans *La Revue franco-américaine,* vol. 7, n° 5, septembre 1911, p. 378-379.

Selon Louis Arnould, le précurseur de l'École littéraire de Montréal est Alfred Garneau. Ce mouvement « eut pour principal poète le jeune Émile Nelligan ». Le « Vaisseau d'Or » de celui-ci « a bien l'air de contenir, en ses quelques vers éclatants, tout le pressentiment d'une tragique destinée ».

196 — *La Poésie canadienne et l'enseignement supérieur français,* dans *France-Amérique,* juin 1911, p. 65-67.

Ce fut à l'Université de Poitiers que se donna, en France, le premier cours sur la poésie canadienne-française. Louis Arnould — qui avait été, en 1906 et en 1907, professeur invité à l'Université Laval de Montréal — consacra deux séries de leçons, en 1910 et en 1911, à la poésie lyrique et à la poésie épique du Canada français. Deux de ces leçons traitent de Nelligan. Il en fit part au secrétaire du Comité France-Amérique, dans une lettre en date du 25 mai 1911, dont l'article donne le texte intégral.

197 — **Nos amis les Canadiens,** Paris, G. Oudin, 1913, 364 pages, surtout p. 169-175. (Deuxième édition en 1915.)

Dans les pages réservées à la littérature, on retrouve l'essentiel du cours de Louis Arnould sur la poésie canadienne-française: une première série de huit leçons fut consacrée à l'École épique de Québec; une seconde de sept leçons, à l'École lyrique de Montréal. (Remarquons cependant qu'à l'Université de Poitiers l'ordre de ces cours fut inversé.) Les deux leçons consacrées à Nelligan s'intitulent « Émile Nelligan, sa vie et son pessimisme » et « Nelligan: les regrets, la foi et l'amour ». Arnould reste fidèle, en général, aux idées de Dantin et de Charles ab der Halden, qui furent les meilleurs critiques parmi ceux qui étudièrent Nelligan au début du siècle.

198 — *La Tristesse de Nelligan,* dans *France-Amérique* (Paris), 10e année, n° 93, septembre 1919, p. 343-346.

Le numéro en question porte le titre « France-Canada ». L'article d'Arnould ébauche un portrait littéraire de Nelligan, le considérant « le plus artiste » de tous les poètes canadiens. « Le jeune »René« du Canada, remarque-t-il, [...] était tout entier la proie d'une incurable mélancolie. [...] Sa foi religieuse ne réussissait pas à atténuer sa détresse d'âme, et ses délicats rêves d'amour ne faisaient qu'y mêler une fine coloration sentimentale de plus. [...] D'ordinaire sa tristesse s'exalte dans la musique. [...] Hélas ! ce n'était pas la mort qui le guettait, c'était pis: le sort de Baudelaire et de Maupassant et j'ai vu, le cœur serré, les murs de l'asile de la Longue-Pointe où la raison de cet enfant merveilleux, qui eût peut-être un génie, se débat. [...] En vérité, je ne sais pas de poésie triste plus foncièrement triste que les vers artistiques de ce jeune martyr de l'idéal. »

199 Asselin, Jacques, « Les Thèmes majeurs chez Nelligan », thèse de maîtrise, Université de Montréal, 1957, 97 feuillets.

Étude thématique de l'œuvre de Nelligan qui n'apporte que peu de choses à la connaissance d'un poète qui a vécu à sa façon l'amour, l'angoisse, le souvenir retrouvé au monde de l'enfance et l'hallucination dans un espace imaginaire.

200 Asselin, Olivar, *Quelques livres canadiens (Le Cap Éternité),* dans *La Revue moderne,* vol. 1, n° 1, 15 novembre 1919, p. 17-20.

En marge de ses commentaires sur le recueil de Charles Gill, Asselin souligne incidemment que de mauvais services ont été rendus à la plupart des écrivains dans l'édition posthume de leurs œuvres, par ceux qui les admirent sans discernement. Il se rappelle avoir entendu « Gill lui-même déplorer qu'on n'eût pas publié tels quels tous les vers de Nelligan; je le laissai dire, car mon principal sujet de fierté, à propos de ce poète que je n'ai malheureusement pas connu, était précisément que, consulté par son éditeur et préfacier, Louis Dantin, j'avais réussi à faire écarter de l'édition un certain nombre d'essais d'écolier dont le manuscrit, s'il est resté en possession du préfacier, montrerait qu'ils auraient probablement suffi à faire tomber sous les sifflets d'une critique plus lourde qu'éclairée une œuvre d'ailleurs admirable ». Ces propos nous renseignent mal sur les rapports Asselin-Dantin. Il est assez improbable qu'Asselin ait pu contribuer de quelque façon que ce soit à la préparation de la première édition des *Poésies* de Nelligan.

201 ♦ Asselin, Olivar (?), *M. Émile Nelligan,* dans **Pensée française**,
(R 575) Montréal, Éditions d'ACF, 1937, p. 15-17.

Quelques détails intéressants sur la création poétique chez Nelligan. Il n'est pourtant pas sûr que ce texte soit d'Asselin, puisqu'il reprend précisément l'article de Saint-Hilaire (pseudonyme collectif, adopté d'après Gérard Malchelosse, par les collaborateurs du journal *Les Débats*), publié dans *Les Débats,* le 23 mai 1900, p. 3. Mais des arguments militent aussi dans l'autre sens: Asselin fit partie de la rédaction des *Débats* en 1900, au même titre que Gustave Comte, Charles Gill, Jean Charbonneau, Germain Beaulieu et Henri-Gaston de Montigny. La même année, il publia plusieurs articles. Louvigny de Montigny, alors rédacteur en chef de ce journal, nous a assuré qu'Olivar Asselin, extrêmement dynamique, et déjà fort bien entraîné à l'art d'écrire aux États-Unis, fut à cette époque son bras droit, toujours disposé à rendre service. Voir à ce sujet: Luc Lacourcière, « A la recherche de Nelligan », dans *Nelligan : poésie rêvée, poésie vécue,* p. 43-46, et aussi le commentaire dans la présente *Bibliographie,* à l'article Saint-Hilaire, notice 575.

202 — *M. Émile Nelligan,* dans *Les Idées,* 4e année, nos 5 et 6, mai-juin
(R 201) 1938, p. 349-351.

Reproduction de l'article publié d'abord dans *Les Débats* du 6 mai 1899, sous le pseudonyme de Saint-Hilaire, et attribué à Asselin lorsqu'il parut dans *Pensée française.*

203 ASSOCIATION DES AMIS D'ÉMILE NELLIGAN (L'), [*Invitation*], carte imprimée, novembre 1966.

Invitation adressée aux Amis d'Émile Nelligan pour commémorer, le vendredi 18 novembre, au cimetière de la Côte-des-Neiges à Montréal, le vingt-cinquième anniversaire de la mort du poète.

204 — *Semaine Émile Nelligan du 18 au 25 novembre 1966,* 2 feuillets dactylographiés. En dépôt au Centre de recherche en civilisation canadienne-française de l'Université d'Ottawa.

Communiqué préparé par Mlle Cécile LeBel, contenant quelques notes sur Nelligan, et l'indication d'un programme détaillé de la Semaine Émile Nelligan. (Voir: Lafleur, Lionel, notices 425-428; aussi: Province de Québec, notice 547.)

205 A.A. [Alfred Ayotte], *Une trouvaille de M. Massicotte : Émile Nelligan n'est pas né en 1882 mais en 1879 et il a été baptisé à l'église Saint-Patrice de Montréal. Son extrait de baptême est rédigé en anglais,* dans *Le Devoir,* vol. 29, n° 103, 4 mai 1938, p. 1.

Interviewé par les journalistes, Massicotte révèle, pour la première fois, la date exacte de la naissance de Nelligan ainsi que celle de son baptême. Ces données seront publiées, quelques semaines plus tard, dans *Le Bulletin des Recherches historiques,* vol. 44, n° 6, juin 1938, p. 176-177. (Voir: Massicotte, Édouard-Zotique, notice 511.)

206 AYOTTE, Alfred, *Le Souvenir de l'École littéraire de Montréal,* dans *La Presse,* 61e année, n° 292, 29 septembre 1945, p. 30.

L'auteur relate l'entrevue que Jean Charbonneau lui a accordée, pour obtenir des renseignements sur la fondation et l'évolution de l'École littéraire de Montréal.

207 BAILLARGEON, c.ss.r., Samuel, *Émile Nelligan (1879-1941). Un rêveur génial et morbide,* dans **Littérature canadienne-française,** Montréal et Paris, Fides, [1957], p. 162-170.

Note biographique et notations psychologiques, les sept pages consacrées à Nelligan ne s'adressent qu'à des collégiens. Le titre surprend quelque peu. L'analyse littéraire du « Vaisseau d'Or » est dépourvue de nuance et de pénétration.

208 (R 207) — *Émile Nelligan (1879-1941). Un rêveur génial et morbide,* dans **Littérature canadienne-française,** Montréal, Fides, [1960], p. 189-196. (2e édition.)

Malgré plusieurs changements apportés au texte de la première édition, les idées de l'auteur sur Nelligan restent inchangées.

209 BARBEAU, Antonio, **Sous les platanes de Cos,** Montréal, Valiquette, [1942], 181 pages, surtout le chapitre « Les Fous que j'aime », p. 157-179.

Quelles relations peuvent s'établir entre la sensibilité et l'imagination, la mémoire et les sens, l'intuition puissante et le rêve hallucinatoire ? Questions auxquelles l'auteur cherche à répondre, en nous référant à Baudelaire, à Van Gogh et à Nelligan.

210 ♦ BARBERIS, Robert, *Le Colloque Nelligan : un triomphe,* dans *Le Nouveau Cahier du Quartier latin,* vol. 3, n° 11, 24 novembre 1966, p. 4-5.

Voilà un article exemplaire de critique littéraire. L'auteur sait reconnaître les mérites et les défauts; tout cela a concerné le Colloque Nelligan à l'Université McGill. Nous partageons entièrement l'avis de l'auteur quand il conclut que le meilleur de cette manifestation, ce fut la conférence de Bessette ainsi que les commentaires de Mme Paule Leduc et de Jacques Brault. Nous ajouterions volontiers l'excellente étude du R.P. Yves Garon, le commentaire soigneusement documenté de Robert Vigneault, de même que les passages suggestifs de Réjean Robidoux qui encadrent les poèmes cités de Nelligan. Cela nous met à l'aise pour reconnaître combien « vague » fut l'étude de Nicole Deschamps, et « exotique » le « divertissement » proposé par Henri Jones pour analyser la folie de Nelligan. L'exposé de ce dernier fut suivi d'une improvisation fantaisiste de Clément Rosset, qui ne figurera pas — heureusement ! — dans le volume imprimé. Quant à « l'échafaudage savant » monté par André-G. Vachon, Barberis le qualifie de série de « concepts outrés, artificiellement combinés ». La lecture de cet article est vivement recommandée à tous ceux qui entreprendront un jour sans information préalable la lecture du volume *Nelligan : poésie rêvée, poésie vécue.*

211 BARIL, Pierre, *M. Jean Éthier-Blais nous parle de Nelligan,* dans *Le Nouvelliste,* 47e année, n° 113, 15 mars 1967, p. 12.

L'auteur invite le public à une conférence de Jean-Éthier Blais, à l'École normale Maurice Duplessis, sur « certains aspects inconnus » de l'œuvre de Nelligan.

212 [BARRE DU JOUR, (La)], *Les Inédits,* dans *La Barre du jour,* octobre-décembre 1968, p. 55-77.

Revue dynamique et attentive aux faits de culture au Québec, la *Barre du Jour* consacre toute une section à l'aspect encore mal connu, c'est-à-dire aux reflets de l'idée créatrice chez un Nelligan atteint de schizophrénie et en proie à la névrose. Ces pages comprennent une excellente introduction de Baudouin Burger, une photographie de Nelligan malade, par F.-O. Lagacé, une note explicative de Jean-Yves Collette et sept poèmes de Nelligan, tirés de ses « Carnets » dont « Soirs angélisés » et « Gondolar » ne sont que des variantes de poèmes déjà publiés dans les *Poésies complètes.* En revanche, « Baudelaire », « L'Hiver », « Trio d'Haridot », « Vieil air de Mozart », « Imprompt » [*sic*] et un quatrain du premier « Carnet » sont imprimés pour la première fois et révèlent la lutte de la pensée obscurément diffuse alors qu'elle s'infiltre dans les mots, en produisant, à la façon d'autrefois, quelques effets poétiques. A noter cependant que le poème « Baudelaire » n'est pas de Nelligan mais de Fernand Gregh, tiré de son recueil *Chaîne éternelle.*

BARRY, Robertine. Voir: Françoise, notices 357, 358.

213 BASILE, Jean, *Succès complet du Colloque Nelligan,* dans *Le Devoir,* vol. 57, n° 271, 21 novembre 1966, p. 11.

Quelques commentaires plutôt rapides sur le Colloque Nelligan, à l'Université McGill.

214 BASTIEN, Hermas, **Témoignages. Études et profils littéraires,** Montréal, A. Lévesque, 1933, 316 pages, surtout p. 85-145.

Des trois parties qui composent l'ouvrage — « Prose », « Poèmes », « Profils » — c'est surtout la deuxième qui est à retenir. Parlant de Nelligan, de Lozeau, de Rainier, de Dantin, l'auteur s'essaie à dégager les lois générales qui président au développement de l'art.

215 ♦ — *Émile Nelligan, poète génial,* dans *Qui ?,* vol. 3, n° 2, décembre 1951, p. 25-40.

Quelques renseignements intéressants sur la vie et les premières amitiés de Nelligan. Il est à regretter que l'article soit dépourvu de références exactes. Il est, de ce fait, parfois difficile de distinguer une donnée biographique ou bibliographique valable de ce qui doit être rangé parmi les anecdotes. Néanmoins, l'article contient une bonne documentation iconographique.

216 BAXTER, J. E., *How Literature Helped the French-Canadian Invent Himself* (Separateness Is Not a Recent Innovation), dans *Monday Morning,* vol. 3, n° 10, juin-juillet 1969, p. 30.

Compte rendu de l'*Histoire de la littérature canadienne-française par les textes,* de Gérard Bessette, de Lucien Geslin et de Charles Parent. On souligne l'importance de Nelligan et on y publie sa photo.

217 BEAUDRY-GOURD, Anne, *Le Dossier Nelligan,* dans *La Frontière,* vol. 31, n° 21, 20 novembre 1968, p. 29.

Quelques remarques élogieuses sur le dossier de documentation Nelligan, réalisé par la maison Fides.

218 ♦ BEAULIEU, Germain, *Nelligan est-il l'auteur de ses vers ?* dans *Les Idées,* 4e année, nos 5-6, mai-juin 1938, p. 337-348. Texte partiellement reproduit dans **Émile Nelligan,** Montréal, Fides, [1968], p. 36-40. (« Dossier de documentation sur la littérature canadienne-française », n° 3.)

Réplique à Claude-Henri Grignon (Valdombre), dont l'article publié dans *Les Pamphlets de Valdombre* conteste l'originalité des poèmes de Nelligan. Beaulieu reconstitue de mémoire l'itinéraire de son amitié avec l'auteur du « Vaisseau d'Or ». Pour réfuter des accusations apparemment calomnieuses, il cite vingt-six poèmes que Nelligan a récités soit devant lui, soit devant d'autres personnes. Et il ne se gêne pas pour rétorquer: « M. Grignon aime avant tout les grands gestes, les grandes phrases, les grandes apostrophes, les grandes dénégations, les grandes accusations, les grandes clameurs, les grandes protestations de toute nature, et, pour arriver à toutes ces grandes choses, il a toujours mis et mettra toujours de côté toute logique, toute sincérité, tout esprit de justice et tout sentiment de charité. Comme toujours, il s'est laissé entraîner par son mauvais subconscient; il a fait taire la voix de la raison et celle du bon sens. »

219 BEAULIEU, Ivanhoë, *La Multiplication des phrases essentielles,* dans *Le Soleil,* 73e année, n° 64, 14 mars 1970, p. 45.

Excellent compte rendu du 4e volume des « Archives des lettres canadiennes ». On y souligne l'importance des deux articles sur Nelligan, écrits par Réjean Robidoux et Paul Wyczynski.

220 BEAULIEU, Michel, *Faisceaux de la poésie québécoise,* dans *Presqu'Amérique,* vol. 1, n° 2, novembre-décembre 1971, p. 22-24, surtout p. 22-23.

L'auteur considère Nelligan comme « la première pierre blanche » de la poésie québécoise, mais il discute inutilement pour savoir si Nelligan est l'auteur « majeur » ou l'auteur « mineur », incapable d'ailleurs de répondre de façon satisfaisante. D'après lui, le premier poète majeur du Québec serait Jean-Aubert Loranger. Question secondaire que cette classification et périmé nous semble cet esprit de préséance. Un authentique poète est essentiellement créateur. Une remarque de Beaulieu aide à le comprendre: « La poésie a pour s'instituer le recours du rythme, de la musique interne des mots, des thèmes, d'une ouverture plus ou moins grande selon les cas de l'obturateur de l'esprit. »

221 BEAUREGARD, Alain, *Au cimetière de la Côte-des-Neiges . . . ,* dans *Tourbillon,* numéro spécial, novembre 1966, p. 20.

Brève description de la pierre tombale d'Émile Nelligan.

222 — *Colloque de M. Gérard Bessette,* dans *Tourbillon,* numéro spécial, novembre 1966, p. 13.

Quelques remarques sur la conférence de Gérard Bessette, prononcée à l'Université McGill, le samedi 19 novembre 1966.

223 — *Dévoilement de plaques commémoratives . . . ,* dans *Tourbillon,* numéro spécial, novembre 1966, p. 19.

L'étudiant qui assista aux cérémonies, avenue Laval, le 19 novembre 1966, décrit les moments émouvants de l'apposition des plaques commémoratives au 3686 et 3958 (autrefois 260) avenue Laval, là où Nelligan vécut de longues années.

224 — *Hommage à Nelligan,* dans *Tourbillon,* numéro spécial, novembre 1966, p. 11.

Une sorte d'apostrophe. Il est intéressant de découvrir à travers ces quelques lignes combien authentiquement un jeune normalien adhère à la poésie de Nelligan.

225 — *Interview,* dans *Tourbillon,* numéro spécial, novembre 1966, p. 23.

Le docteur Lafleur, président de l'Association des Amis d'Émile Nelligan, répond à plusieurs questions qui ont trait à l'association qu'il dirige, ainsi qu'à la vie de Nelligan, à la Semaine Nelligan et au sort de la culture d'expression française en Ontario.

226 BÉLANGER, Émile, *Émile Nelligan,* dans *Le Passe-Temps,* vol. 6, n° 141, 18 mars 1900, p. 337-338.

Une photographie de Nelligan, exécutée par Laprès et Lavergne, est accompagnée de quelques notes; l'auteur y signale la publication de l'article de Saint-Hilaire dans *Les Débats.*

227 BELLEFEUILLE, [docteur] Paul de, *Un « dossier Nelligan » déplorable,* dans *Le Devoir,* vol. 60, n° 116, 20 mai 1969, p. 8.

Lettre au contenu juste et objectif. L'auteur analyse le film de Claude Fournier et en détaille les défauts: les entrevues sont maladroitement fragmentées, les commentaires, tendancieux, le comique, trop bon marché, les maximes maoïstes en sous-titre et le texte anglais pour étayer une fragile thèse psychiatrique ne constituent aucunement une appréciation valable de la poésie de Nelligan. Le docteur Paul de Bellefeuille traduit fort bien le sentiment que les nombreux admirateurs de la poésie ont ressenti, en regardant à la télévision, le 27 avril 1969, le film de Claude Fournier: ce film les a dégoûtés.

228 BENOÎT, Jacques, *Nelligan retrouvé,* dans *Les Carnets,* publiés par *Le Sainte-Marie,* vol. 12, n° 9, novembre 1966, p. 1.

Approche originale et personnelle. Au lieu de chercher la poésie dans le destin tragique de Nelligan, on la cherche dans ses pièces hautement significatives, marquées au coin par cette tristesse toute de tendresse et d'amertume, traversées d'ironie qui n'exclut ni la satire ni le rire sonore. Dans le texte, la reproduction d'un portrait de Nelligan, exécuté au fusain par Aline Voyer.

229 BERNARD, Harry, **Essais critiques,** Montréal, Librairie d'Action canadienne-française, 1929, 197 pages.

Composé de brèves études, ce livre contient d'intéressants jugements. « L'Idée baudelairienne au Canada », « La Jeune Poésie canadienne » et « Louis Dantin » semblent les essais les mieux réussis. L'auteur se livre à quelques rapprochements entre Nelligan et Baudelaire.

230 — [L'ILLETTRÉ [1]], *Émile Nelligan,* dans *Le Droit,* 57e année, n° 30, 1er mai 1969, p. 6.

Compte rendu du volume *Nelligan : poésie rêvée, poésie vécue.* On comprend l'admiration de l'auteur pour la poésie de Nelligan; mais cela ne justifie pas une présentation somme toute fort rapide d'où semble exclue la rigueur critique qui s'imposerait ici.

231 — [L'ILLETTRÉ], *Un document unique sur le fier poète Émile Nelligan,* dans *Le Bien public,* 58e année, n° 19, 9 mai 1969, p. 6.

Compte rendu du livre *Nelligan : poésie rêvée, poésie vécue.* « Les uns le découvrent, les autres le redécouvrent, après avoir longtemps

---

[1] Pseudonyme de M. Harry Bernard.

méconnu sa présence ou sa signification », remarque avec justesse L'Illettré. Après avoir décrit dans ses grandes lignes l'ouvrage publié par le Cercle du Livre de France, l'auteur conclut: « Nelligan reste l'un de nos meilleurs poètes, sinon le meilleur et le plus grand, le plus racé, le plus authentique, malgré ce qu'il y a chez lui de jeune, de non fini, d'emprunté. »

232 (R 231) — [L'ILLETTRÉ], *Un document unique sur le fier poète Émile Nelligan,* dans *Le Travailleur* (Worcester), vol. 39, n° 23, 7 juin 1969, p. 1, 4.

Cet article est en substance celui qui a paru dans *Le Bien public* de Trois-Rivières, le 9 mai de la même année.

233 BERNIER, Conrad, *Nelligan : poésie rêvée et poésie vécue,* dans *Le Petit Journal,* 43e année, n° 21, 16 mars 1969, p. 91.

Simple compte rendu du volume où ont été consignées les conférences du Colloque Nelligan, qui eut lieu en novembre 1966.

234 BERNIER, Germaine, *La Semaine Émile Nelligan, le « poète naufragé »,* dans *Le Devoir,* vol. 57, n° 265, 14 novembre 1966, p. 11.

S'inspirant de l'étude de Dantin, l'auteur parle de l'œuvre de Nelligan; elle relate sa visite au poète, à l'hôpital, et annonce la Semaine Émile Nelligan.

235 BERTRAND, André, *Un long métrage sur Nelligan,* dans *Le Devoir,* vol. 59, n° 168, 19 juillet 1968, p. 10.

L'auteur annonce que se termine actuellement un long métrage, « Le Dossier Nelligan » de Claude Fournier, film « exclusivement didactique ». En regard du texte, une photo inconnue de Nelligan avec ce commentaire: « Il n'est pas assuré que cette photographie représente Nelligan lors de sa première communion, mais il le semble bien. » Précisons qu'il s'agit là d'un daguerréotype de la Collection Nelligan-Corbeil.

236 BERTRAND, C., *Les Livres et leurs auteurs,* dans *Le Devoir,* vol. 27, n° 19, 25 janvier 1936, p. 8.

En marge des commentaires sur le recueil de Jacqueline Francœur, *Aux sources claires,* l'auteur conseille incidemment à celle-ci de s'approcher davantage de l'école « moderne »: celle des Nelligan, Des-Rochers, Choquette, Medjé Vézina . . .

237 ♦ BESSETTE, Gérard, « Les Images chez Nelligan », thèse de maîtrise, présentée à la Faculté des Lettres de l'Université de Montréal, 1946, 100 feuillets.

Étude consacrée à l'aspect formel des images chez Nelligan. Elle contient une bonne définition de termes. La méthode appliquée aux recherches et à la présentation des trouvailles ne permet pourtant pas d'en préciser les sources d'inspiration: en revanche, elle permet de signaler, d'après la nature et la fréquence des tropes, des affinités techniques qui existeraient entre Nelligan et certains poètes français.

238 — *Les Images chez Nelligan,* dans l'*Action nationale,* vol. 28, nov. 1946, p. 195-200.

Pages extraites de la thèse de maîtrise de G. Bessette: le texte comprend l'introduction avec quelques changements stylistiques. Le critique insiste sur l'importance de l'image dans la poésie en général, et chez Nelligan en particulier.

239 ♦ — *Analyse d'un poème de Nelligan,* dans *L'Action universitaire,* 15e année, n° 1, octobre 1948, p. 62-79; étude réimprimée dans *Littérature en ébullition,* Montréal, Éditions du Jour, 1968, p. 27-41; figure aussi dans **Émile Nelligan,** Montréal, Fides, [1968], p. 45-53. (« Dossiers de documentation sur la littérature canadienne-française », n° 3.)

Particulièrement attentif à la beauté formelle, l'auteur analyse « Le Jardin d'antan » de Nelligan, mettant surtout en évidence la valeur prosodique du texte.

240 ♦ — **Les Images en poésie canadienne-française,** Montréal, Beauchemin, 1960, 280 pages, surtout p. 215-274. (Thèse de doctorat présentée à l'Université de Montréal, en 1950, 498 feuillets.)

Influencé par *Shakespeare's Imagery* de Caroline Spurgeon, Gérard Bessette, en partant de données statistiques, étudie la nature et la fréquence des tropes chez certains poètes français et québécois, dont Nelligan. Dans ses meilleures pages, l'auteur dépasse la méthode de la simple statistique et de l'interprétation calculée. Si son chapitre sur Nelligan n'est qu'à moitié réussi, c'est qu'il a pris pour base la troisième édition des *Poésies* qui date de 1932. La documentation s'avère donc forcément incomplète. Les vingt premières pages de ce chapitre répètent trop souvent les définitions du début. Il n'en demeure pas moins que l'ensemble des analyses de Bessette font valoir l'importance de l'esthétique en matière d'études poétiques, tout en inaugurant une nouvelle voie dans le domaine des tropes.

241 — *Paul Wyczynski. Émile Nelligan, sources et originalité de son œuvre,* dans *Revue de l'Université d'Ottawa,* numéro spécial, avril-juin 1960, p. 304-307. (Ce numéro est devenu le premier volume de la collection « Archives des lettres canadiennes ».)

Le compte rendu de Bessette témoigne d'une lecture attentive, riche en observations susceptibles d'améliorer et d'encourager la recherche.

242 ♦ — *Nelligan et les remous de son subconscient,* dans **L'École littéraire de Montréal,** Montréal et Paris, Fides, [1963], p. 131-149, collection « Archives des lettres canadiennes », t. 2. Étude reprise dans **Une littérature en ébullition,** Montréal, Éditions du Jour, 1968, p. 43-62.

Il faut remarquer que « les remous » auxquels fait allusion le titre sont avant tout d'ordre amoureux. Bessette étudie, au moyen de la méthode psychanalytique, le thème de la femme. Il établit d'abord une classification des poèmes de Nelligan dans lesquels la femme apparaît, pour tenter d'en déduire les traits propres au sentiment amoureux chez le poète.

243 ♦ — *Le Complexe parental chez Nelligan,* dans **Une littérature en ébullition,** Montréal, Éditions du Jour, [1968], p. 63-85.

A partir des poèmes où se manifeste le thème de la mort, Bessette, familier de l'analyse psychanalytique, interroge les « pulsions parricides » chez Nelligan et cherche à cerner le contour des « fantasmes originaires » tant dans l'écriture que dans certaines images affectionnées par le poète dont le père fut Irlandais et la mère Canadienne française de Rimouski. L'argumentation de Bessette, certes habile et intéressante, ne nous convainc quand même pas entièrement. L'auteur lui-même s'en est expliqué: « Je me contente de poser ces questions auxquelles personne, je crois, ne peut répondre avec certitude et auxquelles Nelligan lui-même n'avait probablement jamais songé. » Ce texte fut d'abord lu au Colloque Émile Nelligan, à l'Université McGill.

244 BESSETTE, Gérard, Lucien GESLIN, Charles PARENT, *Émile Nelligan,* dans **Histoire de la Littérature canadienne-française par les textes,** Montréal, Centre éducatif et culturel, inc., 1968, p. 144-159.

On n'apprend rien de neuf en lisant dans ces pages sur Nelligan (p. 144-146) douze poèmes qui ont été retenus aux fins d'analyse et de questionnaire: « Clair de lune intellectuel », « Le Berceau de la muse », « Soir d'hiver », « Devant le feu », « Potiche », « Le Jardin d'antan », « Prière du soir », « Rêve de Watteau », « Sérénade triste », « Soirs d'automne », « Châteaux en Espagne », « Le Vaisseau d'Or », « La Romance du Vin », « Vision ». (A remarquer que les poèmes de Nelligan énumérés dans la table des matières ne correspondent pas aux poèmes reproduits dans le texte.)

245 BISSONNETTE, Pierrette, et Jean-Pierre BOUCHARD, *Analyse de « Clavier d'antan », poème d'Émile Nelligan,* dans *Revue de l'Université d'Ottawa,* vol. 40, n° 4, oct.-déc. 1970, p. 597-604.

Analyse littéraire de « Clavier d'antan » selon la méthode de Lévi-Strauss et de Roman Jacobson. En étudiant les différents segments du poème en question, les auteurs dégagent « le sens global » du texte: l'impuissance du sujet « en suspens dans un univers à mi-chemin entre le rêve et la réalité ».

246 BOISVERT, Réginald, *A propos d'une édition critique : Poésies, par Émile Nelligan,* dans *Le Devoir,* vol. 37, n° 103, 4 mai 1946, p. 8-9.

Quelques observations à propos de la quatrième édition des *Poésies* de Nelligan. Directeur de *Vie étudiante,* Réginald Boisvert avance des réserves quant à la méthode adoptée par Louis Dantin.

247 BOIVIN, René-O., *A l'époque où l'on offrait un recueil de poésies manuscrites comme cadeau de noce,* dans *La Patrie,* 5e année, n° 8 (Section Magazine), 19 février 1939, p. 17.

L'auteur évoque le temps des années 1900, lorsqu'on offrit à ce jeune marié, Louis-Joseph Béliveau, un petit cahier à couverture noire et tranche dorée. Là, y est consigné le poème de Nelligan, « Salons allemands », transcrit de la main du poète. Ce manuscrit, l'un des plus anciens que nous connaissions, est reproduit en fac-similé dans le livre de Paul Wyczynski, *Émile Nelligan* (1968), p. 111.

248 BONENFANT, Jean-Charles, *Les Études sociales,* dans *University of Toronto Quarterly,* vol. 30, n° 4, juillet 1961, p. 499-508, surtout p. 503-504.

Compte rendu du livre de Paul Wyczynski, *Émile Nelligan, sources et originalité de son œuvre.*

249 — *Le Canada français à la fin du XIXe siècle,* dans *Études françaises,* vol. 3, n° 3 (numéro spécial), août 1967, p. 265-274.

Tableau assez librement brossé de la situation socio-politique canadienne à la seconde moitié du XIXe siècle. Ainsi circonscrite, l'époque doit servir de fond à la vie et à l'œuvre de Nelligan.

250 BONNEVILLE, Jean-Pierre, *Le Poète de la mélancolie, Émile Nelligan, vit encore,* dans *La Frontière,* vol. 29, n° 38, 22 mars 1967, p. 27.

Article enthousiaste, écrit avec fougue. « L'automne dernier, remarque Bonneville, par une journée froide et humide, des amis de Nelligan, à l'occasion de la vingt-cinquième année de sa mort, rendaient un vibrant hommage au génie jeune et neuf du poète de « Sérénade triste » [. . .]. En l'an 1967, Émile Nelligan n'a pas vieilli d'une ride: il est plus vivant que jamais. » Il semble que le contenu entier de l'article découle de cette pensée d'Anatole France, citée en exergue: « Il est en proie à cette tristesse noire, rançon des âmes exquises. Son mal, il est facile de le reconnaître tout de suite, c'est le mal des chimères, c'est le supplice des jeunes hommes qui ont lu trop de livres et fait trop de rêves. » Une photo — Nelligan à 40 ans — accompagne ce texte.

251 BONNEVILLE, [c.s.v., Frère], Léo, *A propos du film de Claude Fournier. Procès à Nelligan,* dans *Le Devoir,* vol. 60, n° 91, 19 avril 1969, p. 4.

L'auteur a connu Nelligan. Il a aussi vu le film de Claude Fournier, « triste aventure, film prétentieux et raté, [. . .] la plus grande fumisterie accomplie contre un de nos poètes ». Le ton de l'article semble acerbe, mais le jugement est parfaitement juste.

252 BORDELEAU, Jean-Marc, *Émile Nelligan,* dans *L'Information médicale et paramédicale,* vol. 21, n° 11, 15 avril 1969, p. 68.

Violente sortie contre le film de Claude Fournier. « Je ne reverrai pas ce film sur Nelligan, termine-t-il, et j'espère un jour pouvoir relire ses poèmes en faisant abstraction de cette inutile toile de fond. »

253 BOUTET, Edgar, *Nos poètes,* dans *Le Droit,* 46e année, n° 202, 30 août 1958, p. 13.

Cet article est à retenir en raison de nombreux renseignements sur Henry Desjardins, un poète de Hull, ami de Nelligan, qui participa activement à la fondation de l'École littéraire de Montréal.

254 BOYD, Suzanne, *Vive Nelligan !,* dans *Le Sainte-Marie,* vol. 12, n° 10, 9 décembre 1966, p. 3.

Article de première signification, il permet de comprendre la permanence de Nelligan parmi les jeunes. Il s'agit plus précisément d'une soirée au Collège Sainte-Marie, à laquelle cinq cents étudiants prirent part. Ils y ont rendu hommage au poète, soit en disant de ses poèmes, soit en les chantant. Le Collège, de son côté, avait organisé un concours de composition musicale sur des poèmes de Nelligan. Michel Gay et Stéphane Paré, les lauréats, chantèrent respectivement « L'Ultimo Angelo del Correggio » et « Soir d'hiver », tandis que Danièle Plante et un autre élève déclamaient « Soir d'hiver » et « Diptyque ». Le chanteur invité fut Pierre Bourdon qui interpréta notamment « La Romance du Vin ». L'atelier de théâtre du Collège avait délégué deux représentantes en la personne de Marie Eykel qui récita « Premiers remords » et « Le Soulier de la morte », et celle d'Aline Caron qui sut mettre en valeur « Ma mère » et « Musiques funèbres ». Le chanteur Claude Corbeil interpréta brillamment « Le Vaisseau d'Or ». A cette occasion, Claude Léveillée dévoila, au nom de tous les chanteurs québécois, la plaque offerte par Louis-Martin Tard, vice-président de l'Association des Amis de Nelligan. Le dévoué président de l'Association, le docteur Lionel Lafleur, s'adressa alors aux étudiants pour leur parler d'une éventuelle « journée-Nelligan » dans les années à venir. « L'image de Nelligan, remarque Suzanne Boyd, reste toujours aussi présente à l'esprit de sa génération qu'à l'esprit de celle qui l'a suivie. » Il se trouve, au Centre de recherche en civilisation canadienne-française de l'Université d'Ottawa, un programme détaillé de cette soirée. Les étudiants avaient choisi comme leitmotiv ces vers de Nelligan:

Rien n'est plus doux aussi
Que de s'en revenir
Après de longs ans d'absence...

255 BOYER, Michel, *Émile Nelligan,* dans *Le Droit,* 59e année, n° 134, 4 septembre 1971, p. 14; 59e année, n° 140, 11 septembre 1971, p. 20; 59e année, n° 146, 18 septembre 1971, p. 14.

Article de simple vulgarisation: il porte sur la vie et l'œuvre du poète. Plusieurs passages sont démarqués de certaines pages critiques bien connues, antérieurement consacrées à Nelligan. L'article paraît en trois tranches: « Un regard sur l'homme », « Le Poète et son œuvre », et « Les Influences sur l'œuvre de Nelligan ». On trouvera dans la première un sonnet de Nelligan, « Soir d'hiver », ainsi qu'une photographie représentant un paysage de neige; une photo bien connue du poète y est également reproduite. La deuxième tranche contient un autre sonnet de Nelligan: « Un poète ». Enfin, la troisième tranche se termine par un hommage « A Émile Nelligan », un poème de quatorze vers, signé « Christian Imbeault ».

256 BRANCON, Raymond, *La Gloire littéraire de Nelligan est aujourd'hui éclatante,* dans *Le Soleil,* vol. 69, n° 278, 23 novembre 1966, p. 8.

Résumé de la soirée littéraire du 22 novembre, à l'Université Laval; les conférenciers étaient: le père Yves Garon, Luc Lacourcière et Gérard Bessette.

257 BRAULT, Jacques, *Commentaire sur la conférence de Réjean Robidoux,* dans **Nelligan : poésie rêvée, poésie vécue,** Montréal, Le Cercle du Livre de France, 1969, p. 155-159.

Le titre est fallacieux: sans se livrer à aucun commentaire, Brault le poète parle de Nelligan le poète. En vérité, il revit les poèmes de Nelligan comme autant de rêves prémonitoires. Examinant plus en détail « Le Vaisseau d'Or » et le « Soir d'hiver », il lui semble que le poème est un acte d'écrire, s'abolissant au fur et à mesure que la parole poétique s'instaure dans une donnée historique; le second poème paraît révélateur par l'opération magique du verbe « neiger » qui ménage quelque accueil fraternel aux cris et à la mélancolie. La maîtrise technique de Nelligan enfant reste un sujet d'étonnement qui donne à penser. Brault tout en désirant écrire un commentaire est presque parvenu à en faire un poème.

258 BRIEN, Roger, « Émile Nelligan », (manuscrit, février 1942), 12 feuillets.

Bien composé, ce sketch digne d'être retenu, fut préparé en février 1942 et joué dans le courant du même mois à Radio-Canada, dans le cadre du programme « Je me souviens ». En tenant compte du milieu et de l'époque, l'auteur a réussi à dégager quelques traits caractéristiques de la psychologie de Nelligan.

259 BROSSEAU, Cécile, *Nelligan à l'honneur au Salon du livre de Québec,* dans *La Presse,* 82e année, no 254, 2 novembre 1966, p. 47.

Au cours d'une journée consacrée à la poésie, un stand spécial fut érigé dans une exposition de livres, de tableaux et de manuscrits, destiné à commémorer ainsi le 25e anniversaire de la mort de Nelligan. Au cours de cette journée, Paul Andrinet, de Montréal, se vit décerner un prix de $100 pour le meilleur poème soumis au concours « Hommage à Nelligan ». La photo montre le docteur Lionel Lafleur en compagnie de Mme Reine Malouin et de Mme Alice Lemieux-Lévesque.

260 B[ROSSEAU], C[écile], *Sons et Lumières dans la poésie de Nelligan,* dans *La Presse,* 82e année, no 282, 5 décembre 1966, p. 17.

Compte rendu d'une soirée en hommage à Nelligan, organisée par les Amis de Nelligan, sous les auspices du Club littéraire et musical, à l'hôtel Ritz Carlton. Après la conférence du docteur Lionel Lafleur, Paul Dupuis a dit et Pierre Bourdon a chanté des poèmes de Nelligan. Le poète Ernest Pallascio-Morin lut un de ses poèmes à titre de remerciement. Au bas de la page, une photographie de Gérard Gamache, président du Club littéraire et musical, du docteur Lionel Lafleur et de sa femme, de Paul Wyczynski, de la marquise Ruzé d'Effiat et du comédien Paul Dupuis.

261 BROWN, E. K., *The Claims of French Canadian Poetry,* dans *Queen's Quarterly,* vol. 37, no 4, automne 1930, p. 724-731, surtout p. 725-727.

Quelques moments significatifs dans l'histoire de la poésie de langue française au Canada, entre le Fréchette des *Oiseaux de neige* et le Robert Choquette d'*A travers les vents.* Nelligan est considéré comme le précurseur de la poésie moderne où la perception subit une transformation profonde au profit d'une image suggestive et originale. La pensée critique de Brown profite des jugements que Joseph McCabe, à la même époque, a formulés sur la poésie canadienne-française.

262 BRULARD, Henri, *Mosaïque,* dans *Amérique française,* 1re année, no 2, 24 décembre 1941, p. 47-48.

A la mort de Nelligan, il n'existait, soutient Brulard, qu'un seul littérateur: Jean-Aubert Loranger. Il signale également une photo — Nelligan sur son lit de mort — publiée dans *La Patrie.*

263 BRUNET, Berthelot, **Histoire de la littérature canadienne-française,** Montréal, Éditions de l'Arbre, 1946, 187 pages, surtout p. 78-81.

« Nelligan ouvrait les fenêtres à ce point que la poésie qui se voulait plus canadienne, la poésie dite régionaliste, en fut toute changée »; telle est la conclusion percutante de Brunet sur l'originalité de Nelligan.

264 BURGER, Baudouin, *Nelligan : une recherche de la délivrance,* dans *Le Nouveau Cahier du Quartier-Latin,* vol. 3, nº 10, 17 novembre 1966, p. 7.

Article de circonstance où l'auteur assène plusieurs vérités à propos de la fortune et de l'accueil de l'œuvre de Nelligan. On reproduit une photo du poète et le programme du Colloque Nelligan, organisé par l'Université McGill. On y lit une strophe inédite en provenance d'un « Carnet » de Nelligan: il s'agit d'une variante du poème « Le Fou ». Une photo de Nelligan illustre ce texte.

265 — «L'Expérience poétique d'Émile Nelligan », D.E.S., Université de Montréal, 1967, 112 feuillets.

Préparé sous la direction de Mlle Nicole Deschamps, ce mémoire divisé en trois chapitres — « Poésie d'un adolescent », « Poésie adolescente » et « Art poétique et art de vivre » — fait porter la deuxième partie du second chapitre sur certains aspects du vocabulaire poétique de Nelligan. Le mémoire a le mérite de présenter une bibliographie qui apporte des compléments à celle de Paul Wyczynski, jusqu'au mois de novembre 1966 inclusivement: elle a été reproduite, quelque peu retouchée, dans le numéro spécial d'*Études françaises,* vol. 3, nº 3, août 1967, p. 285-298.

266 — *Bibliographie d'Émile Nelligan,* dans *Études françaises,* vol. 3, nº 3, août 1967, p. 285-298.

Compilée à partir des travaux de Paul Wyczynski et des documents recueillis par Réginald Hamel, cette bibliographie, sans prétendre à être exhaustive, contient des éléments produits jusqu'à novembre 1966 inclusivement. Il est à regretter que plusieurs inexactitudes se soient glissées dans ce travail suscité et soutenu par un désir sincère de perfectionnement.

267 ♦ — *Nelligan, prince des poètes,* dans *La Barre du jour,* octobre-décembre 1968, p. 55-57.

Texte dense et riche d'idées, qui situe avec beaucoup de tact l'œuvre de Nelligan dans la perspective du devenir poétique, que la schizophrénie et la névrose, en soi, pouvaient tout autant illuminer et anéantir. Ce propos sert d'ailleurs de préface à quelques inédits tirés des « Carnets » de Nelligan; leur composition date des années 1920, à mi-chemin entre l'internement et la mort du poète.

268 CATTA, R[ené]-S[alvator], *Émile Nelligan,* dans *Le Courrier,* vol. 1, nº 9, 13 mars 1953, p. 7.

Compte rendu de l'édition critique des *Poésies complètes* de Nelligan. « Le poète, dit l'auteur, a marqué profondément la poésie canadienne et l'on peut dire qu'avec lui naquit au Canada français la poésie individualiste et symboliste. »

269 — *A la recherche des mots,* dans *L'Enseignement secondaire,* t. 44, nº 4, septembre-octobre 1965, p. 230-234, I; t. 44, nº 5, novembre-décembre 1965, p. 249-252, II; t. 45, nº 1, janvier-février 1966, p. 35-38, III; t. 45, nº 2, mars-avril 1966, p. 81-84, IV; t. 45, nº 3, mai-juin 1966, p. 140-144, V; t. 45, nº 4, septembre-octobre 1966, p. 202-205, VI; t. 45, nº 5, novembre-décembre 1966,

p. 258-261, VII. Un large extrait de cette étude se trouve dans **Émile Nelligan,** Montréal, Fides, [1968], p. 75-81. (« Dossiers de documentation sur la littérature canadienne-française », n° 3.)

L'auteur précise qu'à dix-sept ans, Nelligan possédait un vocabulaire aussi riche que celui d'un écrivain. Pour le prouver, il étudie en détail trois pièces: « Thème sentimental », « Le Vaisseau d'Or » et « Clair de lune intellectuel ». Son analyse, essentiellement sémantique, s'étaie de comparaisons librement choisies.

270 CENTRE D'ÉTUDES CANADIENNES-FRANÇAISES DE L'UNIVERSITÉ MCGILL (Le), *En hommage à la mémoire d'Émile Nelligan,* novembre 1966, programme imprimé, 2 pages.

On annonce une série de conférences à l'Université McGill (Édifice Stephen Leacock), ainsi qu'une exposition dans le bâtiment Peterson Hull. L'organisateur général en est Jean Éthier-Blais. Le programme prévoit: le jeudi 17 novembre — « Nelligan et son temps », une causerie de Roger Duhamel. Le vendredi 18 novembre, « A la recherche de Nelligan », une conférence de Luc Lacourcière (commentateur: J. S. Tassie); « Louis Dantin précurseur et frère de Nelligan » par le R.P. Yves Garon, conférencier (commentateur: Jacques Allard); « Le Thème de la sœur dans l'œuvre de Nelligan » développé par Mlle Nicole Deschamps (commentateur: Robert Vigneault); « Émile Nelligan et la mélancolie », exposé par André Vachon (commentateur: Mme Paule Leduc); « Technique et rêve dans l'œuvre de Nelligan » étudiés par Réjean Robidoux (commentateur: Jacques Brault); « Les Poèmes de la folie », approche psychopathologique par Henri Jones (commentateur: Clément Rosset). Le samedi 19 novembre: « Le rôle du père dans la poésie de Nelligan », conférence de Gérard Bessette. Au verso, une note de M. J.-J. Lefebvre, archiviste en chef de la Cour supérieure, résume la vie de Nelligan et mentionne sa visite chez le poète malade.

271 ♦ CENTRE DE RECHERCHES EN LITTÉRATURE CANADIENNE-FRANÇAISE DE L'UNIVERSITÉ D'OTTAWA, **L'École littéraire de Montréal,** Montréal et Paris, Fides, [1963], 384 pages. (Collection « Archives des lettres canadiennes », t. 2.)

Il s'agit d'une première étude collective, abondamment documentée, qui apporte de nouvelles connaissances sur l'École littéraire de Montréal, après les réminiscences déjà fort dépassées de Gill, de Dumont, de Dantin et de Charbonneau. On y trouve dans l'ordre: « L'École littéraire de Montréal, origines — évolution — rayonnement », de Paul Wyczynski; « Henry-Marie Desjardins », de la Sœur Saint-Bernard-de-Clairvaux, s.g.c.; « Édouard-Zotique Massicotte, poète », de la Sœur Sainte-Berthe, s.g.c.; « Lucien Rainier, poète de l'art pur et de l'âme chrétienne », du père Romain Légaré, o.f.m.; « Arthur de Bussières, cet inconnu », de Mlle Odette Condemine; « Nelligan et les remous de son subconscient », de Gérard Bessette; « L'Esthétique de Ferland », de la Sœur Jeanne-LeBer, s.g.c.; « Charles Gill, prosateur », de Réginald Hamel; « *La Scouine* d'Albert Laberge », de Jacques Brunet; « Albert Lozeau et l'École littéraire de Montréal », d'Yves de Margerie; « Louis Dantin aux premiers temps de l'École littéraire de Montréal », du père Yves Garon, a.a.; « Gaston de Montigny », du frère Léon-Victor Paquin, i.c.; « Silvio, poète prosateur », d'André Renaud.

272 ♦ — **La Poésie canadienne-française,** Montréal et Paris, Fides, [1969], 701 pages, surtout p. 79-84, 305-321. (Collection « Archives des lettres canadiennes », t. 4.)

Le volume est, si l'on en croit les critiques — Roger Duhamel, Reine Malouin, Ivanhoë Beaulieu, Suzanne Paradis, René Legris — la somme des connaissances sur la poésie québécoise. A propos de Nelligan, on retiendra surtout les titres de deux études: « La Signification de Nelligan », par Réjean Robidoux (p. 305-321), et « L'Héritage poétique de l'École littéraire de Montréal », par Paul Wyczynski (p. 75-108).

273 CHARBONNEAU, Jean, **Des influences françaises au Canada,** Montréal, Beauchemin, 1916, t. 1, xix-229 pages, surtout p. 85-97.

Étude de grande envergure qui souffre néanmoins d'un défaut de documentation et d'imprécisions. Le problème des influences est traité au plan des considérations générales. Le jugement porté sur Nelligan est entaché de plusieurs inexactitudes.

274 ♦ — **L'École littéraire de Montréal,** [Montréal], A. Lévesque, [1935], 320 pages, surtout « Émile Nelligan », p. 117-126.

Mélange de souvenirs, de faits littéraires, d'impressions fugitives et de comparaisons habiles, l'ouvrage offre un premier tableau d'ensemble sur les activités de l'École littéraire de Montréal. L'étude sur Nelligan se trouve dans la deuxième partie du livre, intitulée « Ses animateurs »; elle est de caractère biographique et littéraire.

275 — *Bel hommage d'un poète à Émile Nelligan. M. Jean Charbonneau signale les qualités de l'œuvre du défunt,* dans *La Presse,* 58ᵉ année, nº 30, 19 novembre 1941, p. 29.

Dans un entretien avec un journaliste de *La Presse,* quelques heures après la mort du poète, Charbonneau s'exprime ainsi à propos de son ami: « Nelligan prend son œuvre où il la trouve. Ce n'est pas dire qu'il imite servilement, car, il tend toujours à donner libre cours aux formes exceptionnelles, il tend à former et à transfigurer les images. [...] Mais en tout ceci il se crée [...] une personnalité intrinsèque. Il nous fait penser à un peintre qui, s'étant émerveillé devant plusieurs tableaux représentant des écoles différentes, s'écriait: « Moi aussi, je suis un peintre. » A vrai dire, cette appréciation ne diffère pas des quelques pages consacrées à Nelligan dans *L'École littéraire de Montréal* (1935).

276 [♦ CHARLAND, R.P. Roland-M., et Jean-Noël SAMSON], **Émile Nelligan,** Montréal, Fides, [1968], 105 pages. (Collection « Dossiers de documentation sur la littérature canadienne-française », nº 3.)

Dossier préparé sous la direction du R.P. Roland-M. Charland, avec la collaboration de Jean-Noël Samson. Le premier a compilé les données de la « Chronologie » (p. 83-94) et de la « Bibliographie » (p. 95-103) de Nelligan. Jean-Noël Samson a choisi les textes des cinq sections dont le contenu veut correspondre à la vie et à l'œuvre de Nelligan. La première section — « L'homme et l'œuvre » — n'est qu'une simple reproduction de la célèbre étude de Dantin, suivie d'une photo de Nelligan. (On regrette de ne pas pouvoir lire ici un seul extrait de l'excellente étude de Luc Lacourcière, publiée en tête de la cinquième édition des *Poésies complètes* de Nelligan.) En fac-similé, un manuscrit de Nelligan, « Salons allemands », et les poèmes suivants: « Le Jardin d'antan », « La Romance du Vin », et « Le Vaisseau d'Or ». Malgré plusieurs réserves à formuler sur le choix des textes, ce dossier s'avère un instrument de travail d'une grande utilité.

277 CHARLAND, R.P. Roland-M., *Chronologie. Indications chronologiques des destinées de Nelligan et de l'École littéraire de Montréal,* dans **Émile Nelligan,** Montréal, Fides, [1968], p. 83-94. (« Dossiers de documentation sur la littérature canadienne-française », n° 3.)

Bien que cette « Chronologie » n'apporte rien de neuf sur Nelligan et sur l'histoire de l'École littéraire de Montréal, elle résume quand même admirablement bien, année par année, ce qu'ont apporté sur ce sujet les études déjà publiées et, plus particulièrement, celles de Dantin, de Bessette, de Lacourcière et de Wyczynski.

278 — *Bibliographie,* dans **Émile Nelligan,** Montréal, Fides, [1968], p. 95-103. (« Dossiers de documentation sur la littérature canadienne-française », n° 3.)

De même que dans la « Chronologie » de Nelligan, du même auteur, on ne trouve pas dans la « Bibliographie » de données nouvelles, à proprement parler, puisqu'il s'agit essentiellement d'une compilation, au demeurant bien faite et toujours utile comme instrument de travail. Elle présente les éditions successives de l'œuvre de Nelligan, dans l'ordre chronologique, ainsi que les études consacrées à la vie et à l'œuvre de ce poète.

Voir: Samson, Jean-Noël, notice 577.

279 CHARTIER, Mgr Émile, **Au Canada français : la vie de l'esprit 1760-1925,** Montréal, Éditions Bernard Valiquette, 1941, 356 pages, surtout « École littéraire ou lyrique de Montréal, 1890-1920 », p. 145-166.

Des faits généraux et sans portée précise s'ajoutent à des comparaisons innombrables et à des citations mal choisies. Nelligan est à peine mentionné dans le mouvement intellectuel étudié où il se serait mis « à la remorque du Parnasse ». En revanche, Amédée Dennault, Gill, Charbonneau, René Chopin (?) s'y sont mérité une place de choix. Bref, ce texte n'apporte que très peu à la connaissance du sujet étudié. L'auteur ne semble pas avoir compris ce que fut dans l'histoire de nos lettres et de notre poésie l'École littéraire de Montréal.

280 — *L'École littéraire de Montréal,* dans *La Revue de l'Université de Sherbrooke,* vol. 2, n° 3, mars 1962, p. 157-170.

Article manqué par suite de l'absence de documentation solide, et à cause de la mise en place de perspectives historiques qui ne correspondent guère à ce mouvement appelé l'École littéraire de Montréal. L'auteur traite sur un même pied Jean Charbonneau et Guillaume Lahaise, Joseph Melançon et Paul Morin, Antonio Pelletier et René Chopin. Bien plus ! Il y ajoute Jean Bruchési, Jean Narrache, Marcel Dugas, Robert Choquette, Roger Brien et combien d'autres ! Comment s'étonner que les rares idées valables sur Nelligan (p. 161) se perdent dans la masse de noms, de titres et de dates ? Article à écarter.

281 CHÂTILLON, Pierre, « Les Thèmes de l'enfance et de la mort dans l'œuvre poétique de Nelligan, Saint-Denys Garneau, Anne Hébert, Alain Grandbois », thèse de maîtrise, Faculté des lettres, Université de Montréal, 1961, vii, 46, 49 feuillets, surtout première partie, feuillets 11-17, et deuxième partie, feuillets 1-7.

Cette thèse est divisée en deux parties intitulées « Enfance » et « Mort ». A chaque partie correspond une pagination différente. Il s'agit d'une approche d'ensemble. « Le Paradis de Nelligan, souligne Châtillon, c'est son enfance, mais éternelle, un état d'extase et de pureté apparenté à celui des anges. »

282 CHAUVIN, R., *Émile Nelligan,* dans *The Canadian Forum,* vol. 28, n° 338, mars 1949, p. 277-278.

Compte rendu de la quatrième édition des *Poésies* de Nelligan que l'auteur considère comme « one of Canada's greatest poets, yet one still unknown to many English-Canadian readers ».

283 CHÉNÉ, Yolande, **Au seuil de l'enfer,** [Montréal], Le Cercle du livre de France, [1961], 252 pages, surtout p. 24-25, 28, 35, 60.

Marthe Lambert, l'héroïne du roman, confond dans ses rêves Nelligan avec Papineau, et Nelligan avec son amant Réal. Le nom du poète malade surgit très librement dans le récit pour mieux accentuer le désarroi d'un cœur.

284 CHOQUETTE, D[r] [Ernest], *Émile Nelligan,* dans *Le Canada,* vol. 7, n° 223, 24 décembre 1909, p. 4.

Article très intéressant où l'auteur relate une visite qu'il a rendue à Nelligan, en compagnie d'un ami qu'il ne nomme pas, alors que le poète se trouvait à la Retraite Saint-Benoît. Malade depuis plusieurs années, Nelligan récita quelques vers, entre autres « Le Naufragé » de François Coppée. L'auteur conclut qu'Henri Heine, Baudelaire, Verlaine et Edgar Poe auraient été les auteurs de chevet de Nelligan et seraient devenus les causes directes de sa folie.

285 — *Comment a sombré son intelligence,* dans *Le Semeur,* 6e année, n° 6, janvier 1910, p. 166-167.

Une nouvelle déclaration du docteur Choquette selon laquelle les lectures de Heine, de Baudelaire, de Verlaine et de Poe seraient à l'origine de la maladie de Nelligan. Bien que, dans le texte, on affirme que le docteur Choquette soit l'auteur de ce propos, l'article n'est pas signé.

CODERRE, Émile. Voir: Loiselle, Alphonse, notice 473.

286 C[OLETTE], J[ean]-Y[ves], *Provenance,* dans *La Barre du Jour,* octobre-décembre 1968, p. 59.

Mot d'introduction aux poèmes de Nelligan extraits de ses « Carnets » d'hôpital.

287 COLLARD, Marcel, *Un coup d'œil féminin sur l'œuvre du poète canadien, Émile Nelligan,* dans *Le Soleil,* 70e année, n° 142, 13 juin 1967, p. 29.

Reportage sur le premier prix décerné à Mme Gisèle Simard-Lavallée d'Arvida, par les Cercles d'études et de conférences de la province.

En une trentaine de pages, l'étude en question est destinée à expliciter le destin de l'auteur du « Vaisseau d'Or ». (Voir notice 579.)

288 [Collège Gesù, le Comité d'organisation de la Soirée Nelligan], *La Soirée Nelligan, lundi, 21 novembre 1966, à 8.00 heures,* programme imprimé, 1 feuillet. En dépôt au Centre de recherche en civilisation canadienne-française de l'Université d'Ottawa.

Programme divisé en huit sections, également destiné à tenir lieu d'invitation pour la soirée. Un second programme complémentaire, écrit à la main et polycopié, fut distribué au cours de cette soirée. (Voir l'article de Suzanne Boyd, notice 254.)

289 [Collège Sainte-Marie], « Extrait des registres matricules du Collège de Montréal », préparé pour Paul Wyczynski par le R.P. Antonio Dansereau, p.s.s., d'après les archives du Collège de Montréal. [Juin 1895.]

Dans ce document sont consignés les dates d'entrée et de sortie de Nelligan (septembre 1893-juin 1895), la nature des études poursuivies et les prix obtenus par Nelligan à la fin de chaque année.

290 — « Registre. Programme d'études 1892-1901 », surtout p. 150 et p. 173, Archives du Collège Sainte-Marie de Montréal. (Juin 1896.)

A la page 150 figure le programme de la Syntaxe (pour le second semestre 1895-1896), écrit de la main et signé du R.P. Théophile Hudon. A la page 173, le R.P. Hermas Lalande élabora et signa un programme semblable pour les élèves de la Syntaxe A, relatif au premier semestre de l'année scolaire 1896-1897. Ce document permet de connaître sommairement la matière que Nelligan étudia en syntaxe.

291 — « Bulletin de conduite et d'application », registre conservé aux Archives du Collège Sainte-Marie de Montréal, années scolaires 1895-1896, 1896-1897.

Deux cahiers manuscrits aux pages non numérotées, où l'on trouve les notes obtenues par Nelligan pour les périodes d'études qui s'étendent du 1er mars au 22 juin 1896 et du 2 septembre 1896 au mois de février 1897.

292 — **Collège Sainte-Marie,** Montréal, Perrault, 1896, 68 pages, surtout p. 49.

Annuaire de l'année scolaire 1895-1896. Il contient la liste du personnel du collège, le programme d'études, la liste des élèves et l'énumération des prix que la direction du collège distribua le lundi 22 juin 1896. Nelligan, élève de la Syntaxe A, qui avait pour professeur Théophile Hudon, s.j., obtint le second prix d'anglais et un accessit en élocution.

293 — **Collège Sainte-Marie,** Montréal, Globensky, 1897, 68 pages, surtout p. 4, 10.

Annuaire pour l'année scolaire 1896-1897. On y apprend que le professeur de Nelligan, en Syntaxe A, fut Hermas Lalande, s.j.; que le programme général des études englobait le petit catéchisme, les grammaires latine, grecque et française, l'histoire ancienne, la géographie, l'arithmétique et l'anglais.

294 COLLIN, W. E., *Letters in Canada : 1952,* dans *University of Toronto Quarterly,* vol. 22, nº 4, juillet 1953, p. 392-441, surtout p. 405-406.

Compte rendu (en anglais) de la première édition critique de *Poésies complètes* de Nelligan.

295 [♦ COLLOQUE NELLIGAN], **Nelligan : poésie rêvée, poésie vécue** [2], Montréal, Le Cercle du Livre de France, 1969, 192 pages. (Ouvrage collectif avec un « Avant-propos » de Jean Éthier-Blais.)

Le volume reproduit les textes des huit conférences, prononcées en novembre 1966, lors du Colloque Nelligan organisé par Jean Éthier-Blais et le Centre d'études canadiennes-françaises de l'Université McGill. Voici quels étaient les invités et quelle fut leur contribution. Luc Lacourcière: « A la recherche de Nelligan » (commentaire de J.-S. Tassie); Yves Garon: « Louis Dantin, précurseur et frère d'Émile Nelligan » (commentaire de Jacques Allard); Nicole Deschamps: « Le thème de la sœur dans l'œuvre de Nelligan » (commentaire de Robert Vigneault); Georges-André Vachon: « Émile Nelligan et la mélancolie » (commentaire de Paule Leduc); Réjean Robidoux: « Expérience et création » (commentaire de Jacques Brault); Henri Jones: « La folie dans les poèmes d'Émile Nelligan ». A cela s'ajoutent deux discours de circonstance: « Tombeau de Nelligan » par Roger Duhamel, et « Nelligan, l'art et la vie » par Maurice Lebel. L'« avant-propos » est signé Jean Éthier-Blais. Le texte de la conférence de Gérard Bessette ne figure pas dans ce volume. On n'y trouve pas non plus le commentaire de Clément Rosset qui aurait dû, normalement, suivre le texte d'Henri Jones. Ces textes sont très inégaux; il arrive même, à plusieurs reprises, que le commentaire soit supérieur à la conférence sur laquelle il s'élaborait. On peut lire ce que nous pensons de ces textes à la place qui leur revient alphabétiquement dans cette *Bibliographie.* Voir aussi, à titre d'information, l'article de Barberis, Robert, *Le Colloque Nelligan : un triomphe,* dans *Le Nouveau Cahier du Quartier latin,* vol. 3, nº 11, 24 novembre 1966, p. 4-5, notice 210.

296 COMTE, Gustave, *Notes d'art,* dans *Les Débats,* 1re année, nº 18, 1er avril 1900, p. 5-6.

« Demain soir, lisons-nous, l'École littéraire de Montréal donnera une séance publique dans les salles du Château de Ramezay. » Cette soirée était organisée à l'occasion de la publication du volume collectif: *Les Soirées du Château de Ramezay.* C'est aussi au cours de cette soirée que Gabriel Hanotaux, de l'Académie française, fut nommé membre d'honneur de l'École.

CONRON, Brandon. Voir: Sylvestre, Guy, notice 590.

297 COQUETON, Louis, *Gretchen,* dans *Le Monde illustré,* 11e année, nº 546, 20 octobre 1894, p. 296-297.

Dans cette romanesque histoire d'une jeune Alsacienne se loge vraisemblablement l'une des sources de cet exotisme allemand qui a marqué l'œuvre de Nelligan.

---

[2] Il est à noter que le faux-titre et le titre à la page 5 diffèrent du titre de la couverture. Les deux premiers se lisent: *Emile Nelligan*[:] *poésie rêvée et poésie vécue,* tandis que la couverture donne: *Nelligan*[:] *poésie rêvée*[,] *poésie vécue.* Nous utilisons toujours le dernier titre pour éviter toute confusion.

298 CORDIÉ, Carlo, *Paul Wyczynski : Émile Nelligan,* dans *Paideia* (Gênes), vol. 16, 1961, p. 142-144.

Compte rendu. L'auteur inventorie les éléments italiens de l'œuvre de Nelligan, analysés sous les préoccupations de la littérature comparée, par Paul Wyczynski.

299 CREVIER, Gilles, *Le Drame tragique du temps chez Nelligan,* dans *Le Flambeau de l'Est,* vol. 21, n° 34, 15 novembre 1966, p. 7.

Thème romantique que le sentiment de la fuite du temps, associé de toujours au déroulement du destin humain. Mettre en relief le thème de l'enfance signifie, pour un critique qui dialogue avec l'œuvre de Nelligan, toucher la fibre la plus sensible de l'univers du poète.

300 — *Le drame tragique du temps chez Nelligan,* dans *L'Hebdo métropolitain,* édition Outremont-Côte-des-Neiges, vol. 1, n° 11, 24 novembre 1966, p. 7.

Reprise de l'article publié dans *Le Flambeau de l'Est,* avec une photo de Nelligan.

301 DAGENAIS, Jean-Pierre, *Un poète, Émile Nelligan,* dans *L'Écho de Vaudreuil-Soulanges et Robert Baldwin,* vol. 12, n° 12, 29 mars 1967, p. 77.

Article de simple vulgarisation, avec néanmoins une sympathie évidente pour l'œuvre en question. Le destin pathétique du poète est rehaussé par le style des manifestations commémoratives qui se sont déroulées au cours de l'hiver 1966.

302 DAIGNEAULT, Yvon, *L'Âge de bronze de la critique littéraire au pays du Québec,* dans *Le Soleil,* 71ᵉ année, n° 132, 1ᵉʳ juin 1968, p. 34.

Compte rendu du livre de Paul Wyczynski *Émile Nelligan* et de celui d'André Major *Félix-Antoine Savard* (tous les deux ont paru en même temps chez Fides, dans la collection « Écrivains canadiens d'aujourd'hui »).

303 DANDURAND, abbé Albert, **La Poésie canadienne-française,** Montréal, A. Lévesque, 1933, 245 pages, surtout p. 186-199.

Vue d'ensemble sur la poésie canadienne-française. En consacrant treize pages de son étude à Nelligan, l'auteur manifeste qu'il considère Nelligan comme l'un des premiers symbolistes au Canada français.

304 ♦ DANTIN, Louis [X Eugène Seers], *Émile Nelligan,* dans *Les Débats,* 3ᵉ année, nᵒˢ 143-149, livraisons hebdomadaires du 17 août au 28 septembre 1902. Cette étude peut être facilement consultée aujourd'hui puisqu'elle figure dans **Émile Nelligan,** Montréal, Fides, [1968], p. 2-20. (« Dossiers de documentation sur la littérature canadienne-française », n° 3.)

Étude d'une rare érudition qui fit connaître aux Montréalais la valeur authentique de la poésie de Nelligan. Le critique a pénétré au cœur du chef-d'œuvre tronqué et en a souligné les mérites comme les défauts avec une égale franchise. Légèrement modifiée, cette étude est devenue la « Préface » des quatre premières éditions des poésies de Nelligan. (Voir notice 140.)

305 — *Émile Nelligan et son œuvre,* dans *Revue canadienne,* t. 43, n° 3, mars 1903, p. 277-282.

Rapide présentation de Nelligan par Dantin pour justifier et appuyer une campagne de souscription en faveur du volume en préparation: *Émile Nelligan et son œuvre.* Ce texte est suivi de sept poèmes: « Le Tombeau de la négresse », « Le Vaisseau d'Or », « Mon âme », « Notre-Dame des Neiges » [*sic*], « Chapelle de la morte », « Le Regret des joujoux », « La Cloche dans la brume ».

306 — *Les Débuts de l'École littéraire de Montréal,* dans *Le Canada,* vol. 26, n° 165, 16 octobre 1928, p. 4.

Bon aperçu, concis et objectif, de la première phase de l'École littéraire de Montréal, mouvement auquel Nelligan prit part à partir du 10 février 1897.

307 — *Gloses critiques,* Montréal, A. Lévesque, 1931, 222 pages, surtout
(R 306) p. 179-199.

Le chapitre intitulé « Les Débuts de l'École littéraire » n'est que la reprise de l'article publié dans *Le Canada* du 16 octobre 1928.

308 — [Lettre inédite à Jules-Édouard Prévost] du 22 avril 1938, communiquée à Paul Wyczynski par le R.P. Yves Garon.

Réponse indirecte à la critique malveillante de Claude-Henri Grignon (Valdombre): « Et que dire du soi-disant secret possédé par Asselin, promis, mais non révélé à Valdombre, d'après lequel un typographe, bohème, ivrogne, mort depuis serait le vrai auteur des poèmes de Nelligan ? Concevez-vous une invention plus ridicule ? J'ai tenu en mains tous les manuscrits de Nelligan, tous écrits de sa main sans aucune surcharge étrangère. C'est d'eux que j'ai tiré l'édition que j'en ai donnée, et je sais que ces vers n'ont été 'refaits' par personne; pas même par moi qui, en certains cas rares et urgents, pour des vers qui gardaient un caractère d'ébauche, en ai retouché quelques détails. Autre insulte malicieuse à la mémoire d'un homme qui ne peut se défendre, sur la soi disante [*sic*] confidence d'un homme mort qui ne peut nier, touchant la fourberie d'un autre mort mythique ! »

309 Daoust, Gilles, *Le Dossier Nelligan prouve que Québec doit intervenir. Jean-Noël Tremblay,* dans *La Presse,* 85e année, n° 113, 15 mai 1969, p. 61.

Quelques échos du « Dossier Nelligan » à l'Assemblée nationale du Québec. Le ministre Jean-Noël Tremblay considère que le film n'est « pas d'une très grande qualité ».

310 Deschamps, Nicole, *Le Thème de la sœur dans l'œuvre de Nelligan,* dans **Nelligan : poésie rêvée, poésie vécue,** Montréal, Le Cercle du livre de France, 1969, p. 87-97.

Ni biographique, ni thématique, n'ayant que de vagues rapports avec le sujet, cette étude ressemble fort à une invitation à détruire « le mythe » de Nelligan, sans en indiquer pour autant les moyens à utiliser. L'auteur paraît manquer de méthode et glisse facilement vers la paraphrase. Que Mlle Deschamps s'avoue elle-même perplexe, c'est tout à son honneur: « Il me faut avouer mille perplexités, dit-elle, car l'exposé que j'ai fait ne me convainc moi-même que jusqu'à un certain point. » Elle n'avait d'ailleurs pas convaincu ses auditeurs.

311 DESILETS, Alphonse, *Nelligan, Émile : Poésies complètes,* dans *Culture,* vol. 14, n° 1, 3 mars 1953, p. 97-98.

Quelques remarques sur l'édition critique des *Poésies complètes* de Nelligan, préparée par Luc Lacourcière.

312 DESJARDINS, Henry-M., « Chronique de mes derniers mois de belles-lettres au Séminaire Ste-Thérèse, du 17 avril au 12 mai 1891 » (Journal manuscrit), 153 feuillets écrits à la main.

Très intéressant document sur l'atmosphère collégiale d'autrefois, mais également révélateur du caractère de cet écrivain de Hull, qui fut l'ami de Nelligan, et appartint à la première génération des écrivains de l'École littéraire de Montréal.

313 — *Aux jeunes littérateurs,* dans *Le Canada,* vol. 16, n° 249, 25 novembre 1895, p. 3.

Une sorte de manifeste, rédigé à Hull, le 23 novembre 1895, et destiné aux jeunes littérateurs. « Je me souviens, écrit Desjardins, il y a deux ans, et durant ces deux années lorsque deux ou trois amis des Belles-lettres se réunissaient pour faire un brin de critique, le sujet de la fondation d'école littéraire de 'jeunes' venait et revenait à tout instant sur le tapis. » L'auteur conclut: « Allons jeunes littérateurs, mes voisins, faites cela avec ardeur; faites vibrer votre patriotisme et votre talent, afin que, vous aussi, vous donniez ouvertement votre coup d'épaule à la jeune littérature canadienne-française, déjà si florissante; car avec l'École qui veut vous ouvrir ses portes, comme à des frères, vous serez certains d'être encouragés et surtout d'être appréciés selon le juste mérite. »

314 DES ORMES, Renée [X Mme Louis Turgeon], **Robertine Barry, en littérature : Françoise,** Québec, L'Action sociale, 1949, 159 pages.

Bonne esquisse biographique, où l'amitié entre Françoise et Nelligan n'est qu'à peine signalée et de façon allusive à la page 86.

315 ♦ DESROCHERS, Alfred, *Nelligan a-t-il subi une influence anglaise ?,* conférence donnée à la Bibliothèque municipale de Montréal le 29 novembre 1950, publiée le lendemain par *Le Devoir,* vol. 41, n° 277, 30 novembre 1950, p. 2; reprise dans *Les Carnets viatoriens,* 16e année, n° 3, juillet 1951, p. 187-198, et n° 4, octobre 1951, p. 300-307. Cette étude figure aussi dans **Émile Nelligan,** Montréal, Fides, [1968], p. 65-71. (« Dossiers de documentation sur la littérature canadienne-française », n° 3.)

Quelques hypothèses à propos de l'influence probable de la littérature anglaise sur Nelligan. L'auteur se livre à des rapprochements entre certaines expressions employées par Nelligan d'une part, et par Thomas Gray ou Shakespeare d'autre part.

316 — *Témoignages d'écrivains,* dans *Études françaises,* vol. 3, n° 3, août 1967, p. 302.

Empli d'admiration pour l'auteur du « Vaisseau d'Or », DesRochers déclare: « Ce que je dois littérairement à Nelligan, c'est à peu près tout. [...] Je ne crois pas qu'aucun autre poète de notre temps — si l'on ramenait les régions à une même échelle — n'ait exercé une influence aussi instantanée et aussi générale que n'a fait Nelligan au Canada français. »

317 DION-LÉVESQUE, Rosaire, *Une première visite à Émile Nelligan,* dans *Le Phare : magazine des Franco-Américains,* vol. 4, n°s 6-7, juillet-août 1951, p. 23-24. Ce texte sera repris dans *Poésie,* vol. 1, n° 4, automne 1966, p. 14-17.

L'auteur rapporte en termes émouvants sa rencontre avec Nelligan, le 20 août 1927. Celui-ci récita devant le visiteur « L'Invitation au voyage » de Baudelaire, témoignant de son amour pour la poésie, et confirma qu'il composait encore des vers à cette époque. En guise de dédicace, il a calligraphié pour son invité les deux vers de Pope (« Essay on Man »):

Honour and shame from no condition rise
Act well your part, there all the honour lies.

318 DORCHAIN, Auguste, *La Poésie au Canada,* dans *Les Annales* (Paris), n° 1508, 19 mai 1912, p. 439-440.

Aperçu sur la poésie canadienne-française de Crémazie à Lozeau. L'auteur admire l'effort créateur chez Nelligan dont il compare la destinée à celles de Nietzsche et de Nerval. « Le Vaisseau d'Or » y est reproduit. On regrette que la mort prématurée de ce critique ait interrompu une analyse aussi brillamment commencée.

« Dossier Nelligan » (Le). Voir: Fournier, Claude, section « Filmographie ».

« Dossiers de documentation sur la littérature canadienne-française », 3 (consacré à Émile Nelligan). Voir: Charland, Roland-M., notices 276, 277, 278; aussi: Samson, Jean-Noël, notice 577.

319 DOUCET, Édouard, **Les Médaillons d'Alonzo Cinq-Mars,** Montréal, Lidec, 1968, 36 pages. (« Collection Panorama ».)

Histoire des médaillons d'Alonzo Cinq-Mars. Photographie en couleurs de Nelligan sur la page de couverture. « Enfant chéri du sculpteur, l'effigie de l'auteur du 'Vaisseau d'Or' est peut-être le plus réussi de quelque soixante-cinq médaillons qu'a modelés Alonzo Cinq-Mars. Ce n'est pas sans étonnement que ce dernier a constaté l'étrange similitude entre la sculpture qui orne le monument du poète au cimetière de la Côte-des-Neiges et son propre médaillon, signé 'Alonzo Cinq-Mars, 1930' » (p. 10-11).

320 DUCHARME, Camille, *Avons-nous tué Émile Nelligan ?,* dans *Nouvelles illustrées,* vol. 14, n° 23, 3 décembre 1966, p. 15.

Un ton à la fois acerbe et pathétique mêle des souvenirs à des considérations générales.

321 DUCHARME, Réjean, *L'Avalée des avalés,* Paris, Gallimard, [1966], 282 pages, surtout p. 22.

Le cinquième chapitre du roman offre un portrait de Mme Einberg, mère aimée et aimante; Réjean Ducharme cite deux vers de Nelligan tirés du sonnet « Ténèbres »:

. . . je rêve toujours au vaisseau des vingt ans,
Depuis qu'il a sombré dans la mer des Étoiles.

A noter que le chapitre suivant débute avec une sorte de paraphrase du « Vaisseau d'Or ».

322 — *Témoignages d'écrivains,* dans *Études françaises,* vol. 3, n° 3, août 1967, p. 306-307.

Rédigé sur le mode badin, le témoignage de Ducharme s'avère plutôt une petite variation libre autour de quelques données biographiques. Il éprouve, nous dit-il, « une grande affection fraternelle » pour Nelligan dont il prise « Five o'clock » et dont il écrit fort irrévérencieusement le nom de la façon la plus saugrenue: Nez-lit-gant.

323 DUGAS, Marcel, **Littérature canadienne : aperçus,** Paris, Firmin-Didot, 1929, 203 pages, surtout p. 15-18.

Étude de style impressionniste, consacrée à quelques auteurs canadiens. Le premier chapitre traite de Nelligan et de Lozeau en termes fort élogieux. L'auteur y souligne « le parfum d'exotisme » d'une poésie qui contrastait avec la poésie cocardière d'un Fréchette ou d'un Chapman. Un passage est à retenir: « Les hommes de ma génération, écrit Dugas, virent en lui un Baudelaire canadien. [. . .] A partir de Nelligan, et c'est une date dans l'histoire de la poésie canadienne, l'art individualiste était né. »

324 DUHAMEL, Roger, *Les Poésies de Nelligan,* dans l'*Action nationale,* vol. 27, mars 1946, p. 237-238.

Compte rendu de la quatrième édition des poésies de Nelligan qui se compare avantageusement avec celle de 1932.

325 — *Deux poètes canadiens d'il y a un demi-siècle,* dans *La Patrie,* 18e année, n° 53, 4 janvier 1953, p. 56.

Quelques remarques sur la cinquième édition des *Poésies complètes* de Nelligan, et *Sur la borne pensive* de Jean Charbonneau.

326 — *Émile Nelligan,* dans **Manuel de littérature canadienne-française,** Montréal, Éditions du Renouveau pédagogique, 1967, p. 49-52.

Le critique attribue à Nelligan un don de la parole et insiste sur une tension nerveuse qui faisait osciller le poète entre la frénésie et le désespoir. « Le Vaisseau d'Or », « Vision » et quelques strophes de la « Romance du Vin » sont reproduits. Selon Roger Duhamel, Nelligan aurait libéré de « ses entraves, notre poésie et ouvert la voie à notre XXe siècle ».

327 — *Connaissance de nos lettres,* dans *Le Droit,* 56e année, n° 33, 4 mai 1968, p. 7.

Compte rendu sommaire du livre de Paul Wyczynski, *Émile Nelligan,* paru chez Fides, en 1967.

328 — *La Résurrection de Nelligan,* dans *Le Droit,* 56e année, n° 290, 8 mars 1969, p. 7.

Compte rendu du livre *Nelligan : poésie rêvée, poésie vécue.*

329 — *Tombeau de Nelligan,* dans **Nelligan : poésie rêvée, poésie vécue,** Montréal, Le Cercle du livre de France, 1969, p. 15-22.

Discours de circonstance. L'auteur évoque quelques traits de la poésie de Nelligan et se remémore l'époque de l'École littéraire de Montréal.

330 ♦ DUMONT, G.-A., **L'École littéraire de Montréal: Réminiscences,** Montréal, Librairie G.-A. Dumont, [1917], 15 pages. (Au verso de la couverture une photographie de la vitrine de la Librairie Dumont, située au 1212, rue Saint-Denis.)

L'auteur traite brièvement de questions qui sont liées à l'histoire et aux membres du cénacle: fondation de l'École, assemblées, membres, *Soirées du Château de Ramezay,* première séance publique, la visite d'Herbert chez Fréchette, Honoré Beaugrand, une soirée chez Albert Lozeau, réunions chez Gonzalve Desaulniers, Jules Tremblay, Hector Demers, Henry Desjardins, Antonio Pelletier, Joseph Lapointe, Albert Ferland, Lionel-E. Léveillé, Charles Gill, Pierre Bédard...

331 DUPIRE, Jacques, *Vous êtes invité à faire partie de l'Association des Amis d'Émile Nelligan,* dans *Échos-Vedettes,* vol. 4, n° 28, 30 juillet 1966, p. 23.

Appel en faveur de l'Association nouvellement fondée, que préside le docteur Lionel Lafleur.

332 — *Concours « Hommage à Nelligan »,* dans *Échos-Vedettes,* vol. 4, n° 31, 20 août 1966, p. 25.

Avis de diffusion du concours poétique organisé pour commémorer le 25e anniversaire de la mort de Nelligan.

333 — *Encore Nelligan,* dans *Échos-Vedettes,* vol. 4, n° 43, 12 novembre 1966, p. 27.

Article d'information en marge des manifestations commémoratives prévues pour la Semaine Nelligan du 18 au 25 novembre.

334 DUVAL, Clovis, *L'Anthologie des poètes canadiens,* dans *Le Devoir,* vol. 11, n° 123, 27 mai 1920, p. 2.

Dans une lettre adressée au directeur du *Devoir,* l'auteur réplique à la critique d'Albert Lozeau, publiée dans *Le Devoir* du 17 mai 1920 à propos de l'*Anthologie des poètes canadiens.* « Nelligan, précise l'auteur, qui, dans l'esprit de M. Lozeau, est le premier de nos poètes, en est à coup sûr le plus décadent. L'obscurité ne fait pas le génie, l'étrangeté ne fait pas l'originalité. » Jugement subjectif, taillé à la hache, qui ressemble à quelques autres, très rares heureusement, où s'étale un besoin de diminuer, de condamner.

335 [ÉCOLE LITTÉRAIRE DE MONTRÉAL], « Archives de l'École littéraire de Montréal », présentement en dépôt à la bibliothèque de la Société historique, Montréal, 7 cahiers manuscrits de format inégal, aux pages non numérotées. (10 septembre 1896-18 novembre 1929.)

Document indispensable pour tous ceux qui voudront connaître en détail l'activité de l'École littéraire de Montréal. Les « Archives » comprennent les procès-verbaux souvent incomplets des réunions tenues entre le 10 septembre 1896 et le 18 novembre 1929. Les données sur Nelligan se trouvent dans le premier cahier aux pages 25, 30, 32, 35, 36, 40, 52, 66, 68, 69, 70, 71, 75, 78, 80, 81, 84, 93, 108, 112. Les procès-verbaux de ce cahier ont été rédigés par quatre secrétaires qui furent Louvigny de Montigny (du 10 septembre 1896 au 12 novembre 1896); Jean Charbonneau (du 10 décembre 1896 au 5 avril 1897); E.-Z. Massicotte (du 18 mars 1898 au 8 septembre 1899); G.-A. Dumont (du 10 novembre 1899 au 25 mai 1900). Manquent les procès-verbaux de la première année (du 7 novembre 1895 au 10 septembre 1896), de même que ceux de la période allant du 5 avril 1897 au 18 mars 1898, qui semblent avoir été perdus. A la page 142 du premier cahier a été collé l'ordre du jour préparé par E.-Z. Massicotte, pour la réunion prévue pour le 25 mars 1898.

336 EDMOND, Léo, *Émile Nelligan et son œuvre,* dans *Le Devoir,* vol. 17, n° 65, 20 mars 1926, p. 1.

Au travers d'un enthousiasme fort compréhensible pour ce « musicien en vers », qu'était Nelligan, perce chez le critique un léger reproche teinté de regret: à savoir, l'histoire nationale n'a aucunement attiré l'auteur du « Vaisseau d'Or ».

337 EMMANUEL, Pierre, *La Poésie française du Canada vue de la France,* dans *Société canadienne et culture française. Colloque international organisé à l'Université de Liège le 31 janvier 1969,* Liège, Université de Liège, 1970, p. 35-55. (Collection « Les Congrès et Colloques de l'Université de Liège », vol. 56.)

L'exposé de Pierre Emmanuel porte sur l'évolution d'ensemble de la poésie canadienne-française, d'où certaines simplifications et omissions voulues par la généralité du propos. L'auteur préfère scruter de plus près les vingt dernières années, encore qu'il épouse trop facilement le point de vue selon lequel « il n'y a pas de poésie canadienne-française à proprement parler », avant 1930; il n'y aurait, selon Emmanuel, qu'« une préhistoire de celle-ci » (p. 38). De ce fait, la poésie de Nelligan est réduite à l'image et à l'écho de la claustration, de l'incommunicabilité et de la mort; celle de Saint-Denys Garneau « est aussi symbolique que la folie de Nelligan ». Ces impressions ne nous semblent que partiellement exactes. Il échappe à Pierre Emmanuel l'engagement total de ces deux poètes, à qui la mort n'était point le symbole mais l'aboutissement d'une expérience alors que la conscience créatrice avait cherché fiévreusement sa voix authentique, source de parole véritable et féconde.

338 ÉTHIER-BLAIS, Jean, *En marge de Nelligan,* dans *Le Devoir,* vol. 54, n° 75, 30 mars 1963, p. 10.

Compte rendu élaboré de l'*École littéraire de Montréal,* deuxième tome des « Archives des lettres canadiennes ». Avec une perspicacité que nous nous plaisons à souligner, l'auteur présente et juge équitablement le livre en question. Là s'amorce une nouvelle étude sur l'École littéraire que Jean Éthier-Blais fera d'abord paraître dans la revue *Études françaises,* puis dans le livre intitulé *Signets II* où il a regroupé ses articles: *Signets II,* Montréal, Le Cercle du livre de France, 1967, p. 77-84.

339 — *La Cité : ferment intellectuel et symbole de demain,* dans *Le Devoir,* vol. 55, n° 263, 7 novembre 1964, p. 26.

Pertinentes remarques sur Nelligan, « premier poète qui ait donné de Montréal une image intérieurement vraie ». Cet article figure dans *Signets II,* sous le titre « La Ville — Quœrens quem devoret — ».

340 — *L'Hexagone,* dans *Études françaises,* 1re année, n° 2, juin 1965, p. 115-121.

Bien que l'article traite de l'Hexagone, la première page y est consacrée à Nelligan qui, selon l'auteur, « a pénétré l'Amérique de l'intérieur, dans le contexte de notre patrie et de notre langue ».

341 — *L'École littéraire de Montréal,* dans *Études françaises,* 1re année, n° 3, octobre 1965, p. 107-112.

Le critique dresse un bilan positif du deuxième volume des « Archives des lettres canadiennes » consacré à l'École littéraire de Montréal.

342 — *Nelligan ou le spasme de vivre,* dans *Le Devoir,* vol. 57, n° 270, 19 novembre 1966, p. 11. Un paragraphe de cet article est reproduit dans **Émile Nelligan,** Montréal, Fides, [1968], p. 72. (« Dossiers de documentation sur la littérature canadienne-française », n° 3.)

Jean Éthier-Blais s'essaie à un portrait littéraire du poète, autour de trois paragraphes de réflexions: « Un curieux démon », « Le spasme de vivre » et « Une folie linguistique ». Le portrait littéraire de Nelligan s'organise à partir de ces éléments; l'auteur tient compte particulièrement de la photographie bien connue du poète, exécutée par Laprès Lavergne et reproduite en tête de l'article.

343 ♦ — *La Ville* — « *Quœrens quem devoret* » —, dans **Signets II,** (R 339) Montréal, Le Cercle du livre de France, 1967, p. 23-30, surtout p. 23-27.

Le propos de ces pages dépasse le simple article de circonstance et le compte rendu plus ou moins détourné de son objet; Jean Éthier-Blais s'interroge pour savoir comment Nelligan, alors très épris de sa mère, est devenu ce poète citadin fort indépendant. A partir de l'œuvre, l'auteur fait lever plusieurs remarques pertinentes de ce modèle: « la première génération d'écrivains à se dire Montréalais, et donc activement engagés dans la vie de la cité, c'est celle de l'École littéraire de Montréal. Les poètes de 1900 abandonnent Fréchette et les idoles terriennes descendent dans les profondeurs du passé. Ils sont pour la première fois, des poètes; ils ne sont plus des chantres. Émile Nelligan est le symbole de cette transformation. [. . .] Par ses plaintes, par ses rejets, par la passion subjective que jamais il ne souligne, il a poétisé la ville. Grâce à Nelligan, la poésie a plongé ses racines dans la réalité première de notre vie. » Il faudrait confronter cette excellente remarque de Jean Éthier-Blais avec les affirmations de G.-André Vachon dont le point de vue se trouve aux antipodes de celui de Jean Éthier-Blais.

344 — *École littéraire de Montréal. — A l'ombre de Nelligan,* dans (R 341) **Signets II,** Montréal, Le Cercle du livre de France, 1967, p. 77-84.

Reprise du compte rendu paru antérieurement dans *Études françaises.* A remarquer cependant que le titre est différent.

345 — *Avant-propos,* dans **Nelligan : poésie rêvée, poésie vécue,** Montréal, Le Cercle du livre de France, 1969, p. 9-14.

En guise d'introduction, ce texte ne prétend pas apporter du neuf sur Nelligan: il se contente de rappeler quelques moments majeurs du destin du poète.

346 ÉTHIER-BLAIS, Jean, et Pierre DE GRANDPRÉ, *Un vrai poète : Émile Nelligan,* dans **Histoire de la littérature française du Québec,** Montréal, Beauchemin, 1968, t. 2, 290 pages, surtout p. 35-45.

L'introduction, la notice biographique et la bibliographie ont été établies à partir des travaux récents. Le chapitre sur Nelligan procède essentiellement par citations. Sont reproduits intégralement « Le Vaisseau d'Or », « La Vierge noire », « Soir d'hiver », « La Romance du Vin », « Devant deux portraits de ma mère », « Sérénade triste », « Clair de lune intellectuel », « Tristesse blanche », « Frisson d'hiver ». On comprend mal pourquoi, au deuxième chapitre, Nelligan ne soit pas mentionné parmi les poètes de l'École littéraire de Montréal autant qu'Arthur de Bussières, présenté en compagnie de Paul Morin, de René Chopin, de Guy Delahaye et de Jean-Aubert Loranger. Somme toute, un exposé hâtif et sans nuances.

347 [ÉTUDES FRANÇAISES], *Études françaises,* vol. 3, n° 3, août 1967, p. 253-321. (Numéro spécial.)

La majeure partie du fascicule (p. 258-321) est consacrée à Nelligan: chronologie sommaire de Nelligan, bibliographie de Nelligan compilée par Baudouin Burger à partir des travaux de Paul Wyczynski et des documents accumulés par Réginald Hamel, articles de Jean-Charles Bonenfant et de G.-André Vachon, photo de Nelligan, reproductions, en fac-similés, de la page de titre des *Soirées du château de Ramezay,* d'une page du *Monde illustré,* ainsi que du texte de « Vaisseau d'Or », d'après un manuscrit de la collection André Laurendeau. Sept écrivains apportent leur témoignage: Alfred DesRochers, Jacques Godbout, Gilbert Langevin, Claude Péloquin, André Major, Jacques Renaud et Réjean Ducharme.

348 — *Documents,* dans *Études françaises,* vol. 3, n° 3, août 1967, p. 277-283.

Article non signé (Réginald Hamel l'attribuerait volontiers à G.-A. Vachon). A partir de quelques pages cueillies dans *Le Samedi* et *Le Monde illustré,* il est signalé que Nelligan aurait pu lire le « Rossignol » de Verlaine et le « Cercueil » de Rodenbach. L'auteur anonyme insiste peut-être trop sur les articles relatifs aux séjours de Sarah Bernhardt et de Brunetière à Montréal, pour passer trop rapidement sur le climat littéraire de l'époque. Est également reproduite une page du *Monde illustré* où se révèle le mauvais usage que l'on faisait de la langue française à Montréal, en 1896.

349 FERRON, Jacques, *Papa Nelligan était aliéné,* dans *Le Petit Journal,* 43e année, n° 48, 21 septembre 1969, p. 85.

A partir du film de Claude Fournier l'auteur évoque les origines irlandaises de Nelligan. A sa façon, Ferron, en raccourci lucide et pointillé d'humour, essaie de cerner le drame du déracinement chez David Nelligan. Mais l'article vaut surtout par son dernier paragraphe: « Alors que Nelligan était interné depuis nombre d'années, on lui a demandé, un jour, s'il avait apprécié des poètes canadiens. Nelligan a répondu:

— Gonzalve Desaulniers: c'était un de mes amis, un poète que tous n'ont pas compris. J'ai appris sa mort... Il est mort de m'avoir vu. Mais je l'ai revu plus tard, lui et bien d'autres. Ils venaient de l'au-delà, mais ils ne m'ont pas parlé. On revoit ainsi les trépassés. Moi aussi, je suis mort.

Tout cela est diablement irlandais. Il y a dans *La Deuxième Île de John Bull*, de Bernard Shaw, un prêtre fou qui parle semblablement. Cette familiarité avec la mort, que nous avons parfois par notre héritage irlandais, était toute naturelle à Nelligan. Il n'y a rien de lugubre là-dedans. » A noter que la matière du passage sur Gonzalve Desaulniers a été fournie par l'article que le journaliste Hervé Saint-Georges publia dans *La Patrie* du 18 septembre 1937.

350 FERRON, Jacques, *Nelligan*, dans *L'Information médicale et paramédicale*, vol. 4, n° 5, 15 janvier 1952, p. 8.

Jacques Ferron situe le cas de Nelligan dans l'ensemble de la problématique de l'aliénation qui concerne à la fois la médecine et la littérature québécoises. « Il y a deux carrières médicales: la petite et la grande. Pour entrer dans la petite il suffit de passer par Québec ou Montréal; pour aborder la grande il faut aller à Paris ou à New-York. Les célébrités canadiennes se consacrent à l'étranger. Nommez-moi un médecin de la grande carrière qui ne soit pas sorti du pays: il n'existe pas. Cela révèle l'infantilisme de notre Faculté: les maîtres, qui enseignent, ne connaissent pas la passion de la chaire: comme des mulets ils ne se reproduisent pas. Et c'est peut-être mieux ainsi. La même anomalie existe en littérature. Nos écrivains, sachant que la gloire ne leur viendra pas du pays, écrivent pour l'étranger. C'est à leur détriment. Il n'en est pas de la littérature comme de la médecine. La médecine n'est jamais nationale; elle exprime l'âme d'un peuple et ce n'est qu'en second lieu qu'elle peut être universelle. Un citoyen du Québec, nourri du milieu québécois, qui écrit pour le milieu parisien, lequel il ne connaît pas, est un étrange citoyen. De quel milieu est-il ? Est-il du Québec ? Non, son rêve est ailleurs. Est-il de Paris ? Non plus, il n'y vit point. D'où est-il ? Il est de nulle part. C'est en quelque sorte un aliéné. Quoi de plus normal alors que la folie d'Émile Nelligan ? »

351 — *Rimbaud, Nelligan et Jean Drapeau*, dans *Le Petit Journal*, 43e année, n° 52, 19 octobre 1969, p. 87.

Cet article débute sur une comparaison entre Nelligan et Rimbaud. Le texte établit ensuite des rapports entre le célèbre sonnet et la vie de Nelligan. Enfin, Jacques Ferron termine par cette confidence: « Comme beaucoup d'autres, j'ai eu l'occasion de voir Nelligan à Saint-Jean-de-Dieu. Il avait certainement sombré. Il ne lui restait de son génie poétique que des lambeaux de souvenirs. Et encore lui arrivait-il de donner en autographe des poèmes qui n'étaient pas de lui. Celui que j'ai reçu était de Verlaine. [...] Mais ce qui m'avait frappé chez cet homme qui se survivait, c'est un air de dignité, voire de fierté, comme s'il avait sauvé quelque chose en devenant fou. A tout le moins, il n'avait pas cédé aux instances de sa famille et de la société. Même naufragé, le Vaisseau restait d'Or. »

352 — *L'Asile Saint-Benoît*, dans *L'Information médicale et paramédicale*, vol. 22, n° 14, 2 juin 1970, p. 18.

Article écrit à partir des témoignages des frères André Tanguay (publié dans *Frères éducateurs*) et Léo Bonneville (paru dans *Le Devoir*). La Retraite Saint-Benoît était une maison de redressement, tenue par les frères de la Charité. Nelligan y demeura 26 ans. « Il semble, écrit Ferron, que Nelligan ait été envoyé à Longue-Pointe en 1925 parce que son état mental s'était détérioré. » Mais nous croyons que le transfert à l'Hôpital Saint-Jean-de-Dieu s'imposa plutôt à cause de la mort de Mme Gertrude Nelligan-Corbeil, sœur du poète, survenue le 5 mai 1925.

353 — *La Littérature utilitaire et l'écrivain engagé,* dans *Le Magazine McLean,* vol. 10, n° 7, juillet 1970, p. 44-46.

L'idée directrice de l'article est la notion de littérature engagée. S'il est facile de reconnaître qu'Arthur Buies et Jules Fournier croyaient vraiment à une littérature utilitaire qui servît les intérêts de la collectivité, raison n'est pas de se méprendre, comme l'auteur de *Mon encrier,* sur la valeur et le sens de la poésie de l'auteur de la « Romance du vin ». « Si curieux que cela paraîtra, remarque Ferron, à une époque où l'on niait l'existence d'une littérature nationale, où le pays était conçu comme l'enfer de l'homme de lettres, je crois que Nelligan fut un écrivain engagé, le premier que nous avons eu. Adolescent, il se donne tout entier à la poésie et durant près de trois ans conçoit et exécute son œuvre envers et contre tous. » Constatation pertinente, inspirée par la « Romance du Vin » et qui s'inscrit à l'encontre des idées farfelues d'un Jules Fournier, d'un Berthelot Brunet ou d'un Claude Fournier.

FORTIER, Roger, c.s., Lévis. **Voir Lévis,** c.s., notice 470.

FOURNIER, Claude. Voir la section: « Filmographie ».

354 FOURNIER, Guy, *Émile Nelligan,* dans *Perspectives,* vol. 8, n° 52, 24 décembre 1966, p. 10-15.

En bon journaliste, Guy Fournier sait tirer un habile parti de la biographie de Nelligan pour écrire un petit conte de Noël. La tentative vaut les photos en couleurs qui l'accompagnent et qu'a exécutées Michel Saint-Jean. Elles représentent un paysage d'hiver, le bougeoir et l'encrier du poète, le plan-manuscrit de son recueil, un vitrail de l'église Notre-Dame de Montréal, le carré Saint-Louis, une photo de la mère du poète, sa maison au 260, rue Laval, l'hôpital Saint-Jean-de-Dieu, l'artiste à 40 ans et la stèle érigée à l'occasion du vingt-cinquième anniversaire de la mort du poète, sur sa tombe. Magnifique hommage iconographique en l'honneur de Nelligan.

355 ♦ FOURNIER, Jules, **Mon Encrier : recueil posthume d'études et d'articles choisis, dont deux inédits,** Montréal, Éditeur : Madame Jules Fournier, 1922, vol. 2, 211 pages, surtout « Réplique à M. ab der Halden », p. 20-34.

On connaît les idées bien arrêtées de Jules Fournier sur la langue et la littérature française au Canada: selon lui, la langue française au Nouveau-Monde à son époque était chancelante et la littérature d'expression française à ne pas considérer puisqu'il n'y en avait pas. Les œuvres de Philippe Aubert de Gaspé, de Crémazie, de Garneau ne sont, à ses yeux, que « des pages de mérite ». Il veut en convaincre Charles ab der Halden et le dissuader d'encourager ce qui ne vaut pas la peine de l'être: « Vous parlez d'une littérature canadienne, mais pouvez-vous prétendre que Nelligan et Lozeau — nos deux seuls poètes un peu remarquables — soient des écrivains canadiens ? Qu'y a-t-il de canadien dans leurs œuvres ? Nelligan et Lozeau sont de notre pays, mais je vous défie bien de me montrer chez eux plus de préoccupation des choses de chez nous que vous n'en trouverez chez Verlaine, chez M. Henri de Régnier ou chez M. de Montesquiou-Fezensac. [. . .] Ils sont comme la plupart de vos jeunes d'aujourd'hui, les bâtards de tous les poètes morbides et laborieux de ces vingt dernières années. Ils sont inspirés par la même muse neurasthénique et savante, parlent la même langue, usent des mêmes rythmes. Toutes leurs qualités, et presque tous leurs défauts, sont les mêmes. Enfin, ils traitent les mêmes sujets. Je vous demande un peu sur quoi vous pouvez bien vous fonder, après cela, pour classer Nelligan et Lozeau parmi les auteurs canadiens et non point parmi les auteurs français. » Cette réplique n'est pas dénuée de sens, mais l'auteur y est trop catégoriquement abrupt. D'ailleurs, la fin du texte est moins tranchante que le début. Il ne faut pas non plus exagérer en disant que la seule couleur locale constitue l'élément essentiel de la poésie authentique.

356 FOURNIER, Roger, *Des moments émouvants sur la tombe d'Émile Nelligan,* dans *Le Petit Journal,* 41e année, n° 5, 27 novembre 1966, p. 52.

Relation détaillée de la cérémonie au cimetière de la Côte-des-Neiges, sur la tombe de Nelligan, le 18 novembre. On remarquait notamment la présence de Mgr Cimichella, de Jean-Noël Tremblay, d'Albert Millaire et d'Alfred DesRochers. Ce dernier a lu un poème à la mémoire de Nelligan:

> Je ne t'ai vu qu'en rêve, adolescent trop beau
> Si bien qu'en un midi lourd de fadeurs étales
> Afin de retrouver tes jardins, tu partis
> En secouant le sable épais de tes sandales.

357 FRANÇOISE [X Robertine Barry], *Causerie fantaisiste,* dans *La Patrie,* 20e année, n° 266, 7 janvier 1899, p. 10.

Françoise évoque les souvenirs de la première séance publique de l'École littéraire de Montréal: « Messieurs Nelligan, Bussières, Massicotte et Charbonneau ont persuadé tous ceux qui les ont entendus de leur solide talent et du bel avenir qui s'ouvre devant eux dans la carrière des lettres. » Elle reproduit l'« Idiote aux cloches » de Nelligan.

358 — *Émile Nelligan,* dans *Le Journal de Françoise,* 3e année, n° 1, 2 avril 1904, p. 313-314.

Le portrait physique et le caractère de Nelligan sont esquissés par Françoise, sa « sœur d'amitié », qui affirme que Rodenbach fut, vers 1897, l'auteur préféré de son jeune ami.

359 FRÉCHETTE, Louis, *Notre Progrès littéraire,* dans *La Presse,* 19e année, n° 51, 3 janvier 1903, p. 10.

Avec l'analyse de *Sous les pins,* d'Adolphe Poisson, et de *Voix étranges,* de J.-H. Roy, Fréchette signale la publication prochaine du recueil de Nelligan. « On m'informe, écrit-il, qu'un autre est en ce moment sous presse qui ne manquera pas d'intérêt. Ce sont les œuvres posthumes d'Émile Nelligan, un poète mort jeune (?) et qui avait déjà témoigné d'un talent assez original pour faire concevoir de hautes espérances. » Il convient d'en déduire que l'impression des poésies de Nelligan en recueil a commencé peu de temps après la publication de l'étude de Louis Dantin, dont la dernière tranche avait paru dans *Les Débats* du 28 septembre 1902.

360 GAB., *Découpage, en épluchant les choux,* dans *Le Quartier latin,* vol. 21, n° 5, 4 novembre 1938, p. 6.

La critique à laquelle s'intéresse l'auteur est celle de Julien Benda: il voudrait que l'on parlât des écrits comme si on les avait trouvés dans une bouteille jetée à la mer ! Il conseille d'étudier l'œuvre de Nelligan indépendamment du contexte social et biographique.

361 GAGNON, Lysiane, *Émile Nelligan,* dans *La Presse* (magazine), 82e année, n° 263, 12 novembre 1966, p. 16, 18-19, 50-54.

Article de circonstance, écrit dans un esprit de vulgarisation. Quelques passages d'ordre biographique se réfèrent aux témoignages oraux de Mesdames Béatrice Campbell et Estelle Demers, et à celui de Gilles Corbeil. Dans le texte même, plusieurs photographies: Nelligan-écolier, Nelligan lors de la première communion, Émilie Hudon-Nelligan, Nelligan à 40 ans; la reproduction de deux manuscrits: « Le Vaisseau d'Or » et « Salons allemands »; une photo de la maison du poète, 260, avenue Laval (aujourd'hui n° 3958), ainsi que celle du poète auprès de Gonzalve Desaulniers, de sa fille, Madeleine Gleason-Huguenin, et de Camille Ducharme. L'article s'adresse au lecteur moyennement informé.

362 — *Émile Nelligan,* dans *Québec 67,* vol. 4, février 1967, p. 73-81.
(R 361) Reproduction de l'article paru dans *La Presse* du 12 novembre 1966.

363 — *Émile Nelligan,* dans *La Frontière,* vol. 30, n° 51, 19 juin 1968,
(R 361) p. 101, 103, 105-107, 109, 111. (Numéro spécial à l'occasion de la fête de la Saint-Jean-Baptiste.)

Reproduction de l'article et des photos publiés dans *La Presse* du 12 mars 1966.

364 GAGNON, Marcel-A., **La Vie orageuse d'Olivar Asselin,** Montréal, Les Éditions de l'Homme, 1962, t. 1, 160 pages, surtout p. 40-41.

Biographie d'Asselin. Les deux pages sur les rapports Asselin-Nelligan manquent de précision. Il arrive que les faits biographiques s'ordonnent trop librement et n'apportent que peu de lumière sur la question. L'auteur soutient que le pseudonyme de Joseph Saint-Hilaire fut celui d'Olivar Asselin qui, après avoir publié ses primevères poétiques — « Faussetés », « Au Sérail », « Chemineaux » — découvrit en Nelligan un authentique poète, en lisant « La Romance du Vin » dans *Les Débats* du 1er avril 1900.

365 GAGNON, Nancy, *D'autres élèves écrivent,* dans *Le Canada français,* vol. 107, n° 26, 17 novembre 1966, p. 30.

Ce témoignage est inséré dans la page commémorative intégralement consacrée à Nelligan. Il est toujours intéressant de connaître la réaction des jeunes à l'égard d'une œuvre poétique qui les a précédés. Pour Nancy Gagnon « la poésie de Nelligan est l'expression de son drame personnel ». D'autres élèves, Jean-Pierre Gingras, Francine et Germain Harbec, Lucette Huet, Louise Lanciault et Ruth Langlois apportent leur tribut d'admiration à Nelligan.

GALLÈZE, Englebert. Voir: Léveillé, Lionel, notice 468.

366 GARNEAU, René, *La Littérature,* dans **Les Arts, Lettres et Sciences au Canada, 1949-1951 : recueil d'études spéciales préparées pour la Commission royale d'enquête sur l'avancement des arts, lettres et sciences au Canada,** Ottawa, Edmond Cloutier, 1951, p. 83-97.

Plusieurs remarques intéressantes sur la littérature canadienne-française. L'auteur étudie l'héritage culturel des Canadiens sous l'angle des problèmes nationaux. Selon Garneau, Émile Nelligan et Paul Morin sont des artistes irremplaçables dont les œuvres peuvent prétendre à une notoriété non seulement nationale, mais internationale.

367 ♦ GARON, a.a., Yves, « Louis Dantin, sa vie et son œuvre », thèse de doctorat ès lettres, Université Laval, Québec, 1960, xiii, 641 feuillets.

Thèse à retenir tant pour sa documentation, sa présentation, que pour son esprit et son écriture. Elle se présente comme la somme des connaissances sur Louis Dantin et aussi comme une relation des rapports amicaux et littéraires qui existèrent entre Dantin et Nelligan. Tout chercheur qui s'intéresse à Nelligan devrait lire cette thèse qui comprend deux parties: « L'Homme », « L'Œuvre ». La seconde partie se subdivise en deux sections intitulées « Le Critique » (« Questions générales », « Les Œuvres », « Le Critique intime », « Le 'Livre américain' »); « Le Créateur » (« Le Poète », « Le Conteur », « Le Romancier »). Au sujet de Nelligan on consultera en particulier les pages 186, 304, 340 et 390.

368 — *Louis Dantin et la « critique intime »*, dans *La Revue de l'Université Laval,* vol. 16, nos 5-6, janvier-février 1962, p. 521-535. (Tiré à part, 29 pages.)

On voit mieux, grâce à cette étude, l'influence que Dantin eut sur toute une génération d'écrivains parmi lesquels Nelligan fut le premier à en tirer profit.

369 — *Louis Dantin aux premiers temps de l'École littéraire de Montréal,* dans **L'École littéraire de Montréal,** Montréal, Fides, 1963, p. 257-270. (« Archives des lettres canadiennes », t. 2.)

Riche documentation sur le volume *Franges d'autel* ainsi que sur la collaboration de Dantin au journal de Louvigny de Montigny, *Les Débats.* C'est dans la perspective de ces deux sujets que l'auteur situe l'amitié Nelligan-Dantin.

370 ♦ — *Louis Dantin, précurseur et frère d'Émile Nelligan,* dans **Nelligan : poésie rêvée, poésie vécue,** Montréal, Le Cercle du Livre de France, 1969, p. 59-78.

L'étude du père Garon, remarquable à tous points de vue, pourrait servir d'exemple à ceux qui pratiquent l'histoire littéraire. A partir d'une documentation exacte et scrupuleusement pesée, le jugement s'élabore sûr autant que nuancé, respectueux du sujet, étudié ici à mi-chemin des faits connus et des faits probables; par approches dénuées de parti pris, l'article situe admirablement l'amitié littéraire entre Nelligan et Dantin à l'époque des cinq dernières années du XIXe siècle. Deux questions préoccupent le père Garon: l'histoire de cette amitié et l'influence de Dantin sur l'œuvre de Nelligan. Il hésite à situer le début de cette amitié: avril 1896 ? — janvier 1898 ? — l'été de 1897 ? Il est tenté de croire qu'elle n'a pas beaucoup excédé un an: printemps de 1898 — été de 1899. Quant aux influences, le critique considère que si Dantin « n'a pas été le précurseur de Nelligan, en ce sens qu'il aurait précédé et annoncé par ses poèmes la poésie de Nelligan, il a cependant été celui qui a frayé un chemin à Nelligan, un chemin vers un public, vers des générations de lecteurs et de poètes ». Ajoutons que Dantin a donné l'exemple d'une critique attentive qui fait valoir une œuvre poétique dans ses vraies dimensions, par rapport à la vie et à l'art.

371 GAUTRIE, Jean, *Émile Nelligan,* dans *Le Quartier latin,* vol. 24, n° 9, 28 novembre 1941, p. 5.

Article fougueux, écrit à l'occasion de la mort de Nelligan, qui se termine ainsi: « Puisque souvent la vie germe de la mort, espérons que ce soit aussi le prélude d'une gloire, surérogatoirement pavée par ce poète prodigieux, le seul de notre race qui ait étreint le génie. Du moins que ce soit pour nous l'occasion de proclamer notre vénération envers lui, et notre foi en l'immortalité de son œuvre. »

372 GAY, [c.s.sp.,] Paul, *Émile Nelligan (1879-1941),* dans **Guide littéraire du Canada français,** Montréal, HMH, 1969, p. 49-52.

La partie bio-bibliographique s'accompagne de quelques considérations sur la nature de la poésie de Nelligan, dont l'ensemble de l'œuvre permet à l'auteur de dégager « la série noire » et « la série blanche », en correspondance avec les principaux thèmes de cette poésie.

373 — *La Musique des profondeurs,* dans *Le Droit,* 59e année, n° 140, 11 septembre 1971, p. 21.

Compte rendu du livre de Paul Wyczynski, *Nelligan et la musique.* L'auteur souligne plus particulièrement les pages consacrées aux images nelliganiennes, ainsi qu'à l'analyse de la « musique noire » qui surgit surtout du « Vaisseau d'Or ».

374 GERMAIN, Jean-Claude, *Expert en singeries, Clément Rosset se moque de Nelligan,* dans *Le Petit Journal,* 41e année, n° 5, 27 novembre 1966, p. 51.

L'auteur raconte ce qui s'est passé au soir du vendredi 18 novembre, à l'Université McGill, lors du Colloque Nelligan. Le professeur Rosset a littéralement improvisé son discours, après la conférence d'Henri Jones, se moquant de Nelligan et du public. (D'où l'attribut, « Expert en singeries », du titre de l'article.)

375 GERVAIS, Monique, « *Nelligan. Vaisseau d'Or* », dans *Les Jeunesses littéraires du Canada français,* vol. 4, n° 4, juin 1967, p. 7, 9-10.

A la faveur de son analyse du « Vaisseau d'Or » Monique Gervais tente de prouver que ce sonnet a été écrit à la suite d'une fréquentation assidue de Baudelaire, de Rollinat, de Fernand Gregh et de Joseph Autran. On s'aperçoit vite qu'elle s'est inspirée de l'ouvrage *Émile Nelligan, sources et originalité de son œuvre* de Paul Wyczynski.

GESLIN, Lucien. Voir: Bessette, Gérard, notice 244.

376 GILL, Charles, *Les Débuts de l'École littéraire,* dans *La Presse,* 16e année, n° 126, 31 mars 1900, p. 4.

Intéressants souvenirs d'un membre de l'École littéraire de Montréal dont la mémoire, en bien des occasions, reste infidèle. On connaît les études récentes sur ce mouvement littéraire montréalais, où les faits sont reconstitués en fonction d'une documentation riche et exacte. Le témoignage de Gill tourne facilement à l'anecdote.

377 — [Une photographie de Nelligan], Archives du Centre de recherche en civilisation canadienne-française, Université d'Ottawa. (Offerte à Lozeau en 1904.)

Destinée à Lozeau, cette photographie a été retouchée, probablement par Charles Gill. Dans le coin droit, en haut du portrait, Gill avait écrit à l'encre la mention que voici: « A mon ami Albert Lozeau, ce portrait du grand Nelligan. Tous trois, nous avons adoré la Poésie; nous l'avons adorée, puisqu'elle est divine. Est-ce pour cela que nos trois noms se rencontrent là, ou bien est-ce parce que le malheur nous a frappés tous trois ? — Charles Gill. »

GINGRAS, Jean-Pierre. Voir: Langlois, Ruth, notice 436.

378 — *Émile Nelligan,* dans *Le Nationaliste,* 1re année, n° 1, 6 mars 1904, p. 4.

Nelligan est « l'enfant de la Muse » pour Gill qui démasque l'hypocrisie de De Marchi, applaudit au travail de Dantin et publie un poème inédit de Nelligan: « Sur un portrait de Dante ».

379 — [Lettre à Louis-Joseph Doucet] du 10 février 1912, Archives de Marcelle Pommerleau, Montréal.

Gill fait part à Doucet d'une nouvelle acquisition: les membres de l'École littéraire de Montréal possèdent « un magnifique encrier signé Laliberté, qui représente Nelligan naufragé près de l'épave d'un imaginaire vaisseau. Cet encrier est aujourd'hui en possession du docteur Raimbault de Montigny, fils de Louvigny, à la Baie d'Urfée. La lettre a été retrouvée grâce aux patientes recherches de Réginald Hamel. Cf.: Charles Gill, *Correspondance,* réunie, classée et annotée d'après les originaux par Réginald Hamel, Montréal, Éditions Parti Pris, [1969], p. 56.

GLEASON-HUGUENIN, Mme W.-A. Voir: Madeleine, notices 481-485.

380 GODBOUT, Jacques, *Témoignages d'écrivains,* dans *Études françaises,* vol. 3, n° 3, août 1967, p. 303-304.

Godbout, dans sa jeunesse, a regardé vers les États-Unis (Frank Sinatra, Fred Astaire, Nelson Eddy, Charlie McCarthy, les comic strips, Hollywood, le *Reader's Digest*), tout en subissant la fascination de Rimbaud, de Nerval, de Breton, d'Éluard, et réagissant contre des mots d'ordre du type de « l'achat chez nous »; il n'a pas lu, par conséquent, les poésies de Nelligan et soutient qu'il n'a « vraiment pas l'intention de commencer aujourd'hui à lire son œuvre ».

381 GONZALEZ-MARTIN, Jeronimo Pablo, **Cinco poetas franco-canadienses actuales,** Sevilla, Publicaciones de la Escuela de Estudios hispano-americanos, 1966, 167 pages, surtout p. 14-16.

Il s'agit de la traduction espagnole de poèmes choisis dans l'œuvre de cinq poètes canadiens-français contemporains: Cécile Cloutier, Suzanne Paradis-Hamel, Gatien Lapointe, Éva Kushner et Marie-Claire Blais. Dans la présentation de la poésie canadienne-française (p. 13-25) on parle de Nelligan « es quizàs el poeta màs interesante de la época ».

382 GOULET, Antoine, *Poètes du Canada, de France et de Belgique,* dans *Le Travailleur* (Worcester), vol. 37, n° 6, 9 février 1967, p. 1, 4.

L'auteur présente très rapidement trois ouvrages: *Feuilles d'érable et fleurs de lys* de Pierre Cabiac, *Poèmes de l'éveil* d'Alphonse Coulombe et *Poèmes choisis* de Nelligan, publiés dans la collection « Bibliothèque canadienne-française ».

383 GOURAIGE, e.e.l., *Simples notes sur Nelligan et DesRochers,* dans *Le Carabin,* vol. 7, n° 2, 8 octobre 1947, p. 6.

L'auteur établit une comparaison entre la poésie de Nelligan et celle de DesRochers; celle de Nelligan lui semble provenir essentiellement de refoulements et d'inhibitions, alors que celle de DesRochers porte l'empreinte d'une étroite adhésion à la terre.

384 ♦ GRANDBOIS, Alain, *Émile Nelligan, grand poète au sort étrange,* dans *Le Petit Journal,* 38e année, n° 5, 24 novembre 1963, p. 53. (Avec une photographie de Nelligan et deux de ses poèmes: « Tristesse blanche » et « Le Vaisseau d'Or ».)

L'article fait partie d'une série de brèves études publiées par Alain Grandbois dans *Le Petit Journal*; il intéresse par des rapprochements originaux. Le témoignage personnel s'appuie sur un souvenir authentique. « Nous avons eu nous aussi, Canadiens, écrit Grandbois, notre 'enfant aux semelles de vent'. Il n'eut certes pas le génie de Rimbaud, mais eut cette sorte de force qui réussit à révolutionner, ou plutôt à sortir de sa léthargie, la poésie canadienne. [...] Sa folie était douce, lisse, sans écarts. Aux alentours de 1930, la Mère supérieure de Saint-Jean-de-Dieu, dont j'étais le neveu, et à qui j'avais exprimé le désir de voir Nelligan, me conduisit à lui. Il était assis sur un banc, seul, dans le grand parc de l'hospice. C'était par une fin de journée de septembre. Le soleil était encore chaud, mais déjà les feuilles tombaient des grands arbres. Je m'assis à ses côtés, et après quelques instants je lui récitai à mi-voix le poème qui l'avait rendu célèbre: 'Le Vaisseau d'Or'. Pas un muscle de son visage n'a bougé. Il regardait droit devant lui, comme avec intensité, mais ses prunelles étaient vides. Il était sourd, ailleurs, projeté dans un autre monde. » Il serait intéressant de comparer ce portrait de Nelligan, brossé par Alain Grandbois, avec le premier texte du poète, *C'était l'automne... et les feuilles tombaient toujours,* un devoir de classe, écrit en date du 8 mars 1896.

385 GRANDMONT, Éloi de, *Les Influences et les Déficiences,* dans *Le Devoir,* vol. 51, n° 89, 23 avril 1960, p. 9.

L'auteur précise que Nelligan a été pour lui « un phénomène de sidération ». Il l'a découvert à l'âge de douze ans et lui est resté fidèle.

386 — *Émile Nelligan : merveilleux adolescent,* dans *Sept Jours,* vol. 1, nº 10, 19 novembre 1966, p. 1, 26-27, 38.

Article de nature biographique, avec un commentaire intéressant du docteur Lionel Lafleur sur la schizophrénie, mal dont souffrait Nelligan. Les spécialistes de Nelligan remarqueront aussi ce passage, extrait d'un guide touristique rédigé à la fin du siècle dernier: « Cacouna, station-balnéaire. L'église et le presbytère sont classés monuments historiques. La façade du temple, dont l'architecte fut Louis-Thomas Berlinguet, est remarquable. Cacouna est un mot indien qui signifierait 'contrée du porc-épic'. Sous le régime français, l'endroit faisait partie de la seigneurie de Villeray. » Or, Nelligan a passé ses grandes vacances à Cacouna, quand il était enfant. En plus de ces renseignements, un portrait stylisé de Nelligan, par Normand Hudon, figure à la page de titre; une autre photo, à la page 27, nous montre Nelligan peu de temps avant sa mort.

387 GRANDPRÉ, Pierre de, *Généralités sur notre littérature,* dans *Le Quartier latin,* vol. 22, nº 9, 1er décembre 1939, p. 4.

Petit bilan de la littérature canadienne-française. De Nelligan à Roger Brien, une dizaine de bons poètes sont passés en revue avec cette mention: « nulle part ces jaillissements de forte poésie dont nous pourrions tirer une gloire solide ».

— Voir: Éthier-Blais, Jean, notice 346.

GRIGNON, Claude-Henri. Voir: Valdombre, notices 616-617.

388 GRUNER, Nanine, *Naissance de la littérature canadienne,* dans *Les Nouvelles littéraires* (Paris), nº 800, 12 février 1938, p. 8.

L'auteur rappelle les conditions dans lesquelles est née la littérature canadienne de langue française. D'après lui, *La Relève* et *Les Idées* furent parmi les meilleures revues littéraires. Auparavant, les *Soirées du Château de Ramezay* avaient fait découvrir les dons de l'auteur de la « Romance du Vin »: « Avec Nelligan et les *Soirées du Château de Ramezay,* remarque l'auteur, la littérature canadienne a vu le jour. » Cet article a indigné Claude-Henri Grignon qui répliqua à Nanine Gruner, en publiant dans ses *Pamphlets* de mars 1938, avec « Marques d'amitié », un article parmi les plus saugrenus jamais produits par cette plume prompte à éclabousser tout ce qui n'est pas de l'avis de son possesseur.

389 HALDEN, Charles ab der, *Un poète maudit : Émile Nelligan,* dans *La Revue d'Europe et des Colonies* (Paris), t. 13, nº 1, janvier 1905, p. 49-62.

Ce texte a été écrit à Saint-Germain-en-Laye. Après la célèbre « Préface » de Dantin, l'étude de Charles ab der Halden est la meilleure, inspirée par Nelligan au début de notre siècle. Le critique français étudie, avec sa finesse coutumière, le fond et la forme de l'œuvre de Nelligan. Avec nuance, il traite des influences littéraires subies par le poète: « Cet ignorant, ce mauvais écolier a lu beaucoup de poètes. Des Parnassiens comme Leconte de Lisle, MM. José-Maria de Heredia, François Coppée, les écrivains qui se rattachent à des écoles différentes, comme Verlaine, Baudelaire, Rollinat, Rodenbach probablement; mais les deux influences les plus nettes qui s'exercèrent sur son esprit furent celle de M. de Heredia et de Paul Verlaine. »

390 — *Émile Nelligan,* dans *Le Nationaliste,* 1re année, n° 49, 5 février (R 389) 1905, p. 4; n° 51, 19 février 1905, p. 3; n° 52, 26 février 1905, p. 4.

Réimpression de l'étude de Charles ab der Halden, telle qu'elle avait paru dans *La Revue d'Europe et des Colonies.*

391 — *A propos d'Émile Nelligan,* dans *Le Nationaliste,* 2e année, n° 4, 26 mars 1905, p. 3.

Lettre adressée par Charles ab der Halden au rédacteur du *Nationaliste,* où le critique français exprime son mécontentement à propos d'un compte rendu par Charles-Henry Hirsh, dans le *Mercure de France,* de février 1905. L'auteur en profite pour inviter les Canadiens à réexaminer les manuscrits de Nelligan et les prie de lui faire parvenir des pièces inédites, à des fins de publication dans des revues parisiennes.

392 ♦ — **Nouvelles Études de littérature canadienne-française,** Paris, (R 389) F. R. Rudeval, 1907, xvi, 379 pages, surtout *Émile Nelligan,* p. 339-377. De larges extraits de cette étude ont été publiés dans **Émile Nelligan,** Montréal, Fides, 1968, p. 61-65. (« Dossiers de documentation sur la littérature canadienne-française », n° 3.)

Le chapitre consacré à Nelligan est une reprise sous une forme modifiée de l'étude publiée en 1905, dans *La Revue d'Europe et des Colonies.* Servi par la finesse de son intuition et de son esprit critique, Charles ab der Halden a méthodiquement analysé l'œuvre du poète, pour en identifier les sources d'inspiration. Son étude sur Nelligan est divisée en quatre parties: « Sa vie », « Son inspiration », « Sa forme », « Conclusion ».

393 HALLÉ, Thérèse, « Émile Nelligan-poète », bio-bibliographie, thèse présentée à l'École des bibliothécaires de l'Université de Montréal, 1943, 14 feuillets.

Décevante, cette thèse gagnerait à être oubliée le plus vite possible.

394 HAMEL, Charles, *Poésies par Émile Nelligan,* dans *Le Canada,* vol. 44, n° 21, 29 avril 1946, p. 5.

Avec quelques notes sur la vie et sur l'œuvre du poète, l'article se veut surtout une présentation de la quatrième édition des *Poésies* de Nelligan.

395 HANOTAUX, Gabriel, *L'Apport intellectuel des colonies à la France,* dans *Revue des deux mondes* (Paris), t. 37, 1927, p. 129-140.

Généralités sur des œuvres françaises, à l'arrière desquelles se profile le Nouveau-Monde. L'auteur situe en Amérique un vigoureux reflet de la poésie française. Le thème patriotique, manifeste chez Fréchette et chez Crémazie, voisine avec les thèmes lyriques d'autres poètes. Nos écoliers, suggère Hanotaux, devraient « connaître et apprendre par cœur les beaux vers de G. Desaulniers, de Charles Gill, d'Émile Nelligan, d'Albert Ferland ».

396 HARBEC, Francine, et Germain HARBEC, *Émile Nelligan,* dans *Le Canada français,* vol. 107, n° 26, 17 novembre 1966, p. 30.

Article bâti autour de l'œuvre de Nelligan et illustré d'abondantes citations. A retenir cette notation: « Nelligan unit symbole et musique dans une suite de thèmes sinistres d'où jaillit sa détresse. Son vocabulaire est d'une très grande richesse. Il cherche la phrase subtile qui remuera dans l'âme du lecteur quelque corde non encore atteinte. Avec lui, la poésie s'élargit en même temps qu'elle devient plus intime. » C'est ainsi que les jeunes accueillent aujourd'hui le message poétique de Nelligan.

HARBEC, Germain. Voir: Harbec, Francine, notice 396.

397 HARVEY, Jean-Charles, *Le Mois artistique et littéraire*, dans *La Revue moderne*, 11e année, n° 2, décembre 1929, p. 7-8.

Harvey n'est qu'à moitié d'accord avec les quatre premiers chapitres des *Essais critiques* d'Harry Bernard: selon lui, Nelligan, malgré sa névrose, n'a aucune autre ressemblance avec Baudelaire. Il est trop catégorique. Tout porte à croire que « L'idée baudelairienne » et « Louis Dantin » sont les chapitres les mieux réussis dans l'ouvrage d'Harry Bernard.

398 HERTEL, François, **Le Beau Risque,** Montréal, Valiquette-A.C.F. (Paris), 1939, 136 pages.

Le collégien Pierre Martel, le héros du roman, s'est épris de Nelligan dès ses premiers contacts avec la littérature canadienne-française. L'âme souffrante du poète s'est révélée à lui. Il est parmi les collégiens qui rendent visite au poète malade; ils gardent de lui un souvenir à la fois triste et ineffaçable.

399 — *Du mot dans les lettres françaises,* dans *Rythmes et Couleurs,* vol. 1, n° 12, octobre-novembre 1967, p. 6-13.

S'interrogeant sur le mot et ses pouvoirs de communication et de suggestion, Hertel soutient qu'à la base de l'écriture poétique est l'image, autrement dit, le mot transfiguré. Qualifiant le poème de « symphonie verbale », il cite Nelligan comme le poète typique de cette parole musicale.

400 — *La quinzaine à Paris : Hommage à Nelligan et à de Grandmont,* dans *Le Devoir,* vol. 62, n° 109, 13 mai 1971, p. 14.

Remarques, en marge d'un récital de poésie canadienne-française, donné au Centre culturel canadien, à Paris. A propos de Nelligan, nous lisons ce témoignage: « Dès mes premières années d'enseignement, j'insistais sur l'importance de Nelligan, qu'on considérait à cette époque comme un poète mineur. J'ai même été, un jour, avec un groupe de mes élèves de seconde à Saint-Jean-de-Dieu, voir dans sa tragique retraite cette sorte d'ange tombé qu'il fut. La beauté de son œuvre réside en effet non seulement dans la musicalité du verbe mais aussi dans l'extrême délicatesse des sentiments, rendus en images simples mais la plupart du temps heureuses. »

401 HIRSH, Charles-Henry, *Les Revues,* dans *Mercure de France* (Paris), vol. 53, 15 février 1905, p. 613-615.

En partie résumée, en partie reproduite, l'étude de Charles ab der Halden, publiée dans *La Revue d'Europe et des Colonies,* est ici rapportée sans rien ajouter de neuf à l'œuvre de Nelligan.

402 [HÔPITAL SAINT-JEAN-DE-DIEU], « Dossier Émile Nelligan », n° 18136, en dépôt à l'Hôpital Saint-Jean-de-Dieu, à Montréal. (Documentation correspondant à la période allant du 9 août 1899 au 18 novembre 1941.)

Document confidentiel qui renferme principalement les rapports médicaux sur l'état de santé de Nelligan, après son internement.

403 HOULE, Louise, *Le Cercle Nelligan,* dans *Le Mont Saint-Louis,* vol. 37, n° 4, 1er décembre 1966, p. 7.

Il convient de rappeler que Nelligan fréquenta l'École Mont Saint-Louis du 2 septembre 1890 à juin 1893. L'article a pour but de faire revivre cette époque déjà lointaine et ainsi d'activer les travaux du Cercle littéraire Nelligan. Louise Houle écrit: « Profitant du 25me anniversaire de la mort du poète Émile Nelligan, le Cercle littéraire qui, jusqu'ici, était sans nom, s'est permis d'adopter le nom prestigieux de Nelligan. Pourquoi ce nom ? Pour un tas de bonnes raisons. D'abord parce qu'Émile Nelligan est notre premier grand poète canadien et qu'il est, de plus, un des anciens (1890-1893) du collège Mont Saint-Louis. Ensuite, parce que ce génie de la poésie est resté trop longtemps aux oubliettes et il nous plaît, par nos activités littéraires, de le remettre à l'honneur. Dès lors, nous désirons faire connaître à tous nos compagnons et compagnes du collège, Émile Nelligan, notre Rimbaud canadien. Vous y verrez, je crois, une source de fierté. »

HUET, Lucette. Voir: Lanciault, Louise, notice 433.

404 HUOT, Maurice, *En quelques mots,* dans *Le Bien public,* vol. 54, nos 1-2, 15 janvier 1965, p. 1.

A l'occasion du 86e anniversaire de la naissance de Nelligan, l'actualité de son œuvre et l'importance de l'ouvrage de Paul Wyczynski que « tous les amateurs de nos lettres liront avec plaisir et fruit », sont mises en lumière.

405 — *En quelques mots,* dans *Le Bien public,* vol. 55, n° 22, 3 juin 1966, p. 8.

Article de circonstance; il invite à relire l'œuvre de Nelligan.

406 — *Pour le 25e anniversaire de la mort d'Émile Nelligan,* dans *Le Droit,* 54e année, n° 58, 4 juin 1966, p. 16.

Article de circonstance. En termes chaleureux, l'auteur parle en faveur du culte de Nelligan.

407 — *Évocation de Nelligan,* dans *Le Droit,* 54e année, n° 192, 12 novembre 1966, p. 12.

Réflexions en marge des célébrations prévues pour le vingt-cinquième anniversaire de la mort de Nelligan. Le poème « Vision » est reproduit dans ce texte.

408 — *En quelques mots,* dans *Le Bien public,* vol. 58, n° 23, 6 juin 1969, p. 3.

« L'on dit, écrit l'auteur, que le maire Jean Drapeau de Montréal entend, à titre privé, ouvrir prochainement à Montréal un grand restaurant appelé « Le Vaisseau d'Or », où une vingtaine de musiciens y joueraient le soir des extraits de symphonies, de valses lentes, des extraits de ballets. Tant mieux. Mais ce qui me frappe et dont je me réjouis, c'est le nom du restaurant « Le Vaisseau d'Or », titre d'un des plus fameux poèmes d'Émile Nelligan que d'aucuns parmi les jeunes de notre génération dans le vent ne connaissent presque pas. » Ainsi conçu, situé à l'hôtel Windsor, ce restaurant resta ouvert au public pendant deux ans.

ILLETTRÉ (L'). Voir: Bernard, Harry, notices 229-232.

409 JACOB, Roland, « Émile Nelligan, poète de l'angoisse », thèse de maîtrise, Université de Montréal, 1960, 101 feuillets.

Composée en quatre parties, la thèse a voulu respecter la biographie du poète et la chronologie de l'œuvre. Elle met en évidence le mal appelé « angoisse » qui a miné Nelligan. L'analyse trop rapide de quatre poèmes — « Le Cercueil », « Musiques funèbres », « La Romance du Vin », « Le Vaisseau d'Or » — n'aboutit qu'à des conclusions secondaires.

410 JASMIN, Claude, *De « Valérie » à « Émile Nelligan-dossier »*, dans *Sept Jours,* 3e année, n° 37, 31 mai 1969, p. 38.

Après une critique du film « Valérie », Jasmin s'en prend à ceux qui ont conçu « Le Dossier Nelligan » qu'il qualifie d'imposture.

411 JOBIN, Antoine-Joseph, *L'École de Montréal,* dans **Visages littéraires du Canada français,** Montréal, Éditions du Zodiaque, 1941, p. 54-58.

Ce livre, conçu à l'origine comme une thèse (présentée à l'Université Ann Arbor), ne modifie en rien ni ne complète ce que l'on savait en 1940 sur Nelligan et sur l'École littéraire de Montréal.

412 JONES, Henri, *La Folie dans les poèmes d'Émile Nelligan,* dans **Nelligan : poésie rêvée, poésie vécue,** Montréal, Le Cercle du livre de France, 1969, p. 161-175.

Par le biais de la psychopathologie, l'auteur s'efforce d'établir une relation entre l'écriture et le contexte vésanique de certains poèmes de Nelligan. Le texte manque néanmoins de relief et de rigueur dans la présentation; on s'en aperçoit d'autant mieux que l'écriture en est faible et la typographie émaillée de coquilles. Un commentateur plus rigoureux aurait pu reprendre quelques points de cet exposé pour lui donner les développements qu'on en attendait. Mais on a jugé les observations de Clément Rosset sans importance, semble-t-il, car l'article du professeur Jones est le seul dans le volume à ne pas être suivi de commentaire.

413 ♦ KIEFFER, c.s.v., Michel-I., « L'École littéraire de Montréal », thèse de maîtrise ès arts, présentée à l'Université McGill de Montréal, 1939, 96 feuillets.

Bonne vue d'ensemble sur l'histoire de l'École littéraire de Montréal. L'auteur explore les documents imprimés et les manuscrits.

KLINCK, Carl F. Voir: Sylvestre, Guy, notice 590.

414 KUSHNER, Éva, *Émile Nelligan de Paul Wyczynski,* dans *Livres et auteurs canadiens 1968,* Montréal, Éditions Jumonville, [1969], p. 126-127.

Minutieux compte rendu du livre de Paul Wyczynski, publié chez Fides en 1968. Auteur d'études remarquables sur Saint-Denys Garneau et Rina Lasnier, Mme Kushner n'a ici qu'une réserve à formuler: « la musicalité de la poésie est suggérée, mais est-elle vraiment prouvée ? »

415 LABERGE, A[lbert], *Émile Nelligan et son œuvre,* dans *La Presse,* 20e année, n° 98, 27 février 1904, p. 2.

Laberge présente la première édition des poésies de Nelligan aux lecteurs de *La Presse.* Dans le texte: « Le Vaisseau d'Or » et une photographie de Nelligan. Selon Laberge, le jeune poète canadien mériterait qu'on le plaçât « à côté de Georges Rodenbach, de Ferdinand [*sic*] Gregh et de Paul Verlaine ».

416 — **Peintres et Écrivains d'hier et d'aujourd'hui,** Montréal, Édition privée, 1938, 248 pages, surtout p. 225-229.

Parmi les profils d'artistes canadiens, celui de Nelligan, dessiné hâtivement, de mémoire, s'associe à des faits qui ne sont pas toujours en accord avec la biographie de l'auteur de l'« Homme aux cercueils ».

417 LABSADE, Françoise de, *Poésie rêvée, poésie vécue,* dans *Livres et auteurs québécois, 1969,* Montréal, Éditions Jumonville, [1970], p. 143.

Compte rendu aussi sommaire que superficiel.

418 LACOURCIÈRE, Luc, *L'Œuvre d'Émile Nelligan dans une édition critique,* dans *Notre Temps,* vol. 7, n° 24, 12 avril 1952, p. 1.

Dans ce texte d'abord destiné à Radio-Canada où il fut remis le 7 avril 1952, l'auteur explique la nature d'une édition critique et décrit brièvement son expérience de chercheur: l'énoncé prélude à la publication prochaine des *Poésies complètes* de Nelligan.

419 ♦ — *Introduction,* dans **Émile Nelligan, Poésies complètes 1896-1899,** Montréal et Paris, Fides, 1952, p. 7-20. (L'« Introduction » est suivie d'une « Chronologie d'Émile Nelligan » (p. 31-38); quelque peu modifiées, celles-ci paraîtront dans les deux éditions postérieures de 1958 et de 1966.)

Luc Lacourcière est le premier, parmi les critiques du Québec, à avoir entrepris la préparation d'une édition critique: il a admirablement réussi. C'est une preuve d'effort systématique et d'inventaire érudit; c'est un exemple à suivre. La rigueur intellectuelle de son « Introduction » a fait du bien à la littérature d'ici. Dans l'édition de 1958, elle sera divisée en quatre parties: « Carrière fulgurante, 1896-1899 », « Sollicitude de Louis Dantin pour l'œuvre, 1900-1904 », « Accueil fait à l'œuvre », « Les Poésies complètes », ce qui correspond parfaitement aux exigences d'une édition critique et au cheminement de la pensée de l'auteur qui étudie d'abord le destin du poète et la fortune de l'œuvre, pour passer ensuite à la description de sa propre méthode et de ses trouvailles. Certes, vingt ans après, cette « Introduction » — de même que la « Chronologie » — gagneraient en précision si on y incorporait des données biographiques, littéraires et bibliographiques, révélées par des études postérieures à 1952. Quoi qu'il en soit, l'essentiel est là dans cette introduction qui s'impose et par la richesse de la documentation et la qualité de son jugement.

420 — *A la recherche de Nelligan,* dans **Nelligan : poésie rêvée, poésie vécue,** Montréal, Le Cercle du livre de France, 1969, p. 23-54.

Les spécialistes de Nelligan savent la part qui revient à Luc Lacourcière dans tous les travaux effectués sur l'auteur du « Vaisseau d'Or ». Faisant partie de l'ouvrage qui a consigné la matière du Colloque Nelligan, l'article est certes mince à côté de l'excellente édition critique des *Poésies complètes.* Mais dans ce texte se révèle un homme et sa méthode. En effet, l'auteur, en historien scrupuleux, en philologue exigeant, en folkloriste attentif aux modalités de l'interrogation orale, apporte aux spécialistes de Nelligan une mise au point intéressante, à savoir de partiels éclaircissements sur la genèse de l'étude de Saint-Hilaire. Quant aux témoignages oraux et écrits rapportés, ils n'ajoutent pratiquement rien à ce que nous connaissons déjà sur le sujet. Sans souci de commentaire et plein de contradictions, le récit de Lucien Lemieux déçoit et pourrait induire en erreur le lecteur peu averti. La nouvelle interprétation de l'amitié littéraire entre Nelligan et Melançon nous paraît peu probante. Mais l'article se lit agréablement. A vrai dire, il n'est que la suite de l'interview — « M. Lacourcière nous parle de son travail sur Nelligan » — publié dans *Notre Temps,* le 6 décembre 1952 et signé: Jean-Thomas Larochelle. (Voir: notice 441.)

NOTE

La majeure partie de l'article de M. Lacourcière consiste à passer en revue des témoignages, oraux et écrits, qui proviennent essentiellement des amis de l'auteur du « Vaisseau d'Or ». Sur les pistes de Nelligan depuis 1951, nous les avons à peu près tous connus — Laberge, Charbonneau, Melançon, Louvigny de Montigny, Doucet, Lemieux — tenant d'eux des « confidences » qui, ajoutées à celles recueillies dans la conférence prononcée au Colloque Nelligan, fourniraient plusieurs versions ou variantes. Vagues souvenirs empreints de jalousie, préjugés souvent naïfs et tenaces, ces témoignages inspirent presque toujours une réserve prudente.

M. Lacourcière semble accorder beaucoup d'importance aux paroles de Lucien Lemieux avec qui nous avons également échangé plusieurs lettres. Son témoignage est précédé d'un unique commentaire en trois phrases: « Un autre ami de jeunesse de Nelligan fut Lucien Lemieux, l'ancien bibliothécaire-adjoint de l'Assemblée législative. Ses souvenirs étaient d'autant mieux fixés dans sa mémoire qu'ils étaient circonscrits au seul été de 1898. Comme c'est un des rares témoins que nous ayons des vacances à Cacouna, je le cite au texte. » Suit alors un long témoignage, transcrit, je le suppose, par M. Lacourcière lui-même. Nous apprenons donc que David Nelligan, le père du poète, louait une maison d'un nommé Bélanger, que Nelligan, Denys Lanctôt et le témoin se réunissaient à Cacouna House, que Nelligan avait une belle chevelure et que les jeunes filles l'aimaient beaucoup, que sa mère faisait de la musique, qu'il écrivait des poèmes sous le nom de Paul-Émile [*sic*] Kovar. Le récit commence et se termine ainsi: « J'ai connu Émile Nelligan à Cacouna où ma famille et la sienne passaient l'été, en 1898. [...] Je ne l'ai connu que pendant l'été 1898. S'il est venu à Cacouna en 1897, je ne me le rappelle pas. Émile avait une année de moins que moi. »

Personnellement, nous ne souscrivons pas à ces dires. Les « précisions » chronologiques contredisent la véracité du témoignage. Lucien Lemieux soutient avec insistance qu'il n'avait connu Nelligan à Cacouna que pendant l'été de 1898. Or, à cette date, Nelligan n'y était pas. Ailleurs, dans sa « Chronologie » des *Poésies complètes* de Nelligan, M. Lacourcière nous dit que le poète venait de s'engager « comme matelot sur un bateau en partance pour Liverpool ». Quant à

Denys Lanctôt, lui, partit, en août 1896, pour la Belgique où il résida jusqu'à l'automne de 1899. Nous regrettons que M. Lacourcière n'ait pas cru bon de faire suivre ce témoignage d'un solide aperçu critique, dont l'absence risque de faire tomber le lecteur dans un piège comme y est tombé celui qui a commenté le texte de M. Lacourcière au Colloque à l'Université McGill.

Notre deuxième remarque concerne le passage consacré à l'amitié littéraire d'Émile Nelligan et de Joseph Melançon (p. 37-39). Nous constatons avec surprise que M. Lacourcière accumule ici fort librement les détails pour suggérer que cette amitié n'a jamais existé. Il nous attribue aussi des erreurs que nous voudrions bien corriger si les arguments de M. Lacourcière étaient convaincants. « Je note ici que M. Wyczynski s'est mépris sur leurs relations, écrit M. Lacourcière. Il a prétendu que c'est Melançon qui aurait présenté Nelligan à l'École littéraire et, de plus, il établit une relation inexacte entre la rupture de Nelligan avec l'École et la démission de Joseph Melançon, lue le 5 mai 1897. [...] Je préfère donc m'en tenir à l'interprétation que j'ai donnée dans la chronologie de Nelligan en réaffirmant que c'est par l'intermédiaire d'Arthur de Bussières que Nelligan est entré à l'École littéraire. » M. Lacourcière renvoie à notre ouvrage, *Émile Nelligan, sources et originalité de son œuvre*, p. 27-28.

Tout porte à croire que la lecture de ces pages n'a pu être que fort hâtive. Nullement à cet endroit, ni ailleurs dans nos études, nous ne disons que Melançon « aurait introduit Nelligan à l'École littéraire de Montréal ». Nous connaissons fort bien les Archives de l'École, citées d'ailleurs pour éviter toute erreur à la p. 28. La présentation *officielle* de Nelligan a été faite par Arthur de Bussières, nos termes sont précis dans « la Chronologie synthétique d'Émile Nelligan », jointe à notre *Émile Nelligan*, en 1967 : « 1897-10 février. Proposé par son ami Arthur de Bussières, Nelligan entra à l'École littéraire de Montréal » (p. 178). Quant aux pages 27 et 28, évoquées par M. Lacourcière, elles disent ceci : « Nelligan, par l'intermédiaire de Joseph Melançon, connut cette École bien avant d'y entrer. Les archives de l'École *mentionnent son nom pour la première fois* dans le procès-verbal du 10 décembre 1896, en dernier sur la liste que Jean Charbonneau, qui venait d'être élu secrétaire, inséra dans le texte de son premier compte rendu. Cette liste, [...] fut dressée en vue d'animer les réunions de conférences. Proposé *probablement* par Joseph Melançon, Émile Nelligan, *sans être membre*, devait être le dernier conférencier de la saison. » Dans le paragraphe suivant, d'après le procès-verbal du 10 février 1897, nous précisons les circonstances d'entrée de Nelligan à l'École et ses présences aux réunions du 25 février, et des 3, 18 et 22 mars. « Mais il rompt avec l'École vers la fin de ce mois, fait qui *coïncide* avec la démission de son ami Joseph Melançon. » Ce texte sous les yeux, il est difficile d'y trouver matière à fonder la contestation de M. Lacourcière.

M. Lacourcière se réfère à trois sources : le « Journal » de Melançon, l'article de Melançon, publié dans *La Patrie* du 24 juillet 1949 et son entrevue avec l'abbé en 1950. A noter, cependant, que dans le « Journal » de jeunesse, réécrit par l'abbé Melançon entre 1920 et 1930, les impressions juvéniles ont perdu de leur fraîcheur; une envie quasi maladive de faire valoir sa poésie nuit à la saisie sur le vif des faits. L'article de 1949 confirme cette attitude. Pour expliquer l'amitié littéraire entre Nelligan et Melançon, il faudrait évoquer Joseph Melançon tel qu'il fut en 1895, 1896, 1897. M. Lacourcière semble ignorer les lettres échangées à cette époque entre Melançon et Charbonneau. Il passe aussi sous silence le concours littéraire, ouvert le 5 mars 1895, auquel les deux poètes prirent part : Melançon écrivait sous le pseudonyme de Joseph Manc et Nelligan sous celui d'Émile Kovar. M. Lacourcière semble donc ne pas avoir consulté M. Bernard Melançon, notaire, frère cadet de Joseph et confrère de classe de Nelligan, qui, avec plus de rigueur et d'objectivité pouvait le renseigner sur les rapports littéraires des deux poètes. Dans sa lettre du 25 avril 1960,

Bernard Melançon nous communiquait ceci : « Je crois vous l'avoir déjà mentionné : j'étais son confrère de banc, en syntaxe, au Collège Sainte-Marie, en 1896. Il passait son temps à composer des vers déjà. Lucien Rainier fut intimement lié à la trame de la vie d'Émile, vous le savez. » En tenant compte des faits des cinq dernières années du XIXe siècle, nous sommes en mesure d'avancer que les rapports littéraires entre Nelligan et Melançon, comme d'ailleurs ceux de Nelligan et d'Arthur de Bussières, furent fréquents et valables. D'ailleurs, M. Lacourcière lui-même, encore tout près de ses investigations brillamment menées, écrivait, dans la « Chronologie d'Émile Nelligan », publiée en 1952 : « Premières amitiés littéraires : Joseph Melançon, futur prêtre, alors élève de première année de philosophie avec qui, matin et soir, il (Nelligan) se rend au collège ou en revient, causant poésie » (p. 33). Dans les éditions subséquentes des *Poésies complètes* de Nelligan, ce passage n'a été ni supprimé, ni modifié. Quant à la démission de Joseph Melançon, il est vrai qu'elle a été acceptée par ses collègues de l'École littéraire de Montréal à la réunion du 5 avril 1897, mais la lettre fut rédigée à la fin de mars, au moment du premier éloignement de Nelligan de ce cénacle où il avait été admis six semaines auparavant. Le mercredi 21 avril 1897, Joseph Melançon notait dans son « Journal »: « L'École littéraire n'a plus l'honneur de me compter parmi ses membres. Je lui fais parvenir une lettre de démission en bonne forme. Et je ne le regrette pas. » Mais le jeune poète continue de s'intéresser à la poésie, fréquente les réunions tenues chez Louvigny de Montigny, à l'angle des rues Sherbrooke et Saint-Denis; il y rencontre Arthur de Bussières et Nelligan. Tous les quatre écoutent l'abbé de Montigny prêcher « la station quadragésimale à Notre-Dame ». Joseph Melançon compose à cette époque ses sonnets « Vendredi-Saint » et « Sainteté », publiés sous le pseudonyme de « Lucien Renier » dans le recueil *Franges d'autel*, où paraîtront aussi « Désolation », « Malédiction » et « Chant de Noël » d'Arthur de Bussières, et cinq poèmes de Nelligan : « Les Communiantes », « La Réponse du crucifix », « Communion pascale », « Les Déicides » et « Petit Vitrail ».

La place manque pour discuter d'autres questions de « A la recherche de Nelligan » dont l'auteur nous est fraternel et dont nous estimons l'œuvre accomplie et les nombreux témoignages d'amitié. (Voir : Saint-Hilaire, Joseph, notice 575.)

421 LACROIX, o.p., Benoît, *Notes et Variantes sur un nouveau Nelligan*, dans *Revue dominicaine*, vol. 49, t. 1, avril 1953, p. 176-179.

Compte rendu riche d'idées et de remarques justes. L'auteur s'attarde aux procédés techniques appliqués à la préparation de la cinquième édition des *Poésies complètes* de Nelligan.

422 — **Vie des lettres et Histoire canadienne,** Montréal, Les Éditions du Lévrier, 1954, 77 pages. (Préface d'Antonin Lamarche, o.p.; extrait de *La Revue dominicaine*.)

A vrai dire, Nelligan n'est ici que mentionné (p. 41): son nom et ceux de quelques autres écrivains apparaissent dans le cours de considérations plus générales sur le destin des lettres au Canada français.

423 — *Émile Nelligan relu par Paul Wyczynski*, dans *Lectures*, nouvelle série, vol. 6, n° 10, juin 1960, p. 291-292.

Compte rendu élaboré du livre de Paul Wyczynski : *Émile Nelligan, sources et originalité de son œuvre.*

424 LA DURANTAYE, Louis-Joseph de, *Les Images et les Procédés d'Émile Nelligan*, dans *Les Annales* (publication de l'Institut canadien-français d'Ottawa), 2e année, n° 1, janvier 1923, p. 5-6. Un

extrait de cette étude figure aussi dans **Émile Nelligan,** Montréal, Fides, [1968], p. 71-72. (« Dossiers de documentation sur la littérature canadienne-française », n° 3.)

L'auteur voit l'originalité de Nelligan dans une osmose psychoverbale où fusent sentiments authentiques et images suggestives: « Il atteint une vigueur d'expression qui n'est pas encore dépassée dans notre poésie. Il tria les mots suivant leur valeur de musique. »

425 LAFLEUR, docteur Lionel, *Émile Nelligan,* dans *Poésie,* vol. 1, n° 4, automne 1966, p. 11-13.

Président de l'Association des Amis d'Émile Nelligan, le docteur Lafleur a connu Nelligan. Il n'en aime que davantage sa poésie et la poésie tout court. Cette notice biographique, sommaire mais pertinente, se déroule au rythme d'un petit poème en prose.

426 — [« Plaque commémorative: projet »]. Photographie, novembre 1966. En dépôt au Centre de recherche en civilisation canadienne-française de l'Université d'Ottawa.

Le président de l'Association des Amis d'Émile Nelligan rêvait, en 1966, d'un coin des poètes au Carré Saint-Louis, jalonné de leurs plaques commémoratives. Il voyait celle de Nelligan, une simple pierre, avec cette inscription:

> Prends cette rose aimable comme toi,
> Qui sers de rose aux roses les plus belles,
> Qui sers de fleur aux fleurs les plus nouvelles,
> Dont la senteur me ravit tout de moi.

427 — « Émile Nelligan 1879-1941: Sons et Lumières », texte dactylographié d'une causerie prononcée le 1er décembre 1966, à l'Hôtel Ritz-Carlton de Montréal; en dépôt au Centre de recherche en civilisation canadienne-française de l'Université d'Ottawa, 18 feuillets.

Président de l'Association des Amis d'Émile Nelligan, le docteur Lionel Lafleur s'adresse aux membres du Club musical et littéraire de Montréal et souligne le jeu des sons et des lumières dans les images chez Nelligan. Paul Dupuis déclame des poèmes et Ernest Pallascio-Morin lit l'un des siens, inédit, en guise de remerciement.

428 [LAFLEUR, docteur Lionel]: « Fonds Lionel Lafleur ». Déposé au Centre de recherche en civilisation canadienne-française de l'Université d'Ottawa, en novembre 1971.

Manuscrits, iconographie, coupures de journaux relatifs aux activités de l'Association des Amis de Nelligan et aux célébrations qui eurent lieu en 1966, à l'occasion du vingt-cinquième anniversaire de la mort de Nelligan.

429 LAKOFF, Aube, *Le Nelligan de Claude Fournier,* dans *Le Devoir,* vol. 60, n° 107, 8 mai 1969, p. 4.

Cette lettre fut, avec tant d'autres, adressée aux journaux montréalais pour protester contre le film de Claude Fournier, après sa présentation télévisée, le 27 avril 1969. Elle commence ainsi: « Y a-t-il eu trop de poètes au Canada français pour qu'on se paie le luxe de rire d'eux ? »

430 LAMARCHE, o.p., Antonin, *Émile Nelligan. Poésies complètes,* dans *La Revue dominicaine,* vol. 49, t. 1, mars 1953, p. 124.

A la fin de son compte rendu, l'auteur éprouve le besoin d'adresser à Luc Lacourcière ce reproche: « Pourquoi avoir écrit tous les titres des poèmes en majuscules ? »

431 LAMARCHE, o.p., Thomas-Marie, *Un grand musicien d'aujourd'hui,* dans *Le Devoir,* vol. 22, n° 83, 11 avril 1931, p. 7.

Le Devoir reproduit quelques pages de Thomas-Marie Lamarche, o.p., parues d'abord dans *Revue dominicaine,* sous le titre « Télesphore Urbain ». Parmi notes et souvenirs sur ce musicien un passage rappelle le sort de Nelligan, sa plainte funèbre, si bien exprimée dans son sonnet « La Passante ».

432 — *Émile Nelligan,* dans *Revue dominicaine,* 38e année, octobre 1932, p. 560-571.

Le texte est celui qui figure en tête de la 3e édition des *Poésies complètes* de Nelligan: il voit donc le jour exactement trente ans après la célèbre étude de Louis Dantin, publiée dans *Les Débats.* L'auteur s'y essaie à brosser un portrait de Nelligan qui « a découvert ses voix à dix-sept ans comme Musset, sa 'note bleue' qui l'a perdu. Mais cette note sombre n'a rien de la gouaillerie des 'poètes maudits' ni la verve vaporeuse de l'Enfant du Siècle. Elle est sincère sans arrière-pensée, et chose rare, très souvent voisine de la beauté. Sa touche est délicate, diaphane. »

433 LANCIAULT, Louise, et Lucette HUET, *D'autres élèves nous écrivent,* dans *Le Canada français,* vol. 107, n° 26, 17 novembre 1966, p. 30.

Deux jeunes élèves de l'école Beaulieu ont répondu à l'invitation du journaliste Jean-Yves Théberge, et lui apportent leur témoignage: « Nelligan est probablement l'un de nos meilleurs talents poétiques. [...] On lui a fait un reproche parce que son œuvre transcende le cadre ethnique. Elle exprime une détresse intérieure atroce; grâce à des dons littéraires exceptionnels, cette détresse a su se couler parfois dans une forme géniale. »

434 LANCTÔT, Gustave, *Autour du symbolisme,* dans *Les Annales,* vol. 2, nos 8-9, septembre et octobre 1923, p. 2-4.

La poésie symboliste a revendiqué la liberté, chose vivante, instinctive, subtile et multiple, explique l'auteur. Au Canada, Nelligan et Lucien Rainier ont ouvert la voie au symbolisme.

435 LANGEVIN, Gilbert, *Témoignages d'écrivains,* dans *Études françaises,* vol. 3, n° 3, août 1967, p. 304.

Admirateur de la poésie de Nelligan depuis l'âge de seize ans, l'auteur continue d'aimer cette œuvre fascinante, nimbée de nostalgie et qui a su se garder des pensées rigides. Il lui souhaite mieux que de devenir « un monument national » de simple portée symbolique.

436 LANGLOIS, Ruth, et Jean-Pierre GINGRAS, *D'autres élèves nous écrivent,* dans *Le Canada français,* vol. 107, n° 26, 17 novembre 1966, p. 30.

Un autre témoignage extrait de la page commémorative du *Canada français*: Nelligan « conduisit la poésie dans des voies nouvelles et lui donna la place de choix qu'elle mérite, car pour lui, la poésie n'est plus un moyen, mais elle est un art d'exprimer les pensées les plus secrètes, c'est un art qui a ses propres lois. Nelligan donna ainsi un nouvel essor à la poésie canadienne. »

437 LANTHIER, Daniel, *Les Amis de Nelligan,* dans *Les Jeunesses littéraires du Canada français,* vol. 4, n° 1, décembre 1966, p. 5-6.

Un étudiant, Daniel Lanthier, interviewe Mme Hervé Perret, secrétaire de l'Association des Amis d'Émile Nelligan dont le secrétariat se trouve à Montréal au 860, avenue d'Outremont. Article intéressant qui donne un bon aperçu des événements de la Semaine Nelligan dont voici l'essentiel: cérémonie au cimetière de la Côte-des-Neiges, sur la tombe du poète, inauguration de plaques commémoratives au Mont Saint-Louis, au Collège Sainte-Marie, à l'Église Saint-Patrice, au Château de Ramezay et à l'entrée des deux maisons du poète, avenue Laval. Mention est faite aussi du colloque à l'université McGill, de la conférence donnée en cette circonstance à l'Université de Montréal, du lancement des *Poèmes choisis* de Nelligan et d'un spectacle de poésie avec la participation de Pierre Bourdon et de Robert Gadouas. De son côté, la Société Radio-Canada consacra plusieurs émissions au souvenir du poète. Le Club des Jnobs et Age tendre reçurent Pierre Bourdon et Renée Claude. L'émission « Femmes d'aujourd'hui » diffusa plusieurs poèmes de Nelligan.

438 LAPIERRE, Laurier-L., **Québec : hier et aujourd'hui,** Toronto, Macmillan of Canada, 1967, 306 pages, surtout p. 69-70. (Publié par le Centre d'études canadiennes-françaises de l'Université McGill, sous la direction de M. Laurier-L. Lapierre.)

Présentés rapidement et accompagnés de cinq questions sur leur contenu, deux poèmes de Nelligan figurent dans ce livre: « Le Vaisseau d'Or » et « Devant deux portraits de ma mère ».

439 LAPOINTE, Gatien, *Émile Nelligan : une œuvre exemplaire,* dans *Le Soleil,* 69e année, n° 281, 26 novembre 1966, p. 27.

Enthousiasmé par le Colloque Nelligan, Gatien Lapointe salue le recueil des communications présentées à McGill comme « un recueil de critiques indispensables avec celles de Lacourcière et de Bessette ». Il suggère d'appliquer la méthode sociologique à l'étude du poète pour savoir si Nelligan a été le produit d'une certaine société. « Reste, dit l'auteur, que les poèmes de Nelligan, dont une édition vraiment complète nous sera donnée (?), s'installent de plus en plus profondément dans notre mémoire collective. » D'après le *Guide bibliographique des thèses littéraires canadiennes, de 1921 à 1969* (Sherbrooke, Éditions Cosmos, 1970, p. 126) du professeur Antoine Naaman, Gatien Lapointe prépare, présentement, une thèse de doctorat à l'Université Laval, sous la direction de Luc Lacourcière, intitulée « L'Angoisse chez Émile Nelligan ».

440 LAPOINTE, Jeanne, *Poésies complètes de Nelligan,* causerie à Radio-Canada, CBF, publiée dans *La Semaine à Radio-Canada,* vol. 3, n° 15, du 5 au 11 avril 1953, p. 5-6.

Bonne présentation de la cinquième édition des *Poésies* de Nelligan. « Nelligan, dit l'auteur, emprunte aux Parnassiens quelques oripeaux, aux Symbolistes, surtout des formes extérieures, comme ce ton de conversation, cher à Verlaine, mais il ne va pas jusqu'au vertige métaphysique de Rimbaud; un sentiment beaucoup plus vague, centré sur le Moi, l'apparenterait plutôt au Romantisme. »

441 LAROCHELLE, Jean-Thomas, *M. Luc Lacourcière nous parle de son travail sur Nelligan,* interview de Luc Lacourcière, dans *Notre Temps,* vol. 8, n° 7, 6 décembre 1952, p. 4.

Quelques détails intéressants sur les recherches qui ont précédé la publication de la cinquième édition des *Poésies* de Nelligan. On y reproduit deux photographies de Mme David Nelligan, la mère du poète, de même que deux pièces bien connues: « Devant deux portraits de ma mère » et « Le Tombeau de Charles Baudelaire ».

442 — *... des yeux pour ne point voir...*, dans *Notre Temps,* vol. 8, n° 17, 21 février 1953, p. 3.

Réplique à la note de Paul-Émile Racicot, publiée dans *Relations,* livraison de février 1953.

443 LA ROQUE DE ROQUEBRUNE, R[obert], *Hommage à Nelligan,* dans *Le Nigog,* vol. 1, n° 7, 1918, p. 219-224.

Touchant hommage où le portrait du poète se dégage de l'essence lyrique de sa poésie et non pas sans liens avec son milieu et son époque. La voix du critique ne craint pas non plus de dire quelques vérités à la critique qui pontifie et matraque au lieu d'aller au fond des choses. A plusieurs reprises La Roque de Roquebrune met en évidence la vraie personnalité du poète: « Avec ses ferveurs catholiques et ses affirmations de scepticisme, ses chansons qui ressemblent à des rondes enfantines, ses mouvements passionnés vers le plaisir, ses candeurs de collégien et ses complexités d'artiste qui a lu Mallarmé, tout cela fait de Nelligan un merveilleux adolescent qui dresse devant la vie une figure passionnée et des gestes insouciants et puérils de petit garçon. [...] Mais toute cette magnifique agitation s'est arrêtée dans un tremblement de fou. Il ne reste de Nelligan que [...] le souvenir d'un jeune homme qui fut blessé mortellement en pleine danse dans le soleil. »

444 LEBEAU, René, *La Littérature canadienne en France,* dans *Le Nationaliste,* 1re année, n° 45, 8 janvier 1905, p. 3.

Résumé d'une conférence donnée par Charles ab der Halden, à Paris, le 12 décembre 1904, sous les auspices de l'Alliance française. Après avoir parlé de Fréchette, de Bourassa, de Beauchemin, de Choquette et de Desaulniers, le conférencier caractérise ainsi l'attitude poétique de l'auteur du « Vaisseau d'Or »: « Émile Nelligan, moins canadien que les Fréchette, les Lemay [*sic*], les Beauchemin, les Gingras, n'appartient point à ce que l'on pourrait appeler l'école de Crémazie. C'est plutôt un disciple de Verlaine, et sa mélancolie sincère a quelque chose de plus intime que les vers de ses devanciers. »

445 LEBEL, Maurice, *Émile Nelligan,* dans *Vie française,* vol. 7, n° 5, janvier-février 1953, p. 265-267.

Bonne présentation de la cinquième édition des *Poésies complètes* de Nelligan.

446 — *Émile Nelligan,* dans *Le Droit,* 41e année, n° 7, 10 janvier 1953,
(R 445) p. 2.

Reprise de l'article publié dans *Vie française.*

447 — **D'Octave Crémazie à Alain Grandbois,** Québec, Les Éditions de l'Action, 1963, 285 pages, surtout p. 79-83.

Recueil d'études littéraires; on y trouve de larges extraits d'œuvres, en vers et en prose. De Nelligan on retient: « Devant deux portraits de ma mère », « Le Cloître noir » et « Le Vaisseau d'Or ».

448 — *Nelligan, l'art et la vie,* dans **Nelligan : poésie rêvée, poésie vécue,** Montréal, Le Cercle du livre de France, 1969, p. 177-189.

On ne trouvera dans ce discours de circonstance ni révélations biographiques, ni découvertes sur l'œuvre de Nelligan. En revanche, le texte abonde en mises au point intéressantes et, surtout, en perspectives humanistes qui ouvrent, au-dessus de l'œuvre de Nelligan et à travers le destin de celui-ci, de vastes horizons qu'un grand helléniste comme Maurice Lebel pouvait seul entrevoir. Ses remarques sur les rapports entre la poésie et la musique (p. 181-182) sont pénétrantes et suggestives: « Nelligan est poésie et musique. Ce qu'on trouve chez lui, ce n'est pas seulement comme chez Rimbaud et Verlaine, la musicalité des mots et de leur disposition en strophes musicales; c'est aussi comme un reflet de la musique de Chopin, son frère d'âme, avec sa langueur musicale et sa richesse d'harmonie, avec son don de spontanéité et sa fraîcheur juvénile, son goût incurable de la mélancolie et de la tristesse, sa sensibilité inquiète, frémissante, aiguë et surexcitée. »

449 ♦ Le Dantec, Y[ves]-G[érard], *La Vie poétique,* dans *Revue des deux mondes* (Paris), 124e année, n° 14, juillet 1954, p. 334-346, surtout p. 336-339.

Appréciation pénétrante des *Poésies complètes* de Nelligan. Excellentes remarques à propos des sources d'inspiration et de l'originalité. Nelligan, poète lyrique, à la manière des continuateurs de Baudelaire, « a souvent confondu les grands modèles avec leurs pâles copies: ainsi Baudelaire avec Rollinat, Verlaine avec Samain. Il semble néanmoins qu'il n'ait pas ignoré Rimbaud, Mallarmé, Laforgue, Rodenbach, Verhaeren et qu'il ait appris, par quelques citations sporadiques, l'existence de Corbière et de Moréas, enfin que la lecture des *Trophées* l'ait affermi dans son vœu de perfection formelle. »

450 Leduc, Mme Paule, *Commentaire sur la conférence de G.-André Vachon,* dans **Nelligan : poésie rêvée, poésie vécue,** Montréal, Le Cercle du livre de France, 1969, p. 115-121.

Mme Leduc s'est donné la peine de lire (ou de relire) attentivement l'œuvre de Nelligan pour dépister ce qui contredisait de façon flagrante la thèse de G.-André Vachon. Elle conclut: « Il nous manque de Nelligan sa 'Saison en enfer'. Il nous reste sa mélancolie. »

451 Lefebvre, J[ean]-J[acques], *Émile Nelligan,* dans *En hommage à la mémoire d'Émile Nelligan* (novembre 1966), programme du Colloque à l'Université McGill, 2 pages.

Dans la notice biographique, le rappel du souvenir que voici: « L'auteur de ces lignes vit au moins une fois le grand poète au cours d'une visite dans les années 1930. [...] De taille élevée, le regard profond, lointain, le cheveu clair, abondant, l'œil pensif, le masque épaissi de la cinquantaine sous les traits apolloniens de la figure qui avaient tant frappé ses contemporains de l'École littéraire, à la prière de la religieuse, il voulut bien réciter son 'Vaisseau d'Or' qu'il dit d'abord d'une voix fort distincte et douce. Mais passé les deux premiers quatrains, sa mémoire le trahit et il se retira, d'une démarche lente, à un angle de la salle. »

452 L[ÉGARÉ], [o.f.m.], R[omain], *Émile Nelligan,* dans *Culture,* vol. 7, n° 2, juin 1946, p. 246.

« Émile Nelligan est notre Rimbaud canadien, par le génie poétique éclos entièrement dans un âge précoce et suivi d'un silence perpétuel », est-il dit au début de ce compte rendu de la quatrième édition des *Poésies* de Nelligan.

453 LÉGARÉ, o.f.m., Romain, *Wyczynski, Paul : « Émile Nelligan. Sources et originalité de son œuvre »*, dans *Culture,* vol. 21, n° 3, septembre 1960, p. 444-445.

Compte rendu et résumé de l'ouvrage de Paul Wyczynski.

454 — *Salon du Livre de Québec,* dans *Culture,* vol. 27, n° 4, décembre 1966, p. 474.

Dans le cadre du huitième Salon du Livre de Québec, tenu au Patro Roc-Amadour, du 20 octobre au 1er novembre 1966, la Société des Poètes du Québec, en collaboration avec l'Association des Amis d'Émile Nelligan, organisa une exposition de manuscrits et de tableaux que nous tenons pour une belle rétrospective sur l'œuvre de Nelligan.

455 — *Émile Nelligan,* dans *Culture,* vol. 27, n° 4, décembre 1966, p. 476-477.

L'auteur résume les conférences données à l'Université McGill (Colloque Nelligan) et rappelle que la revue *Poésie* a consacré son numéro d'automne au poète montréalais qui mourait voilà vingt-cinq ans.

456 LÉGER, Jules, **Le Canada et son expression littéraire,** Paris, Nizet et Bastard, 1938, 213 pages, surtout p. 144-146.

Bonne vue d'ensemble sur la littérature canadienne-française. Le passage qui traite de Nelligan souligne que « cet étrange génie » fut réellement découvert par les critiques aux séances publiques de l'École littéraire de Montréal.

457 LE GRAND, Albert, *La Littérature canadienne-française,* dans **Histoire de la littérature française,** Paris, Colin, [1970], p. 1011-1056, surtout p. 1030-1033. (Collection U.)

Se référant aux études de Jean Charbonneau, de Louis Dantin, de Gérard Bessette et de Paul Wyczynski, l'auteur dégage la signification profonde de l'œuvre de Nelligan où l'on découvre ce qui amène « le langage à habiter le monde des choses, à tenter une réconciliation de l'imaginaire et du réel ».

458 LEMAY, Michel, *Émile Nelligan,* dans *L'Engagé : journal des Normaliens de Trois-Rivières,* vol. 3, n° 10, 29 mars 1967, p. 1.

Résumé de la conférence de Jean-Éthier Blais sur Nelligan, donnée à l'École normale de Trois-Rivières, le 15 mars 1967. On n'y trouve que des considérations générales.

459 (R 458) — *Émile Nelligan,* dans *Le Bien public,* vol. 56, nº 17, 28 avril 1967, p. 7.

Il s'agit du même article qui avait paru dans *L'Engagé,* journal des Normaliens de Trois-Rivières, le 29 mars 1967.

460 LEMIEUX-LÉVESQUE, Alice, *Pour nous, ceux d'avant-hier,* dans *Poésie,* vol. 1, nº 4, automne 1966, p. 6-7.

Les poètes de l'époque 1930, remarque l'auteur, ont considéré Nelligan comme un des leurs, fier et grand. Mme Alice Lemieux-Lévesque ajoute qu'aujourd'hui les poètes considèrent, comme ce fut le cas lors de leur dernière réunion, que, par la grâce de Nelligan, « la poésie s'était incarnée, et elle était venue habiter parmi nous ».

461 — *Le Salon du Livre de Québec,* dans *Poésie,* vol. 2, nº 1, hiver 1967, p. 15.

Le premier novembre, appelé « jour de la poésie », lors du Salon du Livre, tenu à Québec en novembre 1966, un stand « Hommage à Nelligan » a contribué à la célébration du vingt-cinquième anniversaire de la mort du poète. De nombreux manuscrits et documents y furent en montre. Deux peintres — Lucile Bayeur et Marie Laberge — y avaient exposé des tableaux d'inspiration qu'on pourrait qualifier de nelliganienne. Au gagnant du concours « Hommage à Nelligan », Paul Adrinet, de Montréal, Madame Maurice Lemelin remit un prix de cent dollars.

462 LE MOINE, Roger, *Un poète universel : Nelligan,* dans *Le Carabin,* vol. 20, nº 12, 8 décembre 1960, p. 13.

A partir du livre de Paul Wyczynski, *Émile Nelligan, sources et originalité de son œuvre,* dont il fait ici le compte rendu, l'auteur souligne l'importance de cet ouvrage face à une certaine « pseudo-critique » qui régenta l'opinion au Québec, aux alentours des années 1960. « Le travail de Wyczynski, dit Roger Le Moine, constitue, après l'édition critique de Lacourcière, la deuxième étape importante, sans doute la plus sérieuse et la mieux réussie qui ait jamais été faite sur un poète canadien. »

463 LÉONARD, Yves, *Paul Wyczynski : Émile Nelligan, sources et originalité de son œuvre,* dans *Les Études classiques* (Namur), tome 28, nº 3, juillet 1960, p. 346-347.

Cet auteur belge rappelle avec plaisir que Paul Wyczynski, pour la préparation de son livre, avait pris connaissance de la revue belge *Durandal* et, plus précisément, de l'article de Franz Ansel, *Émile Nelligan et son œuvre,* 1905, p. 229-230. (Voir notice 194.)

464 LÉON-VICTOR, [Paquin], i.c., frère, « L'Influence parnassienne sur la littérature canadienne-française et, particulièrement, chez Émile Nelligan, Paul Morin, René Chopin et Arthur de Bussières », thèse de maîtrise ès arts, présentée à la Faculté des Lettres de l'Université de Montréal, 1953, xiii, 127 feuillets.

En se livrant à des rapprochements et à des comparaisons, l'auteur s'essaie à dépister les influences littéraires subies par Nelligan. On aimerait y trouver plus de précision. La perspective historique du sujet et la conclusion accusent des faiblesses.

465 — « Arthur de Bussières, sa vie et son œuvre », thèse de doctorat en philosophie (mention littérature), Université d'Ottawa, 1958, viii, 344 feuillets.

Étude détaillée sur la genèse de *Bengalis,* la vie d'Arthur de Bussières et l'esthétique de sa poésie. On y trouve plusieurs passages intéressants sur les rapports amicaux et littéraires entre Émile Nelligan et Arthur de Bussières. Celui-ci, d'après Casimir Hébert, « se lia avec Nelligan, Ernest Martel, Charles Gill, L.-J. Paradis, Gaston de Montigny, la bohème littéraire de 1898 ». Un fait est à retenir: Arthur de Bussières a présenté Nelligan aux membres de l'École littéraire de Montréal, à la réunion du 10 février 1897.

466 LEPAGE, Gilbert, *Un ancien : Nelligan,* dans *Le Mont Saint-Louis,* vol. 37, n° 4, 1er décembre 1966, p. 1-2.

Témoignage d'estime sur l'ancien élève de cette école. « On possède cependant peu de renseignements sur le séjour du poète dans nos murs », remarque l'auteur qui résume la vie du poète et décrit une cérémonie à laquelle il prit part: « Le 24 novembre 1966, avait lieu au Collège Mont Saint-Louis une cérémonie commémorative où fut dévoilée une plaque rappelant le passage d'Émile Nelligan dans nos murs. Le révérend frère recteur fit une brillante introduction, Monsieur Louis-Martin Tard dévoila la plaque. L'hôtesse de la cérémonie annonça que le cercle littéraire s'appellerait désormais le Cercle littéraire Nelligan. Jean-Pierre Chartrand et Denise Pilon récitèrent magnifiquement 'La Romance du Vin' et le célèbre 'Vaisseau d'Or'; les élèves vinrent rendre hommage à un ancien élève, un Canadien français, un poète, un ami . . . »

467 LESAGE, Jules-S., *Propos littéraires (Écrivains d'hier),* Québec, L'Action catholique, 1933, 260 pages, surtout « Émile Nelligan », p. 189-194. (Deuxième série.)

Le chapitre de ce livre, consacré à Nelligan, est empreint d'enthousiasme. « Émile Nelligan, dit l'auteur, est certainement la figure la plus originale, et, pour employer une expression courante, un type extraordinaire, doué d'un talent hors pair et d'une inspiration quasi géniale, que nul dans notre littérature n'a pu atteindre, ni dépasser. »

468 ♦ [LÉVEILLÉ, Lionel], *Souvenirs,* dans **Les Soirées de l'École littéraire de Montréal,** [s.é.], 1925, p. 11-31. (Article écrit sous le pseudonyme d'Englebert Gallèze.)

On évoque la vie et l'œuvre de quelques membres disparus: Alphonse Beauregard, Charles Gill, Albert Lozeau, Hector Demers. Parmi ceux-ci figure Nelligan. Léveillé s'appuie sur quelques témoignages de Lozeau pour brosser un portrait coloré de l'auteur du « Vaisseau d'Or ».

469 — *Émile Nelligan,* dans *Le Devoir,* vol. 32, n° 268, 19 novembre 1941, p. 1, 10.

Hommage d'amitié, lorsque mourut Nelligan. Léveillé remarque incidemment que Byron, Baudelaire, Verlaine, Rodenbach et Rollinat furent les principales sources d'inspiration du poète défunt.

470 ♦ LÉVIS [Roger Fortier], s.c., frère, « Le Vaisseau d'Or d'Émile Nelligan », thèse de doctorat en philosophie, présentée à la Faculté des Arts de l'Université d'Ottawa, [1950], 233 feuillets.

L'étude se divise en trois chapitres: esquisse biographique, sources littéraires et forme de l'œuvre de Nelligan. Le style métaphorique, le jugement trop flou et une documentation insuffisante réduisent ce travail à une simple approche.

471 LIONNET, Jean, **Chez les Français du Canada,** Paris, Plon, 1910, 284 pages, surtout p. 85-86.

Impressions de voyage d'un Parisien qui a parcouru, en 1906, le Canada, de Québec à Vancouver. Quelques réflexions sur la littérature. Éloge de Nelligan « épris de Baudelaire, de Verlaine, voire même de Rollinat ». Reproduction intégrale du texte du « Vaisseau d'Or ». En guise de conclusion cette remarque sur la perte de Nelligan: « L'École littéraire peut porter le deuil: elle a perdu une espérance » (p. 86).

472 LIPSCOMBE, Robert, **The Story of old St. Patrick's,** Montréal, [s.é.], 1967, 34 pages, surtout p. 22. (Avec la collaboration de l'abbé Leonard J. Crowley et les photographies exécutées par Armour Landry.)

Petite histoire richement illustrée de l'église Saint-Patrice de Montréal où Nelligan fut baptisé le 25 décembre 1879. Le document reproduit la plaque commémorative, apposée au mur de cette église par l'Association des Amis d'Émile Nelligan.

473 LOISELLE, Alphonse, *Préface,* dans **Bonjour, les gars !** de Jean Narrache, Montréal, Ferland Pilon, 1948, p. 9-13.

En présentant le volume de Jean Narrache, — dont le vrai nom est Émile Coderre, — Alphonse Loiselle souligne l'importance de Nelligan dans la poésie symboliste canadienne-française et cite la cinquième strophe de la « Romance du Vin ».

LORANGER, Jean-Aubert. Voir: Saint-Georges, Hervé de, notice 573.

474 LORRAIN, Léon, *Imitation et Influences françaises,* dans *Le Devoir,* vol. 5, n° 29, 5 février 1914, p. 1.

Résumé d'une conférence de Jean Charbonneau: « De l'imitation et des influences au Canada »; à propos de Nelligan, le conférencier remarque que ce jeune auteur « vécut hors de son siècle », entretenant sa névrose en lisant Rollinat, Rimbaud, Rodenbach, Verlaine. Ces constatations, biographiquement justes, ne rendent pourtant pas compte de l'originalité de la poésie de Nelligan.

475 LOZEAU, Albert, *Émile Nelligan et l'Art canadien,* dans *Le Nationaliste,* 1re année, n° 2, 13 mars 1904, p. 4.

Hommage d'un ami, à une semaine d'intervalle de celui de Charles Gill. Le texte émet une opinion personnelle quant aux rapports de la création poétique et du patriotisme.

476 — *L'Anthologie des poètes canadiens,* dans *Le Devoir,* vol. 11, n° 14, 17 mai 1920, p. 1.

Lozeau se demande si le Canada français, à l'exception de Nelligan, pourrait se vanter d'avoir des poètes puissants et personnels. Dans cette anthologie nous lisons: « nous ne sommes guère distincts des poètes français de troisième ordre ».

477 LUCE, Jean, *Défense du vers libre,* dans *La Presse,* 65e année, n° 176, 14 mai 1949, p. 65.

Réflexions sur le volume *Poésie et versification* de Roger Rolland, publié chez Fides; l'auteur soutient que Nelligan réussit à faire chanter son alexandrin en suivant l'exemple de Baudelaire.

478 M. F., *Luc Lacourcière : Poésies complètes d'Émile Nelligan,* dans la *Revue de l'Université Laval,* vol. 7, n° 8, avril 1953, p. 749-750.

Compte rendu de la première édition critique des *Poésies complètes* de Nelligan précédé d'une notice biographique du poète qui, selon l'auteur, « possède le douloureux privilège d'être entouré de son vivant d'une gloire quasi-posthume ».

479 M. G.[3], *La Semaine Nelligan : un franc succès,* dans *La Patrie,* 47e année, n° 35, 4 décembre 1966, p. 59.

Un peu partout l'intérêt grandit chez les jeunes, pour la poésie de Nelligan; résumé des cérémonies qui marquèrent le vingt-cinquième anniversaire de sa mort. « C'est surtout la jeunesse de Montréal qui a fait de la Semaine un glorieux événement. Ils furent partout pour célébrer l'adolescent inspiré. »

480 MACMECHAN, Archibald, **Headwaters of Canadian Literature,** Toronto, McClelland and Stewart, [1924], 247 pages, surtout chapitre « In Montreal », p. 155-164.

Au chapitre de la poésie, on trouvera quelques détails sur *Émile Nelligan et son œuvre.* L'auteur étudie l'aspect à la fois parnassien et symboliste du « Vaisseau d'Or » et souligne — avec peut-être trop d'insistance — l'influence du milieu religieux sur les poèmes « Cloître noir » et « Petite chapelle ».

481 MADELEINE (X Anne-Marie Gleason), *Testament d'âme. Aux amis d'Émile Nelligan,* dans *La Patrie,* 24e année, n° 225, 14 novembre 1902, p. 22.

Avec une délicatesse toute féminine, Madeleine évoque une chambre d'hôpital où une mère douloureuse fixe son fils, aliéné. Ce récit est une allusion évidente à la maladie de Nelligan; enfermé à la Retraite Saint-Benoît, le poète aurait regretté d'avoir écrit certaines poésies de tendance anticléricale. Le ton avec lequel est rapporté ce souvenir nous paraît quelque peu forcé.

482 — *Émile Nelligan,* dans *La Patrie,* 25e année, n° 41, 11 avril 1903, p. 6.

Brève annonce de la publication prochaine des « Poésies » de Nelligan; « Communion pascale », publiée à la même page, y est donnée à titre d'exemple.

---

[3] Il nous a été impossible de savoir le nom du journaliste qui avait signé l'article de ces initiales. A noter cependant que Manuel Maître a publié, en 1966 et en 1967, plusieurs articles sur Nelligan dans *La Patrie.* Devrait-on supposer que le « G » se soit glissé à la place du « M » par inadvertance ?

483 — *Denis Lanctôt,* dans *La Patrie,* 25e année, n° 152, 22 août 1903, p. 18.

Quelques souvenirs évoqués à l'occasion de la mort de Denis Lanctôt, ami intime de Nelligan et de Madeleine, victime de la typhoïde.

484 — *L'Œuvre d'Émile Nelligan,* dans *La Patrie,* 26e année, n° 4, 27 février 1904, p. 22.

Analyse de la première édition des poésies de Nelligan. Enthousiaste, le jugement nous paraît trop excessif pour être juste. Dans le texte on trouve une photographie de Nelligan ainsi que le texte de trois de ses poèmes: « Rêve d'artiste », « Le Vaisseau d'Or » et « Devant mon berceau ».

485 — (Mme W.-A. Gleason-Huguenin), **Le Long du chemin,** [s.l.], [s.é.], [1912], xiv, 248 pages, surtout « Émile Nelligan », p. 67-73.

Le chapitre consacré à la vie de Nelligan n'a qu'une valeur anecdotique, car il s'est proposé l'éloge de la préface de Dantin, avec rappels de souvenirs délicats.

486 MAHEUX, Marcel, *Apothéose à* [sic] *un grand poète : Émile Nelligan,* dans *The Monitor-Eclair,* vol. 8, 1er décembre 1966, p. 5.

Article de circonstance sur la Semaine Nelligan qui vient de se dérouler.

487 M[AILHOT], L[aurent], *Paul Wyczynski . . . ,* dans *Études françaises,* vol. 5, n° 2, mai 1969, p. 223-226.

Compte rendu de l'ouvrage *Émile Nelligan* de Paul Wyczynski, publié dans la collection « Écrivains canadiens-français d'aujourd'hui ». Le critique examine le contenu de l'ouvrage dans l'optique de sa méthode sans que celle-ci soit précisée.

488 MAILLET, Andrée, *Livres reçus,* dans *Amérique française,* vol. 11, n° 1, janvier-février 1953, p. 78-80.

L'auteur commente la première édition critique des *Poésies complètes* de Nelligan; elle s'attarde surtout à examiner les excellentes pages de Luc Lacourcière qui forment l'« Introduction » des *Poésies complètes* de Nelligan.

489 MAÎTRE, Manuel, *Semaine Émile Nelligan . . . à l'occasion du 25e anniversaire de la mort du poète,* dans *La Patrie,* 87e année, n° 37, 18 septembre 1966, p. 50.

Le texte permet de reconstituer le programme initial de la Semaine Nelligan, organisée par la Société des Amis d'Émile Nelligan: on prévoyait alors l'inauguration d'une Allée Nelligan, la publication des *Poésies* de Nelligan en édition de poche, le lancement de microsillons, la préparation d'un ouvrage spécial par Paul Wyczynski, un concours poétique en hommage à Nelligan, une émission de timbre commémoratif, le baptême d'une école à Québec qu'on aurait honorée du nom du poète. Ce programme a été en grande partie réalisé.

490 — *Les Anglais honorent Nelligan,* dans *La Patrie,* 87e année, n° 46, 20 novembre 1966, p. 57.

On rend hommage à Jean Éthier-Blais qui organisa le Colloque Nelligan. On s'y demande pourquoi l'Université de Montréal n'a pas pris cette initiative. L'auteur semble ignorer que l'Université de Montréal avait prévu dans son programme une soirée en l'honneur de Nelligan, soirée qui eut effectivement lieu le 24 novembre.

491 — *Huit livres nouveaux présentés le même jour,* dans *La Patrie,* 89e année, n° 15, semaine du 15 avril 1968, p. 53.

L'auteur parle du lancement du livre *Émile Nelligan* par Paul Wyczynski, chez Fides.

492 Major, André, *Témoignages d'écrivains,* dans *Études françaises,* vol. 3, n° 3, août 1967, p. 305.

Major déclare sans ambages: « Quant à moi, j'ai surtout été frappé par le caractère artificiel de la poésie de Nelligan. Il y a des « beautés » dans son œuvre, mais elles n'arrivent jamais à donner au lecteur l'impression d'une création, d'un « monde » particuliers [*sic*]. Reste l'homme, bien entendu, et son destin, qui conservent toute leur portée symbolique. C'est par là surtout, me semble-t-il, que Nelligan demeure vivant pour nous. » Ce jugement est fort discutable; nous en laissons la responsabilité à son auteur.

493 — *Menaud et Nelligan en habit de velours,* dans *Le Devoir,* vol. 58, n° 255, 4 novembre 1967, p. 12.

Quelques observations à l'occasion du lancement, chez Fides, de deux ouvrages en édition de grand luxe: les *Poésies* de Nelligan et *Menaud, Maître-Draveur* de F.-A. Savard.

494 — *Nelligan ou le génie,* dans *Le Devoir,* vol. 58, n° 268, 20 novembre 1967, p. 9.

Pertinent, ce commentaire nuancé d'André Major à propos d'une émission radiophonique, diffusée chaque samedi, à midi, sous le nom d'« Histoire comme ils l'ont faite » et dont la dernière fut consacrée au « cas » Nelligan; y participèrent les professeurs Nicole Deschamps et Gérard Bessette.

495 — *Nelligan à la recherche du moi perdu,* dans *Le Devoir,* vol. 59, n° 52, 2 mars 1968, p. 13.

Compte rendu de l'*Émile Nelligan* de Paul Wyczynski. L'auteur a regroupé ses remarques autour de trois pôles: « Le Milieu du poète », « L'Amour impossible », « La Mère et la Mort ». Jugements nuancés et observations justes se conjuguent fort bien.

496 — *Nelligan mort ou vivant,* dans *Le Devoir,* vol. 60, n° 62, 15 mars 1969, p. 14.

A « Dossier Nelligan » où Claude Fournier a évoqué le poète avec une intolérable insignifiance, l'auteur de l'article oppose le volume où sont réunies les conférences du Colloque Nelligan, à l'Université McGill. Il considère que ce livre est une excellente réponse bien qu'indirecte à Claude Fournier. A preuve que des critiques sérieux savent encore parler de Nelligan-poète, en respectant la vérité d'une biographie et la beauté de l'art.

— Voir: Nadon, Claude, notice 521.

497 Malouin, Reine, *Ce fut un Vaisseau d'Or,* dans *Poésie,* vol. 1, n° 4, automne 1966, p. 3-5.

Introduction, chaleureuse et fraternelle, au numéro spécial de *Poésie,* entièrement consacré à l'auteur du « Vaisseau d'Or ». (Pour connaître le contenu *in extenso* de ce numéro spécial voir: Société des poètes canadiens-français, notice 581.)

498 MARCHY [4], [E.] de, *L'École littéraire de Montréal,* dans *Le Monde illustré,* 15e année, n° 775, 11 mars 1899, p. 706-707.

Essai sur les œuvres des jeunes poètes montréalais qui figuraient au programme de la deuxième séance publique de l'École littéraire de Montréal. Très superficiels, les jugements sur la poésie de Nelligan sont nettement défavorables.

499 — *L'École littéraire,* dans *Le Monde illustré,* 15e année, n° 781, 22 avril 1899, p. 802-803.

Compte rendu de la troisième séance de l'École littéraire de Montréal, qui eut lieu le 7 avril 1899. De Marchi (qui signe parfois: De Marchy) accorde beaucoup d'importance à Wilfrid Larose et à Jean Charbonneau, mais ne mentionne qu'à peine les pièces récitées par Nelligan: « Prière vespérale », « Petit Vitrail de chapelle », « Amour immaculé », « La Passante ». Toutefois, il ne se prononce pas, cette fois, sur leur valeur littéraire.

500 — *L'École littéraire,* dans *Le Monde illustré,* 16e année, n° 788, 10 juin 1899, p. 82-83.

Nouvelle appréciation tendancieuse. Cette fois l'auteur s'attaque aux poèmes qui furent dits à la quatrième séance publique. Par ordre de mérite, il plaça Nelligan en sixième position; aux yeux de ce critique parisien, Nelligan était un médiocre poète.

501 MARCOTTE, Gilles, *Émile Nelligan,* dans *Le Devoir,* vol. 44, n° 25, 31 janvier 1953, p. 6; n° 31, 7 février 1953, p. 8.

Après avoir présenté à ses lecteurs les *Poésies complètes* de Nelligan, l'auteur souligne l'importance des thèmes de l'enfance et de la mort dans l'œuvre de ce jeune poète. Il insiste, d'autre part, sur l'influence que Baudelaire avait exercée sur le fond comme sur la forme de la poésie de Nelligan.

502 — *Le Drame exprimé et le Drame vécu,* dans *Vie étudiante,* 1er février 1953, p. 3-4.

Commentant les *Poésies complètes* de Nelligan, l'auteur écrit: « Nelligan fut le premier à exprimer en poésie de façon parfaitement naturelle, à faire entendre, dans des vers par ailleurs soumis à de fortes influences, une voix qui ne cesse pas un moment d'être la sienne. »

---

[4] Le nom est bien celui d'E. de Marchi, un Français de Paris, venu à Montréal au début de 1899 pour une série de causeries. Sa première conférence au Canada eut lieu le 12 mars 1899, à « L'Union catholique »; elle portait sur les « Relations littéraires des institutions sociales ». Il publia quelques articles dans des journaux montréalais que nous trouvons très médiocres. Ses critiques ont irrité Nelligan qui lui a magistralement riposté en écrivant sa « Romance du Vin ».

503 — *Critique universitaire,* dans *Liberté,* n°s 15-16, mai-août 1961, p. 648-651.

L'auteur signale que l'Université d'Ottawa est « la seule université canadienne de langue française qui accorde à notre littérature une attention soutenue »; il commente l'ouvrage de Paul Wyczynski, *Émile Nelligan, sources et originalité de son œuvre,* dont il dégage les qualités et les défauts.

504 — *Émile Nelligan,* dans **Une littérature qui se fait,** Montréal, HMH,
(R 501) 1962, p. 98-106.

Reproduction du compte rendu paru dans *Le Devoir,* le 31 janvier et le 7 février 1953.

505 MARIE-HENRIETTE-DE-JÉSUS, s.n.j.m., Sœur, **Lucien Rainier (abbé Joseph-Marie Melançon) : L'homme et l'œuvre,** Montréal, Les Éditions du Lévrier, 1966, 347 pages.

Cette thèse de doctorat, soutenue à l'Université Laval, une fois publiée est devenue une mine de renseignements sur Joseph Melançon, sur son époque et ses contemporains. Le chapitre « Correspondance » (p. 211-271) en est particulièrement intéressant. Malheureusement, l'absence d'idée directrice et de rigueur dans l'interprétation sont à déplorer. Les faits s'y succèdent trop librement. Le jugement a une forte propension à la naïveté désarmante. Mais la documentation s'avère solide. A partir d'elle, une bonne étude reste à écrire.

506 MARION, Séraphin, *Émile Nelligan, sources et originalité de son œuvre, de Paul Wyczynski,* dans *Le Travailleur* (Worcester), vol. 30, n° 27, 7 juillet 1960, p. 1, 4.

Compte rendu du livre de Paul Wyczynski dans un esprit d'objectivité que nous tenons à souligner.

507 ♦ MARMANDE, R. de, *La Littérature française au pays de Jacques Cartier,* dans *Mercure de France,* 17e année, t. 64, novembre-décembre 1906, p. 21-33, surtout p. 33. (Série moderne.)

Critique sévère mais juste au demeurant sur la vie littéraire du XIXe siècle au Canada français. L'auteur dénonce les similitudes et l'écriture banale du roman et de la poésie à cette époque. Toutefois, l'École littéraire de Montréal lui semble manifester un renouveau certain. « Toute une jeune école est née, constate-t-il, qui cherche la route nouvelle. L'imitation est toujours l'écueil. Mais l'écueil lui-même eût été peu redoutable pour des poètes comme Émile Nelligan si tristement fauché par la folie. » Avec cette étude et celles de Charles ab der Halden, nous connaissons la façon dont les Français jugeaient alors la vie littéraire au Canada français.

508 MASSICOTTE, Edmond-J., *Le Repas des rois,* dans *Le Samedi,* vol. 7, n° 32, 11 janvier 1896, p. 10-11.

Dessin inédit qui, dans un décor d'intérieur québécois, restitue l'atmosphère de la fête des Rois. Une famille nombreuse où l'on remarque surtout une grand-mère et un petit bébé, s'apprête à déguster « le paon truffé qui fume ». Selon Édouard-Zotique Massicotte, frère d'Edmond, ce dessin aurait sûrement inspiré le poème de Nelligan « Le Roi du souper ».

509 ♦ MASSICOTTE, É[douard]-Z[otique], *Paul Verlaine,* dans *La Feuille d'érable,* vol. 1, n° 2, 25 avril 1896, p. 32; n° 3, 10 mai 1896, p. 50; n° 4, 25 mai 1896, p. 79.

Inachevé, l'article contient tout de même des renseignements précieux sur la façon dont Verlaine était connu au Canada, à la fin du XIXe siècle. On peut penser que Nelligan, en écrivant ses premiers poèmes, s'en soit inspiré.

510 — *Étude sur Paul Verlaine,* dans *Le Signal,* vol. 2, n° 57, 11 décembre 1897, p. 1; n° 57a, 18 décembre 1897, p. 4; n° 58, 24 décembre 1897, p. 4; n° 59, 31 décembre 1897, p. 1; n° 61, 15 janvier 1898, p. 3.

Composée en trois parties, cette étude reprend les idées de l'article de Massicotte, paru dans *La Feuille d'érable.* Servi par une fine intuition, l'auteur explique la sensibilité maladive et ce qui fait le charme de l'art de Verlaine.

511 (R 205) ♦ — *Où et quand naquit le poète Émile Nelligan,* dans *Le Bulletin des recherches historiques,* vol. 44, n° 6, juin 1938, p. 176-177.

Cet article précise la date exacte de naissance de Nelligan (24 décembre 1879), donne son extrait de baptême, et renseigne sur la biographie de ses parents.

512 MELANÇON, Adrien, *Hommage à Émile Nelligan, poète canadien-français,* dans *Le Nico : journal des élèves du Séminaire de Nicolet,* vol. 4, n° 5, 30 novembre 1966, p. 10.

Article de circonstance, publié à l'occasion du 25e anniversaire de la mort de Nelligan.

513 ♦ MELANÇON, abbé, Joseph-Marie, « Journal », (manuscrit), du 19 octobre 1895 au 26 janvier 1929, 118 feuillets.

Ce document contient une foule de détails sur la vie privée de l'auteur, sur ses amis et son époque. Nous retenons de ce manuscrit les précisions sur la fondation de l'École littéraire de Montréal (le jeudi 7 novembre 1895, f. 1-2), la rencontre avec Arthur de Bussières (le lundi 27 avril 1896, f. 5), l'histoire d'un fusain de Charles Gill (le jeudi 21 mai 1896, f. 6 et l'automne de 1896, f. 9), de même que ce souvenir d'une réunion, tenue le jeudi 25 février 1897 (f. 11-12): « Soirée de l'École littéraire. Émile Nelligan, un tout jeune en poésie, lit des vers de sa composition, d'une belle voix grave, un peu emphatique qui sonne les rimes. Il lit debout, lentement, avec âme. La tristesse de ses poèmes assombrit son regard. Il y a de la beauté dans son attitude, c'est sûr. Mais ses vers ? De la musique, de la musique et rien d'autre; exemple:

Quelqu'un pleure dans le silence
Morne des nuits d'avril;
Quelqu'un pleure la somnolence
Longue de son exil;
Quelqu'un pleure sa douleur
Et c'est mon cœur !

Arthur de Bussières a donné quelques sonnets du même acabit. Pourquoi parler, même en vers si l'on ne peut s'exprimer clairement ? Ce qui n'est pas clair n'est pas français. » Voilà un excellent sujet de dissertation. Rivarol aura-t-il toujours raison ?

514 — *Émile Nelligan,* dans *La Patrie,* 15ᵉ année, nº 30, 24 juillet 1949, p. 58, 61.

Le destin poétique de Nelligan est ici comparé à celui de Rimbaud. Dans quelques vagues souvenirs se sont glissés plusieurs faits inexacts. Les remarques sur le don poétique de Nelligan peuvent être acceptées avec réserve.

515 MILLET, Geneviève, *Un citoyen de Granby possède un poème inédit de Nelligan,* dans *La Voix de l'Est,* 31ᵉ année, nº 262, 18 novembre 1966, p. 1.

En fac-similé, un sonnet de Nelligan conservé par le docteur E. Quenneville date d'un jour d'octobre 1932, alors que le docteur Quenneville accomplissait un stage à l'Hôpital Saint-Jean-de-Dieu; il y rencontra le poète, « homme doux et confiant, aimant la compagnie des jeunes internes avec qui il avait grand plaisir à griller une cigarette, en écoutant leurs propos ». Nelligan écrivit spontanément quelques lignes sur la page d'un cahier du jeune étudiant en médecine. Il ne s'agit pourtant pas d'un poème inédit mais du « Tombeau de la négresse », lu à l'École littéraire de Montréal, le 24 février 1899, et publié dans *La Revue canadienne* (mars 1903, p. 278), puis dans toutes les éditions des poésies de Nelligan. Exhumé de la mémoire en sommeil de Nelligan, le texte offre quelques variantes, à savoir: le quatrième et le huitième vers sont intervertis; le premier vers, qui, dans l'édition Lacourcière, admet la correction de Dantin (« Après que nous eut fui le grand vent des hivers »), rétablit l'intention première du poète: « Alors qu'il nous *eût* fui le grand vent des hivers »; le troisième vers commence: « En le hallier funèbre »; enfin, la mémoire fait défaut au poète pour l'avant-dernier vers: « Verrons-nous de son cœur en les buissons latents, » (l'édition Dantin donne: « Verrons-nous, de son cœur, *dans* les buissons latents »).

Monde illustré (Le). Voir: Rédaction du *Monde illustré,* notices 549-550.

516 MONTIGNY, Louvigny-[Testard] de, « *L'Âme Solitaire* », dans *Revue canadienne,* 43ᵉ année, nº 9, septembre 1907, p. 305-320.

L'auteur signale plusieurs influences littéraires qui ont joué sur Nelligan dont il était l'ami intime; il établit aussi des parallèles entre la poésie de Lozeau et celle de Nelligan.

NOTE

Louvigny de Montigny a bien connu Nelligan. Il l'a jugé assez froidement, voire même sévèrement. Il est donc intéressant de reproduire ici quelques-uns de ses jugements. « On a comparé Albert Lozeau à Émile Nelligan. La poésie de ces deux jeunes poètes canadiens est cependant bien différente. Si l'un ressemble à l'autre, c'est plutôt pour nous avoir également surpris par leur originalité, parfois plus vive chez Nelligan, plus constante chez Lozeau; c'est que l'infortune de ces deux existences inspire une même sympathie » (p. 313). [...] « Nelligan, délibérément fantasque et volontiers macabre aurait été le plus extravagant des romantiques » (p. 315).

Après avoir cité le sonnet de Lozeau en hommage à Nelligan, Louvigny de Montigny s'écrie : « Hélas non, les 'ailes sublimes' de ce pauvre Nelligan n'avaient pas acquis la force de le maintenir à des grandes hauteurs, et on le retrouvait souvent dans la plaine » (p. 316). Toujours selon Louvigny de Montigny, Nelligan aurait cultivé la poésie névrotique de Rollinat (ce qui est vrai !), quand il ne se laissait pas porter par les divagations de Verlaine; chez eux, il a respiré le poison distillé des *Fleurs du Mal*; il aurait souhaité la tristesse à la Rodenbach; il aimait les chapelles décrites par Fernand Gregh; les chansons amorphes de Vielé Griffin lui plaisaient; il retenait le mot bien sonnant de Leconte de Lisle ou de Heredia sans, malheureusement, s'attarder à étudier la perfection de ces modèles. « Aussi faisait-il parfois pleurer la syntaxe et déconcertait-il le dictionnaire, préférant obstinément l'éclat d'une image à la correction de son expression, la sonorité d'une rime à son exactitude » (p. 317). Les souvenirs de Louvigny de Montigny apportent bien des détails sur le comportement de Nelligan; ce qui manque à ce témoignage, c'est la précision.

517 ♦ — *Émile Nelligan and the École littéraire de Montréal,* dans *Saturday Night,* vol. 63, n° 9, 1er novembre 1947, p. 32.

Écrit en anglais, cet article fut publié à l'occasion du sixième anniversaire de la mort de Nelligan. A l'esquisse biographique où la chronologie fait défaut, s'ajoutent quelques souvenirs personnels: effort évident pour situer Nelligan dans l'ensemble du mouvement littéraire amorcé en 1895. L'article se termine par la reproduction de la « Romance du Vin » et du « Vaisseau d'Or ».

518 [MONT SAINT-LOUIS], « Registre matricule de Mont Saint-Louis, n° 641 », (manuscrit), actuellement aux Archives du Collège Mont Saint-Louis de Montréal (juin 1893).

Quelques détails sur l'état civil de Nelligan et celui de sa famille. D'après les dates indiquées, Nelligan est entré à cette école le 2 septembre 1890 et il en est sorti en juin 1893.

519 MUDDIMAN, Bernard, *The Soirées of the Château de Ramezay,* dans *Queen's Quarterly,* vol. 20, n° 1, juillet-septembre 1912, p. 73-91. (Avec une photographie de Nelligan. Un tiré à part de cette étude porte un titre différent: *The French Canadian Literary Movement,* 21 pages.)

Consacrée au renouveau littéraire qui affecta Montréal dans les années 1900, l'étude met l'accent sur l'importance de trois écrivains: Émile Nelligan, Albert Lozeau et Rodolphe Girard. L'auteur de cet article puise abondamment chez Dantin et Charles ab der Halden, tout en citant fréquemment les auteurs étudiés. La question est envisagée sous un triple aspect: littéraire, historique et sociologique. Mais Muddiman pèche par excès de simplifications et de constatations hâtives. Il n'en reste pas moins que son étude est le premier article élaboré sur Nelligan, en anglais et, pour cette raison, mérite une mention spéciale.

520 NADEAU, Gabriel, **Louis Dantin : sa vie et son œuvre,** Manchester, Lafayette, 1948, 253 pages.

La biographie de l'écrivain est esquissée à travers de nombreux extraits de la correspondance entre Dantin et ses amis. Les pages 40-42, 96-97, 225, 235-238 traitent de l'amitié Dantin-Nelligan.

521 NADON, Claude, et André MAJOR, « *Dossier Nelligan* », *un film de Claude Fournier. Fallait-il nous tuer ce mythe ?,* dans *Le Devoir,* vol. 60, n° 44, 22 février 1969, p. 13.

L'article se compose d'un bref commentaire sur le film de Claude Fournier qui en fut le réalisateur, le cameraman et le monteur, et d'une interview de Marie-José Raymond, recherchiste, avec l'auteur du film.

Nous apprenons que Fournier voulait détruire un mythe créé par Dantin et Lacourcière. Or, ceux qui ont vu le film sont d'accord pour trouver que ce film est très superficiel. Dans la vie de Nelligan, sous l'éclairage forcé de sa maladie, on a ignoré le souffle essentiel: celui du poète. Si Nelligan a survécu à l'oubli du temps, ce n'est pas parce qu'il fut malade et qu'il devint fou, mais parce que son œuvre, qui nous fascine, portait en elle l'indéniable signe du génie lyrique. Les jeunes générations liront avec plaisir les études de Dantin et de Lacourcière, mais oublieront vite le film de Claude Fournier.

NARRACHE, Jean [X Émile CODERRE]. Voir: Loiselle, Alphonse, notice 473.

522 NAUD, Jacques, *Émile Nelligan,* dans *Moisson,* vol. 3, n° 1, octobre 1965, p. 4. (Avec une photo du poète, dont la signature en fac-similé constitue le titre de l'article.)

Écrit par un étudiant en belles-lettres, dans le journal de collège du Séminaire Saint-Michel de Rouyn, l'article est un des nombreux témoignages de la jeune génération sur Nelligan. Sincère et spontanée, l'étude résume en trois parties ce que perçoit aujourd'hui un collégien qui pratique le poète. Pour Jacques Naud, Nelligan est d'abord le « vivant symbole de la poésie et de l'adolescence » parce que: l'imagination de Nelligan, nous dit-il, « est sans cesse en activité, créant un univers irréel et de rêve, qui devient réalité pour lui, à mesure qu'il s'abandonne peu à peu au vertige de l'anormal [...]. Symboliste avant tout, il accorde une attention scrupuleuse à la musicalité et à l'éclat de la forme. Par là, il marque une date décisive dans notre évolution littéraire [...]. Il a exercé une influence durable sur toute notre poésie. D'abord, par la valeur qu'il a donnée aux sentiments personnels, et par le choix de ses thèmes, faisant éclater la frontière des sujets traditionnels: l'histoire du Canada, les humbles joies du foyer, la vie des champs. Il a prouvé par son génie que le poète authentique trouve son inspiration par des voies qu'il est seul à connaître et que son œuvre ne dure que par la qualité de sa forme. »

523 NIHILO, Éva, *Paul Wyczynski. Émile Nelligan,* dans *Revue de l'Université Laval,* vol. 15, n° 8, avril 1961, p. 773.

Voici l'opinion de Nihilo au sujet de l'ouvrage *Émile Nelligan, sources et originalité de son œuvre*: « Un excellent ouvrage pour les professeurs et les étudiants en littérature canadienne-française. L'auteur formé selon les meilleures méthodes, est habile à dépister les sources du poète, à identifier les procédés personnels de création et d'imitation, à analyser les textes dans leurs transformations, leur rythme, leur souffle. Nelligan ne sort pas écrasé de cette étude mais grandi. L'auteur nous a fait grâce de certaines interprétations moralistes hasardeuses, purement hypothétiques. Le génie poétique ne va pas nécessairement avec les détraquements sexuels. »

524 PALLASCIO-MORIN, Ernest, *Émile Nelligan tué par le rêve — ressuscité par l'amour,* dans *L'Action,* vol. 59, n° 17-[816], 18 novembre 1966, p. 21. (Le texte dactylographié de cet article se trouve au Centre de recherche en civilisation canadienne-française de l'Université d'Ottawa.)

Hommage d'un poète, au poète disparu dans l'abîme du rêve. Une photographie de Nelligan figure en regard du texte d'Ernest Pallascio-Morin.

525 PAQUETTE, Albert, *Le Souvenir d'Émile Nelligan,* dans *Le Droit,* 51e année, n° 221, 21 septembre 1963, p. 6.

L'auteur prétend avoir vu le poète lors de la mémorable soirée du 27 [*sic*] mai 1899 et aussi lors de son départ pour la Retraite Saint-Benoît, le 9 août 1899. Sur le plan strictement biographique, le témoignage d'Albert Paquette n'apporte rien de neuf. Ses souvenirs n'évoquent que des faits bien connus.

PAQUIN, i.c., frère Léon-Victor. Voir: Léon-Victor, i.c., frère, notices 464, 465.

526 PARADIS, Suzanne, *Réalité de la vie poétique au Canada français,* dans *Lettres et Écritures,* vol. 2, n° 4, avril 1965, p. 27-32.

Article en tous points excellent. Pour Suzanne Paradis l'ombre de Nelligan se projette sur le mouvement poétique actuel. Sa voix lyrique engendre les significations susceptibles d'éclairer la souffrance et la solitude quand elles se confondent dans « l'effrayante aventure des astres et dans leur mouvement gigantesque vers la lumière ». Car la vocation de la poésie, soutient l'auteur, « c'est la vocation du silence. La Réalité de la Poésie, c'est la réalité du silence. Non ce silence né de la vacuité intérieure, mais un silence enrichi de sources si profondes et si puissantes qu'il imprègne le tumulte extérieur, et le discipline, peu à peu, dans l'harmonie. »

PARENT, Charles. Voir: Bessette, Gérard, notice 244.

527 ♦ PAUL-CROUZET, Jeanne, **Poésie au Canada,** Paris, Didier, 1946, 373 pages, surtout p. 120-138.

Pour donner une idée de l'évolution de la poésie canadienne-française, l'auteur lui attribue trois étapes: « L'École de Québec » (Crémazie, Fréchette, Le May, Beauchemin); « L'École de Montréal » (Nelligan, Lozeau, Gill, Desaulniers), « La Poésie contemporaine » (Morin, Chopin, E. Gallèze, B. Lamontagne-Beauregard, R. Choquette, A. Des-Rochers). Les pièces retenues sont soigneusement analysées. Pour illustrer le génie de Nelligan, l'auteur examine, vers par vers, sa « Romance du Vin » et parvient à cette conclusion: « Il [Nelligan] a subi l'influence de beaucoup de maîtres, il les suit souvent de très près; mais par une sorte de chimie mystérieuse, il les brasse et les décante dans sa personnalité, qui est une personnalité originale » (p. 137). A noter que la date de naissance avancée est inexacte: 1882 au lieu de 1879.

528 PELLETIER, Fred., *La Sainte-Cécile et les musiciens de Montréal,* dans *La Revue nationale,* vol. 1, n° 11, novembre 1920, p. 21.

Quelques données sur les célébrations de la Sainte-Cécile à Montréal. « Concert mystique », un tableau d'Eugène Sonrel y est reproduit, de même que « Sainte Cécile » de Nelligan.

529 PÉLOQUIN, Claude, *Témoignages d'écrivains,* dans *Études françaises,* vol. 3, n° 3, août 1967, p. 304-305.

Témoignage émouvant dans un style très contemporain: « Je connais donc principalement Nelligan parce qu'il a marqué tout un siècle d'histoire et en si peu de temps... Je ne suis pas poète pour traiter ici du cube poétique qu'il a laissé au Temps chien... Volcan blanc que Nelligan... Feu d'artifice des Dedans que sa poésie... Défait aigu de son époque... Clairvoyance aveuglante sur l'homme qu'il était et sur l'équilibre merveilleux qu'il avait à porter de cerveaux. [...] Nelligan est un des derniers scrutateurs des turbulences de l'Homme qui n'est pas encore Ici. »

530 PERREAULT, Luc, « *Dossier Nelligan* » *: un procès jugé d'avance,* dans *La Presse,* 85e année, n° 51, 1er mars 1969, p. 32.

Dans cet article, nous apprécions le jugement nuancé, ferme, et les vues justes, nombreuses. L'auteur a assisté, le mercredi 19 février, à l'avant-première du film « Dossier Nelligan »; il en est sorti dégoûté. Il reproche à Claude Fournier son manque de composition et de profondeur. Il tient cette réalisation pour une jonglerie où se fait un emploi cynique des témoignages recueillis; il en stigmatise « le nationalisme à bon marché ». Le résumé du film est ponctué de remarques pertinentes.

531 PIAZZA, François, « *Le Dossier Nelligan* », dans *Échos Vedettes,* vol. 7, n° 7, 1er mars 1969, p. 28.

Échos de la polémique suscitée par le film de Claude Fournier.

532 PIERCE, Lorne, *Émile Nelligan,* dans *An Outline of Canadian Literature (French and English),* Montréal et New-York, Louis Carrier — At the Mercury, 1927, p. 58-59.

Aperçu sur le développement parallèle des lettres canadiennes de langue anglaise et de langue française. Les données biographiques concernant Nelligan devraient être aujourd'hui revues et corrigées. L'auteur s'inspire principalement des travaux de Camille Roy.

533 PINSONNEAULT, Jean-Paul, *Poésies complètes d'Émile Nelligan,* dans *Lectures,* t. 9, n° 5, janvier 1953, p. 198-203.

Présentation de la cinquième édition des « Poésies » de Nelligan, suivie de quelques considérations sur l'originalité de l'œuvre en question.

Poésie. Voir: Société des Poètes canadiens-français, notice 581.

534 POISSON, Roch, *Vie littéraire,* dans *Photo-Journal,* vol. 30, n° 25, 5 au 12 octobre 1966, p. 65.

En novembre prochain, on fêtera le 25e anniversaire de la mort du poète: sont annoncées certaines manifestations prévues notamment par l'Association des Amis d'Émile Nelligan et par Radio-Canada.

535 — *Nelligan trois fois,* dans *Photo-Journal,* vol. 30, n° 34, 7 au 14 décembre 1966, p. 87.

Résumé des manifestations qui ont marqué la Semaine Émile Nelligan.

536 — *Vie littéraire,* dans *Photo-Journal,* vol. 31, n° 30, 8-15 novembre 1967, p. 87.

Quelques remarques au sujet des éditions de luxe et de grand luxe des *Poésies* de Nelligan, publiées chez Fides.

537 POLIQUIN, Jean-Marc, *Émile Nelligan,* dans *Le Droit,* 48e année, nº 95, 23 avril 1960, p. 8.

L'auteur commente et souligne l'importance du livre de Paul Wyczynski, *Émile Nelligan, sources et originalité de son œuvre.*

538 PONTAUT, Alain, *L'Hommage à Nelligan : un « devoir de sagesse patriotique »*, dans *La Presse,* 82e année, nº 257, 5 novembre 1966, p. 4. Un extrait de cet article est repris dans **Émile Nelligan,** Montréal, Fides, [1968], p. 72-73. (« Dossiers de documentation de littérature canadienne-française », nº 3.)

Article de circonstance, en hommage à Nelligan; quelques remarques ayant trait à la vie du poète, à son œuvre, aux influences littéraires subies. L'auteur annonce, d'autre part, la Semaine Nelligan, organisée par l'Association des Amis d'Émile Nelligan du 18 au 25 novembre. Un portrait stylisé de Nelligan est inclus dans ce texte.

539 — *Nelligan, ou la poésie au désert,* dans *La Presse,* 83e année, nº 198, 26 août 1967, p. 25.

On hésite sur la signification du titre. Quant au contenu de l'article, c'est un simple résumé du numéro spécial d'*Études françaises* **d'août** 1966, consacré en grande partie à Nelligan. Il manque ici une opinion personnelle.

540 — *Prix, Lancements et Jeux de plume,* dans *La Presse,* 83e année, nº 250, 28 octobre 1967, p. 25.

L'auteur parle du concours littéraire ainsi que des lancements chez Fides, principalement des éditions de luxe des *Poésies* d'Émile Nelligan et de l'œuvre de Félix-Antoine Savard, *Menaud, maître-draveur.*

541 [PRESSE CANADIENNE], *Colloque sur le poète Émile Nelligan en fin de semaine à McGill,* dans *Le Droit,* vol. 54, nº 195, 16 novembre 1966, p. 25.

Annonce du Colloque Émile Nelligan.

542 [PRESSE CANADIENNE], *De l'image au son,* dans *Le Nouvelliste,* vol. 47, nº 15, 17 novembre 1966, p. 20.

Article de circonstance à l'occasion du vingt-cinquième anniversaire de la mort de Nelligan.

543 [PRESSE CANADIENNE], *Erratic Montreal Poet Is Being Rediscovered,* dans *Quebec Chronicle,* vol. 204, nº 21, 17 juillet 1967, p. 12.

Bref aperçu sur la vie du poète. Au sujet de sa poésie, on souligne le rôle de l'Association des Amis d'Émile Nelligan, fondée par le docteur Lionel Lafleur, qui aide grandement à la diffuser et à en perpétuer le culte.

544 PREZZOLINI, Giuseppe, *Poeta in lingua francese del Canada, Émile Nelligan,* dans *Idea* (Rome), 5e année, nos 9-10, 1-8 mars 1953, p. 1-2.

L'édition des *Poésies complètes* de Nelligan a suscité en Italie des commentaires favorables. On reproduit, dans le texte italien, « La Romance du Vin ».

545 PRISCA, *Sainte Cécile et les musiciens,* dans *Le Devoir,* vol. 32, n° 271, 22 novembre 1941, p. 23.

Ayant recours à l'histoire, l'auteur veut expliquer comment sainte Cécile est devenue la patronne des musiciens. On signale aussi l'attrait extraordinaire sur Nelligan de cette « Belle sainte au fond des cieux ».

546 PROULX, A.-E., *Voyageurs Rhapsodes et Trouvères. André Thévet,* dans *Le Nationaliste,* 6ᵉ année, n° 52, 13 février 1910, p. 2.

Quelques généralités sur la littérature canadienne-française précèdent la biographie de Thévet. Admettons que Nelligan ait sa place parmi les poètes modernes. Mais assimiler Beauchemin, Nelligan, Lozeau, Doucet, Ferland aux poètes français, prouve que l'auteur connaît mal les œuvres dont il parle.

547 PROVINCE DE QUÉBEC. LE SECRÉTARIAT DE LA PROVINCE. [« Renseignements à la date du 19 décembre 1966 concernant les opérations de l'Association des Amis d'Émile Nelligan en tant qu'une corporation »], 4 pages.

Le rapport est préparé conformément aux dispositions de l'article 2, de la Loi sur les compagnies. Les lettres patentes de l'Association des Amis d'Émile Nelligan ont été stipulées le 6 septembre 1966. L'Association se propose d'honorer « la mémoire du poète Émile Nelligan ». L'annexe A, jointe à ce document, contient les noms et adresses des membres du Comité exécutif de l'Association, formé de Lionel Lafleur, président; Louis-Martin Tard, vice-président; Lise Perret, secrétaire; Michel Brochu, trésorier; Éloi de Grandmont, Roger Champoux, Cécile LeBel, Jean-Pierre Crete, Daniel Lanthier, administrateurs.

548 RACICOT, Paul-Émile, [*Émile Nelligan*]. *Poésies complètes,* dans *Relations,* vol. 13, n° 146, février 1953, p. 56.

Quelques brèves remarques, en général peu favorables, à propos de la cinquième édition des *Poésies* de Nelligan; on y décèle un parti pris dont on s'explique mal l'origine et la motivation.

RAINIER [aussi Reinier ou Renier], Lucien. Voir: Melançon, Joseph, notices 513-514.

549 [RÉDACTION DU MONDE ILLUSTRÉ], *Le Carnet du Monde illustré. Émile Kovar,* dans *Le Monde illustré,* 13ᵉ année, n° 638, 25 juillet 1896, p. 195.

C'est sous ce pseudonyme que Nelligan a envoyé ses poèmes au *Monde illustré*; la rédaction estime que sa poésie n'est pas sans mérite. L'euphémisme est toujours commode.

550 — *Petite Poste en famille. É. N. Peck-à-boo-Villa,* dans *Le Monde illustré,* 14ᵉ année, n° 679, 8 mai 1897, p. 23.

La rédaction signale les défauts techniques du sonnet le « Coursier », un sonnet, aujourd'hui perdu, que Nelligan envoya à cet hebdomadaire, sans le signer.

551 RENAUD, Jacques, *Témoignages d'écrivains,* dans *Études françaises,* vol. 3, n° 3, août 1967, p. 306.

L'auteur du *Cassé* livre ses idées sur Nelligan: « J'apprécie par-dessus tout, dit-il, la discrétion de sa poésie et de son destin. C'est d'une manière toute naturelle qu'il est devenu un héros national, un mythe vivant, les rares événements connus de sa vie ayant tous un caractère de tragédie et de légende. Héros national, aussi, parce qu'il est l'un des premiers à avoir mis, entre lui et la réalité, comme pour la mesurer, une véritable distance. Nelligan est une figure que personne, en tout cas, ne songe à contester et à cause de cela, l'un des seuls, parmi notre galerie de héros, qui puisse rallier tous les Québécois. »

552 RICHER, Julia, *Poésies complètes d'Émile Nelligan,* dans *Notre Temps,* vol. 8, n° 7, 6 décembre 1952, p. 5.

Article publié à l'occasion du lancement de la cinquième édition des *Poésies* de Nelligan. Dans le texte: une photographie de Nelligan et le poème « A une femme détestée ».

553 — *Échos littéraires,* dans *L'Information médicale et paramédicale,* vol. 21, n° 9, 18 mars 1969, p. 50-51.

554 — *Échos littéraires,* dans *L'Information médicale et paramédicale,* vol. 23, n° 21, 21 septembre 1971, p. 16.

Compte rendu du livre *Nelligan et la musique.* « M. Wyczynski, écrit Julia Richer, saisit la beauté, l'équilibre, la sonorité du verbe nelliganien. »

555 RINFRET, Fernand, *L'Effort littéraire du Canada,* dans *Mémoires de la Société royale du Canada,* Série B, vol. 13, section 1, 1919, p. 101-112, surtout p. 104-106.

Coup d'œil rapide sur l'ensemble de la littérature canadienne-française. Quelques remarques au sujet de l'École littéraire de Montréal. En citant les deux quatrains du « Vaisseau d'Or », Rinfret formule ce commentaire: « Voyez [. . .] la forme subtile, plus riche, fort soignée et l'inspiration toute humaine, 'délocalisée'. »

556 ROBERT, Guy, *Du désir demeuré désir au « Goût bizarre du tombeau »,* dans *Le Devoir,* vol. 55, n° 78, 4 avril 1964, p. 18-19. Amputé, différemment appelé sous le titre « Nelligan tel qu'il fut », ce texte est reproduit dans **Émile Nelligan,** Montréal, Fides, [1968], p. 23-31. (« Dossiers de documentation sur la littérature canadienne-française », n° 3.) Une autre fois remanié et avec un nouveau titre, « Nelligan : un désir demeuré désir », le voilà intégré au livre **Aspects de la littérature québécoise,** Montréal, Beauchemin, 1970, p. 115-130.

Nombreuses vues d'ensemble projetées dans les problématiques actuelles. A vrai dire, l'auteur se contente de dégager les problèmes, lorsqu'il insiste sur les rapports entre la conscience créatrice et la conscience d'aliénation; insuffisamment formulés et examinés, ils n'autorisent pas de solution clairement entendue.

557 — **Aspects de la littérature québécoise,** Montréal, Beauchemin, 1970,
(R 556) 193 pages, surtout « Nelligan un désir demeuré désir », p. 115-130.

Le livre se compose d'articles antérieurement publiés. L'étude sur Nelligan est plus élaborée que son original qui parut d'abord dans *Le Devoir* du 4 avril 1964, p. 18-19; elle en diffère par l'introduction d'extraits qui figurent dans *Émile Nelligan,* Montréal, Fides, [1968], p. 23-31. (« Dossiers de documentation sur la littérature canadienne-française », n° 3.)

558 ROBIDOUX, Réjean, *Émile Nelligan, expérience et création,* dans **Nelligan : poésie rêvée, poésie vécue,** Montréal, Le Cercle du Livre de France, 1969, p. 123-153.

Ce texte d'une conférence donnée à l'Université de Montréal le 13 juillet 1966, puis à l'Université McGill pour le Colloque Émile Nelligan le 18 octobre 1966, témoigne d'une lecture approfondie et savamment commentée des 24 poèmes de Nelligan. L'auteur conclut: « Chez nous, Nelligan est à coup sûr le premier — je ne pense pas qu'aujourd'hui il soit le seul — qui mérite d'être appelé grand. »

559 ♦ — *La Signification de Nelligan,* dans **La Poésie canadienne-française,** Montréal, Fides, 1969, p. 305-321. (Collection « Archives des lettres canadiennes », t. 4.)

Avec rigueur et pénétration, l'auteur cherche à cerner le dynamisme et l'authenticité de l'œuvre de Nelligan. Il réfute le point de vue de Georges-A. Vachon qui, dans « L'Être du silence et l'âge de la parole » (*Études françaises,* août 1967), cherchait « avant tout à confirmer dans le morne passé de nos lettres un schéma sociologique [qui implique] le nivellement radical de ce qu'il y a de remarquable dans la singularité de Nelligan ». Cette remarquable singularité créatrice, qui rend unique la poésie de Nelligan, Réjean Robidoux la prouve grâce à son analyse fouillée de quelques poèmes: « Je veux m'éluder », « Musiques funèbres », « Tombeau de Charles Baudelaire », « Les Corbeaux », « Clair de lune intellectuel » . . . (Ce texte a servi de matière à une conférence donnée au Centre d'études canadiennes-françaises de l'Université McGill, le mercredi 26 février 1969.)

560 ROBIN, Étienne, *Études nelliganiennes,* dans *L'Information médicale et paramédicale,* vol. 18, n° 20, 6 septembre 1966, p. 33.

L'auteur évoque en quelques mots l'entrée de Nelligan à l'École littéraire de Montréal. Il souligne, par ailleurs, l'importance des études de Luc Lacourcière, de Gérard Bessette et de Paul Wyczynski dans ce domaine.

ROSSET, Clément. Voir: Germain, Jean-Claude, notice 374.

561 ROUSSIN, Camille, *Soirées littéraires au Collège Saint-Laurent : « Rapprochement entre les Gouttelettes de M. Pamphile LeMay et l'œuvre d'Émile Nelligan. Conférence par M. Amédée Jasmin, E.E.L. »*, dans *L'Avenir du Nord,* vol. 10, n° 21, 24 mai 1906, p. 2.

L'auteur propose quelques parallèles intéressants qui devraient faire comprendre au public les thèmes et les procédés techniques de ces deux écrivains.

562 R[OUX], J[ean]-L[ouis], *Poésies,* dans *Le Quartier latin,* vol. 28, n° 25, 29 janvier 1946, p. 3.

Simple présentation de la quatrième édition des *Poésies* de Nelligan, ce texte est signé « J.L.R. » qui sont les initiales de Jean-Louis Roux, rédacteur en chef de *Quartier latin* à l'époque.

563 ROY, abbé Camille, *M. Émile Nelligan,* dans **Tableau de l'histoire de la littérature canadienne-française,** Québec, Imprimerie de l'Action sociale, 1907, p. 28.

Jugement lucide malgré sa teinte moralisatrice. Il est bon de rappeler ce qui est dit au sujet de Nelligan dans le premier manuel de la littérature canadienne-française: « La poésie de Nelligan est sortie toute en fièvre de son imagination et de sa pensée; elle tient au tempérament surexcité, malade du poète, et nullement à nos traditions nationales et religieuses. En quoi elle diffère des autres poésies canadiennes. Mais cette âme impressionnable, que la névrose secoue et ébranle, est une âme d'artiste. Qu'elle s'inspire de Verlaine, de Beaudelaire [*sic*], de Rollinat, ou qu'elle s'extériorise elle-même en des strophes ardentes, tristes, désespérées, elle nous intéresse par tout ce qui en elle s'inquiète, chante, s'exprime. L'artiste recherche avec soin le mot pittoresque ou rare qui fasse image ou harmonie musicale. Il est regrettable que l'on rencontre souvent dans ces vers des excentricités déconcertantes. » Toutes les éditions de cet ouvrage, même si la place accordée à Nelligan a doublé après 1920, ont repris l'essentiel de ces affirmations.

564 — *French-Canadian Literature,* Toronto, Glasgow, Brook & Company, 1913, p. 435-489, surtout p. 469-470. (Collection « Canada and its Provinces », sous la direction d'Adam Shortt et d'A. G. Goughty. A noter que la pagination de l'étude de Roy est celle de la collection.)

Au même titre que Lozeau, Nelligan est tenu pour le membre le plus représentatif de l'École littéraire de Montréal. On reproduit son « Vaisseau d'Or », en signalant également les influences littéraires qui se manifestent dans l'œuvre poétique.

565 — *Notre littérature,* dans *Le Devoir,* vol. 19, n° 140, 16 juin 1928, p. 7.

Texte d'un discours que Mgr Roy a prononcé à Saint-Boniface, sur la naissance de la littérature canadienne de langue française. L'auteur passe en revue historiens, romanciers et poètes et, parmi ces derniers, nomme Nelligan.

566 ROY, Claire, *Émile Nelligan, adolescent tragique,* dans *Le Nouvelliste,* vol. 47, n° 107, 8 mars 1967, p. 10.

Il s'agit d'une conférence que le professeur André Brousseau donna au Cercle de philosophie du Centre d'Études universitaires de Trois-Rivières. A retenir les passages où s'établissent les rapports entre folie et création, entre névrose et psychose.

567 ROY, G., *Nelligan : Vaisseau d'Or,* dans *Les Jeunesses littéraires du Canada français,* vol. 4, n° 4, juin 1967, p. 7, 9-10.

Même jeune et inexpérimenté, on n'a pas le droit de taire ses sources d'information pour un devoir ou . . . un article. Ici l'auteur n'a pas cru bon de dévoiler qu'il avait puisé sa matière — les citations y comprises — dans le livre de Paul Wyczynski, *Émile Nelligan, sources et originalité de son œuvre,* p. 234-243.

568 ROYER, Jean, *Émile Nelligan,* dans *L'Action,* vol. 59, n° 17-[823], 26 novembre 1966, p. 7.

Article de circonstance, à l'occasion du vingt-cinquième anniversaire de la mort de Nelligan. La musicalité extraordinaire et la richesse des formes poétiques chez Nelligan ont particulièrement retenu l'attention du critique.

569 — *Des primes lumières données,* dans *Poésie,* vol. 1, n° 4, automne 1966, p. 9-10.

Excellente réponse à la question: « que représente Émile Nelligan pour un jeune poète, aujourd'hui ? ». C'est avant tout une présence lointaine que signifie un verbe fulgurant, triste et beau à la fois, nourri d'amours déçues. C'est aussi l'incarnation d'une véritable douleur d'homme, cette « tragique présence de la mort dans la vie ». En outre, c'est la révélation pour les jeunes que la poésie est un art: « par l'incantation de ses musiques, peut-être. Ou par la couleur de son romantisme aussi. Ou par le feu de son génie, encore. »

570 RUDEL-TESSIER *et al., La Neige neigeait en l'honneur de Nelligan samedi,* dans *La Presse* [Spec], vol. 1, n° 46, 31 décembre 1969, p. 4.

Compte rendu de la soirée au Restaurant du Vaisseau d'Or à Montréal; c'était une manifestation en hommage à Nelligan. L'habileté du réalisateur fut l'idée de faire participer une heure durant les téléspectateurs à cet hommage à un poète qui « déjeunait d'aurore et dînait d'étoiles ».

571 SAINTE-FOY, Jean, *Sur un sonnet,* dans *Le Terroir,* vol. 1, n° 4, décembre 1918, p. 17-22, surtout p. 20-21.

Conte de Noël en forme de dialogue pour évoquer la beauté de la poésie de Nelligan. Suit le poème « Amour immaculé ».

572 SAINT-GEORGES, Hervé de, *Pour avoir eu trop de génie, Émile Nelligan vit à jamais dans un rêve tragique qui ne se terminera qu'avec la mort,* dans *La Patrie,* 59e année, n° 175, 18 septembre 1937, p. 19, 21. Texte reproduit dans **Émile Nelligan,** Montréal, Fides, [1968], p. 24-26. (« Dossiers de documentation sur la littérature canadienne-française », n° 3.)

Beaucoup de détails intéressants sur Nelligan malade. Le texte contient une photographie du poète, en compagnie du Dr Richard et du journaliste Hervé de Saint-Georges. Le dernier tercet du « Vaisseau d'Or », transcrit par Nelligan le 14 septembre 1937, y est reproduit en fac-similé (p. 19).

573 ♦ — et Jean-Aubert LORANGER, *Émile Nelligan est décédé à 59 ans,* dans *La Patrie,* 63e année, n° 225, 19 novembre 1941, p. 3, 26.

Sociable dans ses moments de lucidité passagère, Nelligan aurait dit, à ses visiteurs, Hervé de Saint-Georges et J.-A. Loranger, à Saint-Jean-de-Dieu: « Ma dernière pièce, « Le Figaro rouge », est demeurée inachevée... Vous voulez savoir quels sont mes poètes préférés... Ce sont Alfred de Musset: un ami m'a prêté ses œuvres dernièrement. Je les ai lues avidement. Je nommerai aussi Victor Hugo, Paul Verlaine, Rimbaud, Rollinat... » La fin de l'article livre quelques souvenirs personnels d'Albert Laberge qui a prétendu que Nelligan avait ordinairement « dans ses poches un volume de Stuart Merrill, de Vielé Griffin ou de Georges Rodenbach... » et qu'il pensait alors à écrire un roman; il en aurait même composé le premier chapitre. « Le futur roman commençait par la fulgurante description d'un coucher de soleil. [...] C'était non pas une ébauche, mais un merveilleux tableau, une magistrale page de prose. » Deux photographies accompagnent ce texte: Nelligan-collégien, et Nelligan à l'hôpital, photographié le 14 septembre 1937 par Hervé de Saint-Georges.

574 SAINT-GERMAIN, André, *Un fou poète ou un poète fou : Émile Nelligan,* dans *Le Carabin,* vol. 27, n° 24, 29 novembre 1966, p. 6.
Compte rendu d'une soirée « Émile Nelligan », dans le cadre des mardis universitaires, à l'Université Laval. Luc Lacourcière et Gérard Bessette, ainsi que le R.P. Yves Garon y participèrent. Leurs exposés étaient, pour le fond, analogues à leurs conférences, prononcées quelques jours auparavant à l'Université McGill.

575 ♦ SAINT-HILAIRE, Joseph, *Les Soirées du Château de Ramezay. M. Émile Nelligan,* dans *Les Débats,* 1re année, n° 23, 6 mai 1900, p. 3.

NOTE

Partie d'une longue étude sur les œuvres des membres de l'École littéraire de Montréal, ce fragment constitue, dans l'histoire des écrits sur Nelligan, un premier effort de jugement objectif sur sa poésie. Il contient quelques allusions aux réunions dans la petite chambre de la Montée de Zouave, chez Louvigny de Montigny, quelques notations caractérielles du poète, des observations sur les particularités du langage nelliganien. La fin de l'article s'épanouit en hommage à cette misère de Nelligan « dont ses vers sont remplis ». Madame Nelligan avait gardé précieusement ce texte à l'intérieur d'un grand carton découpé en forme de livre ouvert. Mais l'auteur n'en est pas sûrement identifié. Selon Gérard Malchelosse (dans *Pseudonymes canadiens*), Joseph Saint-Hilaire serait le « pseudo collectif d'Olivar Asselin, Gustave Comte, Charles Gill, Jean Charbonneau, Germain Beaulieu, Henri-Gaston et Louvigny de Montigny qui ont ainsi signé, tour à tour, dans *Les Débats*, en 1899-1900, une série de critiques littéraires ». L'article fut repris, en 1937, dans *La Pensée française* d'Olivar Asselin et dans *Les Idées*, en 1938, en marge de la polémique Valdombre-Beaulieu, toujours avec la signature d'Asselin. Pourtant Luc Lacourcière hésite à souscrire à ce point de vue et formule des réserves dans son article « A la recherche de Nelligan », sans pouvoir répondre définitivement à cette question. Peut-être même la complique-t-il davantage quand il entend prouver que l'article n'est pas d'Asselin et que l'erreur serait imputable à Germain Beaulieu et à Gérard Dagenais. Ce dernier, au lendemain de la mort d'Asselin, aurait découvert, parmi les papiers du défunt, l'article en question, l'aurait inclus dans un recueil de ses œuvres : *Pensée française*. « C'est là que Beaulieu a trouvé l'article en question qui avait antérieurement paru dans *Les Débats* du 6 mai 1900, mais sous la signature de Joseph Saint-Hilaire » (p. 44). M. Lacourcière cite une lettre d'Asselin pour étayer ses dires et conclure : « Asselin affirme ne pas avoir connu Nelligan qu'il admire, tandis que Joseph Saint-Hilaire commençait, lui, par rappeler sa vieille camaraderie avec Nelligan. Saint-Hilaire et Asselin ne peuvent donc pas être ici le même homme » (p. 45). Voilà ce qui est hâtif. La question exigerait une argumentation plus serrée. Nous savons qu'Olivar Asselin a commencé à collaborer en mars 1900 aux *Débats* où il signait sa prose et ses poèmes de « F.-O. Asselin ». Le 1er avril 1900 fut publié, en page 4, son article *Aux jeunes : cessons nos luttes fratricides*, signé « Joseph Saint-Hilaire » (pseudonyme d'Asselin qui avait pour prénoms : Joseph-François-Olivar et qui était né à Saint-Hilarion, comté Charlevoix, en 1874). Il nous a été malheureusement impossible de vérifier les affirmations de Gérard Malchelosse, de savoir si Gustave Comte, Charles Gill, Jean Charbonneau, Germain Beaulieu, Henri-Gaston et Louvigny de Montigny avaient pu se servir de ce pseudonyme et en quelles occasions. Déjà malade, Jean Charbonneau nous faisait remarquer, en 1958, que « Joseph Saint-Hilaire » était bel et bien le pseudonyme d'Olivar Asselin. Ajoutons que M. Lacourcière a relevé que le premier paragraphe de l'article de Joseph Saint-Hilaire semble prouver que l'auteur a fort bien connu Nelligan : « Sa modestie pardonnera à notre vieille camaraderie d'esquisser ici quelques traits de son étrange figure. Ce sont d'intimes souvenances que partagent avec nous les fervents d'il y a quatre ou cinq ans, lors des amicales réunions dans la chambrette de la Montée du Zouave, chez Louvigny de Montigny. » Toutefois, la forme de politesse utilisée n'est pas le « je » pluralisé mais un pluriel de collectivité. Plus loin, dans le même article, lorsque l'auteur écrit : « fines trouvailles comme celle qui termine « La Romance du Vin » que nous avons déjà publiée ». (Le poème a paru, en effet, dans *Les Débats* du 1er avril 1900.) Le « nous » semble désigner la rédaction du journal au nom de laquelle Asselin paraissait s'exprimer.

A l'appui de ces hypothèses, il est intéressant de rappeler que les habitudes des rédacteurs des *Débats* les faisaient se réunir souvent (si l'on en croit Louvigny de Montigny), pour parler et mettre au point les livraisons prochaines, projeter leurs articles respectifs, lire et corriger ceux qui étaient déjà composés. Pourquoi ne pas croire qu'en bon journaliste, avec *Les Soirées du Château de Ramezay* sous les yeux, et reprenant les habitudes d'un Louvigny de Montigny, d'un Jean Charbonneau ou d'un Charles Gill, Olivar Asselin n'ait pas rédigé, au nom du groupe, l'article qu'il aurait conservé par la suite dans son recueil de coupures de presse, comme étant le sien propre ? Les références au passé dans l'article ne sont là que pour l'introduire; le corps du texte traite de l'originalité de Nelligan, à partir des pièces publiées dans *Les Soirées du Château de Ramezay*. Nous avons pu consulter personnellement les archives privées de Jean Charbonneau, de Louvigny de Montigny et de Charles Gill. Ni dans leurs notes, ni dans leurs écrits sur Nelligan, nous n'avons relevé trace d'une contribution précise de leur part à l'article en question. On peut prétendre que l'article n'est pas d'Asselin; mais il y a autant de chances à parier qu'il le soit. En l'état actuel des recherches, cette question n'est pas encore résolue.

576 SAINT-ONGE, Paul, *Propos sur le roman (XI) : Cécile Cloutier — Émile Nelligan,* dans *Le Droit,* 52e année, n° 7, 9 janvier 1965, p. 7.

Essai critique de la poésie de Cécile Cloutier où l'auteur a l'occasion de raconter sa propre découverte de la poésie de Nelligan.

577 SAMSON, Jean-Noël, [collaboration à] **Émile Nelligan,** Montréal, Fides, [1968], 104 pages, surtout p. 23-82. (Collection « Dossiers de documentation sur la littérature canadienne-française », n° 3.)

L'auteur a procédé au choix et rédigé la présentation des textes regroupés en cinq sections: « Nelligan tel qu'il fut », « Nelligan et la critique », « Études de poèmes », « Thèmes et influences de l'art nelliganien », « Richesse de la langue nelliganienne ». Chaque section ne groupe pas obligatoirement les textes les plus représentatifs, qu'ils soient fragmentaires ou étudiés entièrement. A deux reprises, le titre trahit le contenu de la section. Un article, publié comme une libre réflexion, dans *Le Devoir,* ne devrait pas être utilisé pour fournir ce titre désinvolte: « Nelligan tel qu'il fut ». Les « Thèmes et Influences » ne fournissent pas les connaissances actuelles sur le sujet. Il faudrait, à l'occasion de la deuxième édition, choisir avec plus de rigueur les textes, en respectant leur chronologie et en tenant compte de leur valeur intrinsèque; le lecteur pourrait alors avoir à sa disposition une petite anthologie de bons textes sur les aspects fondamentaux de l'œuvre de Nelligan.

— Voir: Charland, Roland-M., notice 276.

578 SAUVAGEAU, Richard, *Nelligan n'était pas un fou,* dans *Le Nico : journal des étudiants du Séminaire de Nicolet,* vol. 5, n° 4, 14 décembre 1967, p. 6-7.

L'auteur se dresse contre « une certaine critique » qui veut accréditer en Nelligan un fou à l'œuvre, loin du monde montréalais; mais il tient aussi à faire valoir son point de vue sur l'« imagination surexcitée » qui a engendré la « Romance du Vin ». « Par-dessus tout, dit M. Sauvageau, Nelligan voulut être poète. Toute sa vie il travailla à se rendre voyant de cette voyance même qui caractérise la poésie de Rimbaud. D'ailleurs, le 'Vaisseau d'Or' et le 'Bateau Ivre' sont en quelque sorte le résumé poétique de leur vie et de leur art. Mais chez Nelligan le rêve s'intensifie au point tel qu'il se prolongera jusqu'à sa mort. Et c'est alors une profonde pénétration dans un monde mystérieux qu'il est le seul à connaître, n'ayant pu l'exprimer. Quoi qu'on puisse dire de sa poésie, l'authenticité immédiate de son témoignage est d'une sincérité à toute épreuve. Nelligan est un fou, certes, mais un fou de génie. »

SEERS, Eugène. Voir: Dantin, Louis, notices 304-308.

579 SIMARD-LAVALLÉE, Gisèle, « La Maison hantée de Nelligan » [manuscrit], Jonquière, Société d'études et de conférences (Cercle Lajoie), 1967, 25 feuillets.

La maison « hantée » de Nelligan mériterait d'être approfondie dans un sens plus original, plus étayée de références. Le titre frappe, mais l'auteur suit trop fidèlement, dans la seconde partie de son travail — et aussi dans son plan — le livre: *Émile Nelligan, sources et originalité de son œuvre.*

580 [SOCIÉTÉ DES POÈTES CANADIENS-FRANÇAIS (La)], *Hommage à Nelligan,* communiqué, texte dactylographié, [juillet 1966], 1 feuillet.

Communiqué en deux parties: l'une, qui précise la participation de la Société à la Semaine Nelligan; l'autre, pour annoncer un concours de poésie « Hommage à Nelligan ». « Ce concours est ouvert, précise le communiqué, à tous ceux qui font de la poésie, à quelque groupe qu'ils appartiennent. Le poème devra être écrit en langue française et signé du nom véritable, avec adresse complète du concurrent. Toutes les formes poétiques sont acceptées. Le poème ne devra pas avoir moins de quatorze (14) vers et pas plus de vingt-cinq (25). Le prix attribué est de cinquante dollars ($50.00). Les manuscrits ne seront pas retournés. Le verdict du jury sera définitif. On devra faire parvenir deux copies dactylographiées avant le 1er octobre 1966, à la secrétaire générale, Mme Albertine Boisseau, 1155, avenue Moncton, Québec 6, P.Q. » Ce communiqué sera reproduit dans plusieurs journaux de langue française, à Québec et à Montréal.

581 ♦ SOCIÉTÉ DES POÈTES CANADIENS-FRANÇAIS (La), *Poésie,* vol. 1, n° 4, automne 1966, 36 pages.

Ce numéro de *Poésie,* consacré à Nelligan, s'ouvre avec la reproduction du « Vaisseau d'Or ». A la page 8, le fac-similé de « Château rural », poème autographe de Nelligan. Une première partie du fascicule contient plusieurs articles: « Ce fut un Vaisseau d'Or » par Reine Malouin, « Pour nous, ceux d'avant-hier » d'Alice Lemieux-Lévesque, « Des primes lumières données » de Jean Royer, « Émile Nelligan » de Lionel Lafleur, « Une première visite à Émile Nelligan » de R. Dion-Lévesque. Reine Malouin y publie également un sonnet: « Toast aux larmes ! » Dans la seconde partie, intitulée « Tombeau de Nelligan », on a groupé plusieurs poèmes en hommage à Nelligan: « Hommage à Nelligan » de Lionel Lafleur, « A Émile Nelligan » d'Alfred Des-Rochers, « La Cloche de Tadoussac » de Charles Gill, « Musique et Névrose » de Guy Delahaye, « L'Épave » de Francis DesRoches, « A Émile Nelligan » d'Albert Lozeau, « A Émile Nelligan » d'Ernest Pallascio-Morin, « Nocturne sur Nelligan » de François Hertel, « Nelligan » de Gaston Gilbeault, « Sonnet à Émile Nelligan » de R. Dion-Lévesque, « Nelligan, ô mon frère » de Reine Malouin, « A celle qui lisait Nelligan » de Maurice Hébert.

582 SŒURS DE SAINTE-ANNE, **Précis d'histoire des littératures, française, canadienne-française, étrangères et anciennes,** Lachine, Procure des Missions des Sœurs de Sainte-Anne, 1925, 478 pages, surtout p. 258-259.

On trouve là une notice biographique et quelques remarques sur l'œuvre conformes aux idées de Dantin et de Charles ab der Halden. Nelligan est classé parmi les « Poètes psychologues » (?). Pour évoquer le jeune artiste, un quatrain est cité dont voici le premier vers: « Je sens voler en moi les oiseaux du génie ».

583 — **Précis d'histoire littéraire : littérature canadienne-française,** Lachine, Procure des Missions des Sœurs de Sainte-Anne, 1928, 336 pages, surtout p. 155-156, 275.
(R 582)

Texte analogue au précédent.

584 — **Histoire des littératures française et canadienne,** Lachine, Procure des Missions Mont Sainte-Anne, 1954, 602 pages, surtout p. 529-530. (Édition refondue et mise à jour.)
(R 582)

Toujours le même texte, mais Nelligan figure désormais dans la section appelée « Poésie subjective ».

585 SYLVESTRE, Guy *Deux judicieuses rééditions,* dans *Le Droit,* vol. 34, n° 40, 16 février 1946, p. 2.

Guy Sylvestre commente la quatrième édition des *Poésies* de Nelligan. « S'il eût vécu à la poésie, remarque l'auteur, Nelligan aurait été notre plus grand et notre plus parfait poète; telle qu'elle est, son œuvre est une des premières de notre histoire littéraire. »

586 — *Poésie d'Émile Nelligan,* dans *Le Soleil,* 65e année, n° 72, 23 mars 1946, p. 8.

Quelques remarques judicieuses au sujet de la quatrième édition des *Poésies* de Nelligan. Substantiellement, cet article est semblable à celui publié dans *Le Droit* du 16 février 1946.

587 — *La Littérature canadienne-française,* dans *Panorama das Literaturas das Américas* (de 1900 à actualidad), Angola, Ediçâo do Município de Nova Lisboa, 1958, t. 1, p. 243-278, surtout p. 256-263. (Direcçâo de Joaquim de Montezuma de Carvalho.)

On passe en revue les lettres canadiennes-françaises. Les passages sur Nelligan se trouvent dans cette étude à la troisième section, intitulée

« Au tournant du siècle ». A retenir ce jugement formulé à la page 262: « Ce poète qui a sombré dans la folie dès l'âge de vingt-deux ans [*sic*] mais qui avait déjà eu, comme Rimbaud, le temps de lancer son cri, nous a laissé des poèmes qui sont un des sommets de la poésie canadienne. Il y a dans ses vers de livresques oripeaux parnassiens, mais cet extraordinaire adolescent, idéaliste et mélancolique, dont le cerveau était peuplé de chimères, a parfois atteint à la grande poésie, soit qu'il ait laissé couler une plaintive musique ou qu'il ait célébré avec éclat ses douleurs et ses ivresses. »

588 — *Amour et poésie : Éros au pays de Québec,* dans *Le Devoir,* vol. 55, n° 263, 7 novembre 1964, p. 20-21.

Éros, dit le critique, ne fut absent que de la poésie en langue française, écrite au Québec. Chez Nelligan et Lozeau, elle fut surtout « un objet de rêve ». L'amour est devenu le thème courant de cette poésie vers 1930, pour devenir thème central dans la poésie d'Alain Grandbois.

589 — *Au tournant du siècle,* dans *Panorama des lettres canadiennes-françaises,* Québec, Ministère des Affaires Culturelles, 1964, p. 24-28. (« Arts, vie et sciences au Canada français », 1.)

Nelligan est situé dans l'ensemble de l'histoire de l'École littéraire de Montréal.

590 — Brandon CONRON et Carl F. KLINCK, **Canadian Writers — Écrivains canadiens,** Montréal, HMH, 1966, xviii, 186 pages, surtout p. 115-116.

Bon résumé de la biographie de Nelligan. Celle-ci est conçue en fonction de l'ouvrage qui est plutôt un dictionnaire biographique, avec un « Avant-propos » et un « Tableau chronologique » (1606-1965) de grande utilité.

591 — *La Poésie,* dans *University of Toronto Quarterly,* vol. 37, n° 3, juillet 1967, vol. 36, n° 4, p. 524-530, surtout p. 524.

Bref résumé des manifestations qui ont marqué le 25e anniversaire de la mort de Nelligan.

592 — *La Poésie,* dans *University of Toronto Quarterly,* vol. 37, n° 4, juillet 1968, p. 578-588, surtout p. 578.

L'auteur signale la parution des *Poèmes choisis* d'Émile Nelligan, chez Fides.

593 — *Émile Nelligan,* dans *Dictionnaire des littératures, II,* Paris, Presses universitaires de France, 1968, p. 2783-2784.

La place occupée par Nelligan dans ce *Dictionnaire* correspond à l'importance réelle du poète. Guy Sylvestre le restitue ainsi: « Doué d'une imagination vive, d'un goût prononcé pour les mots qui font image et d'un sens du rythme infaillible, il a chanté surtout son amour platonique de la Beauté, qu'il opposait sans cesse aux laideurs de ce monde; il a sombré dans le rêve et c'est ce déchirement de l'âme entre l'idéal et la réalité qui lui a arraché ses cris les plus touchants. »

594 ♦ TANGUAY, f.ch., Albert, *26 ans pensionnaire chez les Frères de la charité : Émile Nelligan,* dans *Le Bulletin des Frères éducateurs du Canada,* n° 19, septembre-octobre 1969, p. 30.

Intéressant témoignage d'un frère qui put durant dix ans observer le poète malade et lui parler souvent. Il a recueilli de précieux renseignements. « Lorsque nous échappions parfois à la vigilance des surveillants, écrit-il, nous nous risquions vers la cour des malades et nous appelions notre poète toujours fidèle à répondre. Nous prenions grand plaisir à l'entendre réciter ses poèmes, par exemple: 'Le Vaisseau d'Or' et 'La Romance du Vin'. De sa voix de baryton Émile s'exécutait: son débit recto-tono émettait pourtant une chaleur qui ne nous laissait pas indifférents. Nous avions appris, en outre, que François Coppée comptait parmi ses poètes préférés; il connaissait par cœur plusieurs de ses pièces et parmi celles-ci, les deux longs poèmes intitulés 'La Bénédiction' et 'La Grève des forgerons'. C'est même dans ces deux pièces que nous sentions encore vibrer l'âme de ce poète qui s'enfonçait déjà dans la nuit. Mes contacts répétés avec Émile eurent lieu au cours des années 1908 à 1913. Je revis Émile Nelligan sept ans plus tard, entre les années 1920 et 1924. Depuis, son état mental s'était progressivement détérioré. »

595 TARD, Louis-Martin, *1966, c'est l'année Nelligan,* dans *La Patrie,* 87e année, n° 23, 12 juin 1966, p. 49.

En évoquant l'enfance de Nelligan, l'auteur souligne la part des chansonniers et des compositeurs qui ont mis ses poèmes en musique: Maurice Blackburn, François Dompierre, Pierre Bourdon, Claude Léveillée. « Le Vaisseau d'Or » est souvent chanté par Nicole Périer.

596 TASSIE, J.-S., *Commentaire sur la conférence de Luc Lacourcière,* dans **Nelligan : poésie rêvée, poésie vécue,** Montréal, Le Cercle du Livre de France, 1969, p. 55-58.

L'auteur n'apporte qu'un jugement superficiel sur le témoignage de Lucien Lemieux. On dirait qu'il n'a aucunement approfondi les vues de Luc Lacourcière et de Paul Wyczynski sur l'amitié littéraire entre Nelligan et Melançon. Il a néanmoins raison de considérer l'étude de Luc Lacourcière comme « une sorte de poste face à son édition critique, sans grande prétention à de plus amples renseignements biographiques ».

597 THÉBERGE, Jean-Yves, *Le Livre de poche,* dans *Le Canada français,* vol. 106, n° 39, 17 février 1966, p. 26.

Quelques considérations sur l'utilité du livre de poche, ce format qui possède en sa collection les *Poèmes choisis* de Nelligan, publiés chez Fides, dans la collection « Bibliothèque canadienne-française ».

598 — *Il y aura vingt-cinq ans demain . . . ,* dans *Le Canada français,* vol. 107, n° 26, 17 novembre 1966, p. 30.

Le Canada français consacre une page entière à la mémoire de Nelligan. J.-Y. Théberge l'a préparée avec la collaboration des élèves de l'école Beaulieu et du professeur Joachim Trottier. Les sentiments des élèves — Francine Harbec, Germain Harbec, Nancy Gagnon, Louise Lanciault, Lucette Huet, Ruth Langlois, Jean-Pierre Gingras — s'y expriment très spontanément. Le texte de Théberge leur sert d'introduction.

599 T[HÉBERGE], J[ean]-Y[ves], *1966, l'année Nelligan,* dans *Le Canada français,* vol. 107, n° 35, 19 janvier 1967, p. 30.

« Pour le monde littéraire québécois, écrit l'auteur, l'année 1966 aura été celle de Nelligan. » Il souligne le travail considérable accompli par l'Association des Amis de Nelligan.

600 T[HÉBERGE], J[ean]-Y[ves], *Un dossier Émile Nelligan,* dans *Le Canada français,* vol. 109, n° 19, 3 octobre 1968, p. 24.

Quelques commentaires sur *Émile Nelligan* (« Dossier de documentation sur la littérature canadienne-française », n° 3), publié aux Éditions Fides en 1968.

601 TILLY, André, *Poésies complètes d'Émile Nelligan,* dans *La Tribune,* 43e année, n° 296, 10 février 1953, p. 4.

Compte rendu de l'édition des *Poésies complètes* avec quelques commentaires sur l'originalité de ce genre: « Il est grand, le poète qui a écrit « Le Vaisseau d'Or » et « La Romance du Vin ». L'exaltation de Nelligan atteint à un sommet dans ce dernier poème. A lire ces vers, on sent monter en notre âme les accords de l'Hymne à la joie de la Neuvième Symphonie. Nelligan, comme Beethoven, a voulu incarner son génie dans un chef-d'œuvre. »

602 ♦ TOUGAS, Gérard, *Émile Nelligan (1879-1941),* dans **Histoire de la littérature canadienne-française,** Paris, Presses universitaires de France, 1960, p. 94-99.

On ne peut reprocher à une histoire de la littérature de résumer la vie et l'œuvre du poète. Toutefois, Tougas a su glisser dans la présentation biographique et les analyses littéraires ses réflexions fort pertinentes sur Nelligan. Qu'on en juge par sa conclusion: « Nelligan devait exercer une influence durable sur la poésie canadienne. Avant lui, le choix des sujets n'avait guère varié; l'histoire du Canada, les joies du foyer ou de la vie des champs, de vagues tristesses à la René, étaient à peu près les seuls thèmes qu'un poète canadien osât traiter. Or Nelligan dédaigna les sujets dits canadiens et trouva son inspiration dans le symbolisme. Par là, il ouvrait de plus larges horizons à ses successeurs. Il avait prouvé, par l'exemple de son génie, que le poète authentique cherche ses sujets selon des règles qu'il est le seul à connaître et que ces sujets eux-mêmes ne sont valorisés que par le prestige de la forme. L'on devait bien lui reprocher de n'avoir pas trouvé son inspiration au Canada; mais, au fond, Nelligan est le plus canadien des poètes. »

603 — *« La Poésie de Nelligan » de Paul Wyczynski,* dans *Canadian Literature,* n° 7, hiver 1961, p. 62-65.

Compte rendu soigneux du livre de Paul Wyczynski, *Émile Nelligan, sources et originalité de son œuvre.*

604 — *Émile Nelligan (1879-1941),* dans **Histoire de la littérature canadienne-française,** Paris, Presses universitaires de France, 1964, p. 73-77 (2e édition). Le même texte paraîtra dans la 3e (1965) et la 4e (1967) éditions.

Dans la première édition, les pages qui étaient consacrées à Nelligan, se sont ici enrichies d'éléments fournis par les ouvrages depuis lors parus sur la question: *Poésies complètes* de Nelligan, édition Lacourcière; *Émile Nelligan, sources et originalité de son œuvre* de Paul Wyczynski; *L'École littéraire de Montréal,* 2e tome de la collection « Archives des lettres canadiennes ».

605 — *History of French-Canadian Literature,* Toronto, The Ryerson (R 604) Press, 1966, 300 pages, surtout p. 73-76 (traduit par Alta Lind Cook).

Traduction anglaise de la deuxième édition de l'*Histoire de la littérature canadienne-française* de Tougas. Le texte sur Nelligan est celui paru en français, en 1964.

606 *Tourbillon* [journal des étudiants de l'École normale de l'Université d'Ottawa], numéro spécial, novembre 1966, en grande partie consacré à Nelligan, 38 pages polycopiées.

On trouve ici des articles de vulgarisation, que ce soient les réflexions sur Nelligan à la page couverture (p. 6) de Denis Champagne, l'*Hommage à Nelligan* (p. 11), le *Colloque de M. Gérard Bessette...* (p. 13), le *Dévoilement de plaques commémoratives* (p. 19), *Au cimetière de la Côte-des-Neiges...* (p. 20), ou l'*Interview* (p. 23) par Alain Beauregard. Le journal reproduit quatre poèmes de Nelligan: « Le Vaisseau d'Or » (p. 12), « Banquet macabre » (p. 15), « Hiver sentimental » (p. 16), « Le Spectre » (p. 17); ils sont commentés par Alain Beauregard. Un auteur anonyme publie un poème en hommage à Nelligan à la page 21. A la page 11, un portrait de Nelligan, stylisé, exécuté vraisemblablement à la plume par quelque élève.

607 TOUSIGNANT, abbé Jean, *Analyses littéraires d'œuvres canadiennes, Émile Nelligan. Le Vaisseau d'Or,* dans l'*Enseignement secondaire,* vol. 36, n° 6, mars 1957, p. 271-272.

« Le Vaisseau d'Or » de Nelligan est commenté en vue d'une analyse littéraire. Le plan préparé repose sur quelques aspects marquants du texte: thème général, nœud lyrique, forme musicale, expression symbolique. Il s'agit d'une simple charpente proposée aux élèves comme point de départ.

608 TREMBLAY, s.j.m., Marcel, *Contribution aux recherches sur Émile Nelligan,* dans l'*Enseignement secondaire,* vol. 40, n° 5, mai 1961, p. 11-15.

Partant de l'ouvrage de Paul Wyczynski, *Émile Nelligan, sources et originalité de son œuvre,* l'auteur de l'article reproduit une lettre du père Clément Veillard, ancien professeur de Rhétorique au Séminaire de Valleyfield et supérieur au Collège de Bathurst. Le document contient un témoignage intéressant sur le poème « Bœuf spectral » de Nelligan de même que sur le fait que depuis 1908, la poésie de Nelligan figurait au programme du cours de littérature à l'Université du Sacré-Cœur de Bathurst.

609 TREMBLAY, Denis, *Dans le prochain numéro de « La Barre du Jour » des poèmes inédits d'Émile Nelligan,* dans *Montréal-Matin,* vol. 39, n° 170, 24 janvier 1969, p. 12.

Simple annonce des poèmes de Nelligan publiés par *La Barre du Jour* dans son numéro d'octobre-décembre.

610 T[URCOTTE], R[aymond], *Un inédit de Nelligan ?,* dans les *Cahiers de Sainte-Marie,* n° 1, mai 1966, p. 85-88.

L'auteur présente l'« Ancolie », un poème soi-disant « inédit » de Nelligan, demeuré dans les archives du docteur Guillaume Lahaise, connu aussi sous le pseudonyme de Guy Delahaye. Les rédacteurs n'ignorent pas que le docteur Lahaise avait déjà donné deux poèmes — « Les Balsamines » et « Vieille armoire » — à Luc Lacourcière; celui-ci les a publiés dans la première édition des *Poésies complètes* de Nelligan. Ce que la rédaction des *Cahiers* ignore, par contre, c'est que le sonnet « Ancolie » a déjà été publié par Luc Lacourcière dans la deuxième édition des « Poésies complètes » (1958) et que Paul Wyczynski, dans un article de la *Revue de l'Université d'Ottawa* (vol. 28, 1958, p. 539-540), a clairement établi que ce sonnet n'est pas de Nelligan mais de Joséphin Soulary: Nelligan s'est contenté de le transcrire de mémoire avant de le donner au docteur Lahaise vers 1907. Imprudemment les *Cahiers de Sainte-Marie* le reproduisent en fac-similé. (Il est à noter que Nelligan a transcrit une autre fois ce poème de mémoire, dans un des carnets de fortune, tenu à l'Hôpital Saint-Jean-de-Dieu par le malade.)

611 T[URGEON]-D[AIGNEAULT], P[aul], « *Les Mâts touchaient l'azur, sur des mers inconnues...* », dans *Le Soleil,* 69e année, n° 251, 22 octobre 1966, p. 9.

Publication de « Sérénade triste », suivie de l'annonce des événements prévus pour novembre: apposition de cinq plaques aux endroits où reste attaché le souvenir de Nelligan, un disque de vingt-sept poèmes dits par René-Salvator Catta, la publication des *Poèmes choisis,* le concours de poésie en hommage à Nelligan, le quatrième numéro de *Poésie,* consacré à Nelligan.

612 TURNBULL, Jean M., *Essential Traits of French-Canadian Poetry,* Toronto, MacMillan, 1938, 225 pages, surtout p. 120-134.

Nelligan est considéré ici comme le meilleur poète de l'École littéraire de Montréal. A l'éclairage des récentes découvertes, plusieurs remarques qui sont avancées à propos des influences littéraires subies par Nelligan, devraient être corrigées.

613 VACHON, G.-André, *L'Ère du silence et l'âge de la parole,* dans *Études françaises,* vol. 3, n° 3 (numéro spécial), août 1967, p. 309-321.

Article conçu dans un esprit de sociologie littéraire. L'auteur trouve alors normal d'évoquer les cycles d'aliénation québécoise depuis 1860. Dans cette perspective, les rapprochements entre Crémazie et Nelligan nous semblent plutôt forcés. Comparer l'attitude créatrice de Nelligan et celle de Crémazie, au strict plan des réalités para-littéraires, en tournant le dos aux vrais problèmes de création et de signification poétique, est dangereusement arbitraire. Il semble peu littéraire de justifier l'expérience créatrice par le seul climat intellectuel de la collectivité. Tout porte à croire qu'il y a entre Crémazie et Nelligan une différence essentielle de destin assumé et de parole inventée. Réjean Robidoux l'a fort bien démontré dans son article « Signification de Nelligan ». Quant à la note, « le premier essai poétique de Nelligan est de 1895 » (p. 309), nous la croyons erronée; le devoir de classe de Nelligan date du 8 mars 1896 et son premier poème fut publié le 13 juin de la même année.

614 (R 613) — *Les aînés tragiques: Crémazie, Nelligan,* dans *Europe* (revue mensuelle de Paris), 47e année, nos 478-479, février-mars 1969, p. 24-32.

Reprise textuelle de l'article publié dans *Études françaises.* Seul le titre a changé.

615 — *Émile Nelligan et la mélancolie,* dans **Nelligan : poésie rêvée, poésie vécue,** Montréal, Le Cercle du Livre de France, 1969, p. 103-113.

L'article en style de boutade affecte de croire que Nelligan n'est rien à moins qu'il ne soit « notre premier poète [par son] essence mélancolique ». L'auteur emploie aussi un style volontiers antithétique. En fin de compte, il nous parle plus de Laberge que de Nelligan. Aurait-il pu faire autrement ? Après avoir avoué qu'il n'a « guère relu Nelligan depuis [sa] dix-huitième année », il ne pouvait rien écrire de plus juste. Mais pourquoi alors prétendre pratiquer la vraie critique que n'autorise qu'une lecture attentive ? Reste à savoir dans quelle mesure l'auteur est sincère. L'article précédent — celui publié dans *Études françaises* et *Europe* — faisait plutôt croire que le jugement critique résulte d'un examen méticuleux du texte. L'étude de G.-André Vachon a donné des idées à Mme Paule Leduc qui la reprend dans l'esprit d'un excellent commentaire.

616 VALDOMBRE [X Claude-Henri Grignon], *Marques d'amitié,* dans *Les Pamphlets de Valdombre,* 2e année, n° 4, mars 1938, p. 173-176.

Réponse à l'article de Nanine Gruner — « Naissance de la littérature canadienne » — publié dans *Les Nouvelles littéraires* du 12 février 1938. Valdombre conteste la plupart des jugements de Nanine Gruner et notamment celui sur Nelligan. D'après Valdombre — qui tiendrait, dit-il, ses renseignements d'Asselin — les plus beaux vers de Nelligan « ne sont pas de lui mais d'un certain typographe, bohème, ivrogne à ses heures [...]. Ce « compositeur » de génie, refaisait les vers de Nelligan, qui était fou, les signait et croyait qu'ils étaient de lui. » Cela prouve qu'un critique qui méprise la vérité des faits, peut facilement s'égarer dans les pires non-sens. On sait aujourd'hui que le grand « secret » d'Asselin n'était qu'une invention pure et simple de ce pamphlétaire de Sainte-Adèle qui n'a jamais su contrôler ses invectives et chez qui l'imagination hargneusement déchaînée tient lieu de dialectique.

617 — *Louis Dantin, dit le vieillard cacochyme,* dans *Les Pamphlets de Valdombre,* 2e année, n° 6, mai 1938, p. 273-286.

Bien que les flèches décochées par Valdombre visent surtout Dantin, quelques-unes blessent aussi Nelligan.: « Ce Louis Dantin se croit la fine fleur des pois pour avoir préfacé un Nelligan imitateur et un peu fou. » Grignon accuse une fois encore à coups d'affirmations mensongères. Ses écrits sur Nelligan et Dantin sont tout juste bons à être placés dans un sottisier ou à mettre au « cabinet », comme l'aurait entendu Molière.

618 VALIQUETTE, Bernard, *Il y a vingt-cinq ans ... mourait Émile Nelligan,* dans *Échos-Vedettes,* vol. 4, n° 25, 9 juillet 1966, p. 22.

L'auteur rappelle l'anniversaire de la mort du poète que l'Association des Amis de Nelligan veut commémorer par toute une série de manifestations.

619 — *Poèmes choisis,* dans *Échos-Vedettes,* vol. 4, n° 52, 14 janvier 1967, p. 20.

Présentation du volume *Poèmes choisis* de Nelligan, que les Éditions Fides ont publié dans leur collection « Bibliothèque canadienne-française ».

620 VALLIÈRES, Claude, *L'Ombre de Nelligan,* dans *Le Progrès de Villeray,* vol. 33, n° 11, 13 mars 1968, p. 7.

L'auteur avoue qu'il a découvert Nelligan lors du Colloque de novembre 1966. Depuis, il s'est pris à l'aimer fraternellement.

621 VALOIS, Marcel, *Les « Poésies d'Émile Nelligan »*, dans *La Presse,* 69e année, n° 83, 24 janvier 1953, p. 64.

En soulignant l'importance du volume méthodiquement élaboré, l'auteur formule quelques remarques élogieuses sur le poète lui-même.

622 VENNE, Rosario, *Émile Nelligan et ma jeunesse,* dans *Défi,* vol. 1, n° 25, 26 novembre 1971, p. 24. (Avec une photographie de Nelligan et une strophe de chacun des poèmes suivants: « Le Vaisseau d'Or », « Soirs d'automne », « Devant deux portraits de ma mère », « Rêve d'artiste ».)

L'auteur parle des écoles fréquentées par Nelligan, le Collège Sainte-Marie et le Mont Saint-Louis, et retrouve ses impressions de jeunesse lorsqu'il découvrit l'œuvre nelliganienne. « J'ai lu son œuvre, écrit-il. J'étais pris par sa poésie. Je cherchais partout son souvenir. [...] Il semblait qu'il y eût un mystère autour de cette créature de rêve. [...] Comme tout cela est brodé de tendresse, de douceur et d'amour ! [...] Et comme c'est différent d'avec notre époque de refus, de violence et de haine... Ô Nelligan, la raison, ce n'est pas toi qui l'as perdue: c'est nous. »

623 VÉZINA, Émile, *Nos poètes : M. Émile Nelligan,* dans *Le Nationaliste,* 8e année, n° 12, 14 mai 1911, p. 1.

Un dessin de Nelligan, exécuté d'après la photo Lavergne, est suivi de la « Romance du Vin ».

624 VIATTE, Auguste, **Histoire littéraire de l'Amérique française des origines à 1950,** Québec, Presses universitaires Laval; Paris, Presses universitaires de France, 1954, xi, 545 pages, surtout le chapitre IV de la première partie, 2e section, « L'École littéraire de Montréal », p. 138-149.

Antérieur à 1950, l'ouvrage d'Auguste Viatte contient, sur l'École littéraire de Montréal, des renseignements qui seraient à compléter. Il s'est référé principalement aux études de Dantin, de Charles ab der Halden, de Jean Charbonneau et d'Olivier Maurault. Les pages sur Nelligan (p. 144-146) savent mettre en évidence le problème des sources et celui des influences. Beaucoup de thèmes et de rythmes, selon Auguste Viatte, seraient démarqués de Verlaine et de Baudelaire. A sa façon poète maudit, « Nelligan met à l'heure exacte le mouvement littéraire canadien. De là son retentissement immense et durable » (p. 146). La vigoureuse clarté de ce qu'écrit Auguste Viatte a certainement contribué à faire parler de Nelligan en France comme elle a contribué à intéresser toujours plus les Canadiens français à leur patrimoine littéraire.

625 — *Littératures connexes,* dans **Histoire des littératures,** Paris, Gallimard, 1958, p. 1365-1413, surtout « Canada », p. 1385-1390. (« Bibliothèque de la Pléiade ».)

Dans le cadre de l'École littéraire de Montréal, Auguste Viatte caractérise ainsi Nelligan: « Un décadent, verlainien, baudelairien, angoissé par l'approche de la folie qui l'emportera. Celui-là tient du grand poète: il a fait, de dix-huit à vingt ans, une apparition d'ange maudit qui rappelle Rimbaud. »

626 — *Deux étapes de poésie canadienne : Émile Nelligan, Anne Hébert,* dans *La Croix* (Paris), vol. 81, n° 23-[707], 12 décembre 1960, p. 5.

A partir du livre de Paul Wyczynski, *Émile Nelligan, sources et originalité de son œuvre,* et du recueil de poésies *Poèmes* d'Anne Hébert, publié aux Éditions du Seuil, Auguste Viatte estime le chemin parcouru par la poésie canadienne-française, entre 1900 et 1960. (Cet article a été reproduit dans *Le Carabin,* journal des étudiants de l'Université Laval, en date du 19 janvier 1961, p. 8.)

627 — *Deux étapes dans la poésie canadienne,* dans *Le Carabin,* vol. 20,
(R 626) n° 16, 19 janvier 1961, p. 8.

Réimpression de l'article d'Auguste Viatte, paru dans *La Croix,* à Paris, le 12 décembre 1960.

628 — *La Littérature canadienne-française,* dans **Encyclopédie générale Larousse,** Paris, Librairie Larousse, [1967], vol. 1, p. 803-805, surtout p. 803.

On y souligne combien Émile Nelligan tranche sur les autres membres de l'École littéraire de Montréal, tant par le tragique de sa vie que par la nouveauté de son art. « Il débute à dix-sept ans, il est atteint de folie à vingt; toute son œuvre, qui sera recueillie en 1903, date de ces trois années et traduit une névrose nourrie de Baudelaire; il ouvre la voie au lyrisme le plus moderne, dont il est regardé à bon droit comme le précurseur. » Mise au point précise et véridique.

629 VIGNEAULT, Robert, *Commentaire sur la conférence de Nicole Deschamps,* dans **Nelligan : poésie rêvée, poésie vécue,** Montréal, Le Cercle du Livre de France, 1969, p. 99-102.

Commentaire pertinent. L'auteur détecte facilement les faiblesses du texte commenté et suggère que celui-ci aurait gagné à être construit sur une analyse dynamique du thème où l'imagination créatrice ne fût pas passée sous silence. « La critique thématique risque fort d'être inadéquate si elle ne s'intègre pas dans la constellation totale des images qui donnent au type féminin sa silhouette propre dans un univers complexe. »

630 VOVARD, André, *Le Drame d'un poète canadien : Émile Nelligan,* dans *Livres et Lectures,* n° 13, juin 1948, p. 245-246.

Les notes biographiques sont ici vagues et inexactes. Le texte apporte néanmoins quelques remarques judicieuses telles que: « Il y a dans cette œuvre une unité fondamentale. L'inspiratrice essentielle du poète est la douleur. »

631 — *Le Drame d'un poète canadien,* dans *Le Devoir,* vol. 39, n° 190,
(R 630) 14 août 1948, p. 5.

Réimpression du texte paru dans *Livres et Lectures,* en juin 1948.

632 WILSON, *Edmund,* **O Canada. An American's Notes on Canadian Culture,** New York, Farrar, Straus and Giroux, 1965, 245 pages, surtout « Émile Nelligan », p. 97-101.

Pour Edmund Wilson, Nelligan s'apparente à Rimbaud et à Gérard de Nerval, mais n'en a pas moins manifesté son originalité en maniant, à sa façon, des formes poétiques fort variées. Ce texte procure au lecteur de langue anglaise des renseignements suffisamment nuancés pour qu'il puisse comprendre l'originalité de l'auteur de la « Romance du Vin ».

633 WYCZYNSKI, Paul, *Émile Nelligan; Poésies complètes,* dans *Revue de l'Université d'Ottawa,* vol. 28, n° 4, octobre-décembre 1958, p. 539-540.

Compte rendu de la deuxième édition des *Poésies complètes* de Nelligan. Il est clairement établi que l'« Ancolie », ce sonnet attribué à Nelligan, n'est pas de lui mais de Joséphin Soulary. Ce poème a été retranché des *Poésies complètes* de Nelligan en 1966. (Voir notice 145.)

634 — *Émile Nelligan,* dans *Lectures,* nouvelle série, vol. 6, n° 2, octobre 1959, p. 37-39.

Coup d'œil général sur la vie, l'œuvre et l'art de Nelligan. Une fois remanié, cet article fera partie de « Nelligan, poète de l'inquiétude », publié dans *Poésie et Symbole.*

635 ♦ — **Émile Nelligan, sources et originalité de son œuvre,** Ottawa, Éditions de l'Université d'Ottawa, 1960, 349 pages. (Avec un portrait de Nelligan et un dessin de Roger Larivière. Collection « Visage des lettres canadiennes », n° 1. Bibliographie: p. 307-334. L'ouvrage a été d'abord présenté comme thèse de doctorat, à l'Université d'Ottawa, 1957, xxiii, 456 feuillets.)

Cet ouvrage fut conçu sous l'angle de la littérature comparée. Nous empruntons à Luc Lacourcière, le meilleur spécialiste de Nelligan, ce qu'il en disait en 1960: « Cette étude donne à Nelligan sa place définitive dans les lettres françaises. Avec conscience et érudition, M. Wyczynski est allé aux sources réelles et possibles de cette œuvre étonnante. Mais son analyse ne se borne pas à juxtaposer les modèles français du poète canadien. Elle est plus pénétrante. Elle en souligne les transformations, et, partant, elle en mesure l'originalité par l'approfondissement de ses thèmes majeurs et de son secret musical. Nelligan nous apparaît aujourd'hui plus grand, plus douloureux et plus authentique. »

636 — *Les origines de l'École littéraire de Montréal,* dans *Thought 1960,* Toronto, W. J. Gage, 1960, p. 211-225.

Effort pour situer dans le contexte socio-culturel les origines de l'École littéraire de Montréal. On y établit, avec précision, la date de sa fondation, en soulignant aussi le rôle du groupe des Six Éponges, à l'époque qui précède immédiatement celle de l'École proprement dite.

637 — *Gérard Bessette : — Les Images en poésie canadienne-française,* dans *Revue de l'Université d'Ottawa,* numéro spécial, avril-juin 1961, p. 301-304. (Ce numéro est devenu le premier volume de la collection « Archives des lettres canadiennes ».)

Compte rendu détaillé de l'ouvrage de Bessette avec des remarques nombreuses sur le dernier chapitre où sont étudiés les tropes utilisés par Nelligan.

638 — *Émile Nelligan, poète de l'inquiétude,* dans *Canadian Literature,* n° 10, automne 1961, p. 40-50.

Étude thématique pour faire voir, à travers l'œuvre de Nelligan, l'évolution de l'inquiétude devenue angoisse, puis névrose et enfin hallucination. Une fois retouché, ce texte fera partie du livre *Poésie et Symbole,* publié à Montréal, chez Déom, en 1965.

639 ♦ — *École littéraire de Montréal : origine, évolution, rayonnement,* dans **L'École littéraire de Montréal,** Montréal et Paris, Fides, [1963], p. 11-36.

Il s'agit ici d'une petite histoire de ce mouvement qu'on appelle l'École littéraire de Montréal, au sein duquel Nelligan a évolué, selon ses humeurs et ses caprices, entre le 25 février 1897 et le 26 mai 1899.

640 (R 638) — *Nelligan, poète de l'inquiétude,* dans **Poésie et Symbole,** Montréal, Librairie Déom, 1965, p. 81-108. (Collection « Horizons ». Couverture et illustrations de Zygmunt-J. Nowak.)

Moins élaborée, cette étude a paru, en 1961, dans la revue *Canadian Literature.*

641 ♦ — **Émile Nelligan,** Montréal, Fides, 1968, 191 pages. (Collection « Écrivains canadiens d'aujourd'hui », 5.)

Voir: Partie A, Section II, 4, « Choix de poèmes », notice 149.

642 ♦ — *L'Influence de Verlaine sur Nelligan,* dans *Revue d'histoire littéraire de la France* (Paris), 69e année, n° 5, septembre-octobre 1969, p. 778-794.

Étude comparative. A partir des faits de l'histoire littéraire, on étudie la part reconnue de Verlaine, dans la structure et la tonalité de plusieurs poèmes de Nelligan.

643 — *Nelligan et la musique,* dans *Revue de l'Université d'Ottawa,* vol. 39, n° 4, octobre-décembre 1969, p. 513-532.

Texte d'une conférence de recherche prononcée à l'Université d'Ottawa, le 26 mars 1969.

644 ♦ — *L'Héritage poétique de l'École littéraire de Montréal,* dans **La Poésie canadienne-française,** Montréal - Paris, Fides, 1969, p. 75-108. (Collection « Archives des lettres canadiennes », t. 4.)

L'apport poétique de chacun des principaux membres de l'École littéraire de Montréal au renouveau littéraire d'alors: Émile Nelligan, Arthur de Bussières, Jean Charbonneau, Charles Gill, Gonzalve Desaulniers, Alphonse Beauregard, Joseph Melançon et Jean-Aubert Loranger. On étudie, en particulier, l'art de Nelligan et le dynamisme de son expression envisagée comme exclamation lyrique, mot rêvé et contingence métaphorique.

645 — *Nelligan et la musique,* (Ottawa, Éditions de l'Université d'Ottawa, 1969), 14 pages. (En dépôt au Centre de recherche en Civilisation canadienne-française de l'Université d'Ottawa.)

Programme d'une soirée littéraire et musicale, avec illustrations; on y trouve une introduction et plusieurs poèmes de Nelligan. Les textes reproduits font partie de la conférence que donna Paul Wyczynski à l'Université d'Ottawa, le 26 mars 1969, alors qu'il venait de recevoir une bourse de recherche Dow, pour l'année 1969.

646 ♦ — **Nelligan et la musique,** Ottawa, Éditions de l'Université d'Ottawa, 1971, 149 pages. (Collection « Cahiers du Centre de recherche en civilisation canadienne-française ». Avec plusieurs illustrations et documents inédits. La couverture est de Zygmunt-J. Nowak.)

Le livre est composé de trois chapitres: « L'œuvre et son relief musical », « L'œuvre et ses structures musicales » et « L'œuvre et la résonance de ses profondeurs ». Le tout est précédé d'un « Liminaire » et suivi d'un appendice de quatorze poèmes de Nelligan d'inspiration musicale qu'on peut associer à certaines pièces de musique. L'auteur a étudié l'œuvre de Nelligan, les rapports qui s'y manifestent entre la poésie et la musique, s'attachant à cerner, dans des réseaux de rythmes, de mots, de pulsions et de formes, cette mélodie verbale, infiniment plus authentique dans le champ d'invention qu'en sémantique traditionnelle.

647 ♦ — *Réponse de M. Paul Wyczynski à la Société royale : Nelligan et Baudelaire,* dans **Réception de M. Adrien Thério, M. Paul Wyczynski, M. Jean Darbelnet et M. Léon Dion à la Société royale du Canada,** [s.l.], [s.é.], [1971], p. 33-53.

Étude comparative de la thématique et de la forme dans la poésie de Nelligan et celle de Baudelaire.

C. – Articles anonymes

648 ♦ *Grand Bazar au profit de l'œuvre des religieux du T.-S. Sacrement,* dans *La Presse,* 12e année, n° 129, 4 avril 1896, p. 12.

Sous la présidence de Mme Pagnuelo, cette tombola a été organisée pour venir en aide à la communauté des religieux du Très-Saint-Sacrement dont la chapelle, avenue Mont-Royal, s'est assurée en peu de temps un éclat sans précédent. Les organisateurs n'ont rien négligé pour concevoir des attractions susceptibles de plaire au public: chants de choristes, chants de solistes, expositions... Le bazar se tint ouvert l'après-midi et le soir, du 4 au 16 avril. La veille de l'ouverture, c'est-à-dire le 3 avril 1896, il y eut une réunion générale de tous les organisateurs et participants parmi lesquels se trouvaient Mme David Nelligan, son fils Émile et le père Eugène Seers (le futur Louis Dantin). Celui-ci était responsable d'une partie du programme artistique et d'un petit quotidien — *Le Tout petit* — journal du bazar où il signa, du pseudonyme de Lucius, plusieurs petits articles de circonstance. C'est au cours de cette soirée préparatoire que Nelligan rencontra le père Eugène Seers: nous supposons que ce fut leur premier contact. Nelligan faisait partie d'un groupe de jeunes collégiens qui se virent confier la tâche de réciter des poèmes. Ils se nommaient: Merroy Prendergast, Dupras, Achille-A. Masse.

649 ♦ *Paderewski, concert à la salle Windsor,* dans *La Presse,* 12e année, n° 132, 8 avril 1896, p. 1.

Compte rendu du concert que Paderewski donna le 6 avril 1896, à Montréal. Nelligan y assistait et fut fort impressionné par le jeu du virtuose polonais. Son admiration s'exprime dans le sonnet intitulé « Pour Ignace Paderewski ».

650 *Le Bazar du T.-S. Sacrement,* dans *La Presse,* 12e année, n° 140, 17 avril 1896, p. 3.

Description de la soirée artistique du jeudi 16 avril 1896, au cours de laquelle le public applaudit « une déclamation par Émile Nelligan ». En effet, Nelligan y récita « Le Retour » de Pamphile Le May.

651 *Au Collège Sainte-Marie. Distribution des prix pour les jeux et pour les cours académiques,* dans *La Minerve,* 68e année, n° 241, 24 juin 1896, p. 2.

Description détaillée de la cérémonie de fin d'année scolaire à laquelle Nelligan prit part, selon Bernard Melançon, son confrère de classe.

652 [*École littéraire de Montréal. Accusé de réception d'une photographie*], dans *Le Courrier du livre,* juin 1896, p. 18.

Une photographie collective a été prise lors d'une réunion de l'École littéraire et *Le Courrier du livre* nous en donne la description: « Nous accusons réception d'une photographie représentant un groupe de jeunes littérateurs canadiens: MM. Albert Ferland, Adjutor Rivard, G.-A. Dumont, Pierre-Georges Roy, J.-G. Boissonnault, E.-A.B. Ladouceur, J.-W. Poitras, J. Béliveau, J.-M. Denault, E.-Z. Massicotte, Pierre Bédard, Régis Roy, Chs-A. Gauvreau, Auguste Fortier, L.-T. de Montigny. » Document iconographique intéressant puisqu'il permet de connaître la majeure partie des membres de l'École littéraire de Montréal à l'heure de ses origines.

653 *École littéraire de Montréal,* dans *Le Monde illustré,* 14e année, no 713, 1er janvier 1898, p. 563.

Au cours de la réunion tenue en décembre 1897 chez Pierre Bédard, Nelligan récita « Danse des Gypsies » et « Fantômes », deux poèmes aujourd'hui perdus.

654 *École littéraire,* dans *Le Monde illustré,* 14e année, no 720, 17 février 1898, p. 682.

Compte rendu de la réunion du 4 février, tenue au Château de Ramezay, au cours de laquelle Nelligan récita un de ses poèmes intitulé « Tristesses », qui n'existe plus aujourd'hui sous ce titre. A moins qu'il ne s'agisse de « Tristesse blanche » dont le titre rappelle la *Jeunesse blanche* de Rodenbach et le contenu le « Colloque sentimental » de Verlaine.

655 *École littéraire. Inauguration des séances publiques au Château de Ramezay,* dans *La Minerve,* 73e année, no 85, 10 décembre 1898, p. 8.

« L'École littéraire de Montréal, est-il rapporté, vient d'arrêter le programme de la grande soirée qu'elle doit donner le 15 décembre au Château de Ramezay. La séance sera entièrement consacrée à la poésie. » Toutefois, la date de cette soirée, primitivement fixée au 15 décembre, sera reportée au 29 décembre.

656 *L'École littéraire,* dans *Le Monde illustré,* 15e année, no 763, 13 décembre 1898, p. 519.

« Nous apprenons à la dernière heure, précise-t-on, que l'École littéraire de Montréal donnera jeudi de cette semaine une superbe séance publique, au cours de laquelle notre poète national M. Louis Fréchette, lira sa belle tragédie: *Véronica.* »

657 *L'École littéraire,* dans *La Minerve,* 73e année, no 88, 14 décembre 1898, p. 4.

Le journal fait savoir à ses lecteurs que « M. Louis Fréchette souffrant d'une grave indisposition, la séance qui devait avoir lieu le 15 courant, au Château de Ramezay, sous les auspices de l'École littéraire a été forcément remise à plus tard ».

658 *L'École littéraire,* dans *La Minerve,* 73e année, no 99, 27 décembre 1898, p. 2.

Pour la deuxième fois, le journal annonce l'ouverture des séances publiques: « L'École littéraire de Montréal fera l'inauguration solennelle de ses séances publiques au Château de Ramezay jeudi soir, le 29 courant, à huit heures. »

659 *L'École littéraire de Montréal,* dans *La Presse,* 15e année, no 50, 30 décembre 1898, p. 8.

Dans cette relation de la première séance publique on lit quelques réflexions sur l'avenir des lettres au Canada français.

660 *Nouveau Parnasse. Première séance publique de l'École littéraire. Un drame inédit de M. Fréchette,* dans *La Minerve,* 73e année, no 102, 30 décembre 1898, p. 4.

Fidèle description de la première séance publique de l'École littéraire de Montréal. On félicite Louis Fréchette pour son drame « Véronica »: « il a lu ses vers avec fougue, avec l'enthousiasme de la jeunesse ».

661 *Une pléiade de littérateurs. Première séance de l'École littéraire au Château de Ramezay,* dans *La Patrie,* 20e année, n° 260, 30 décembre 1898, p. 1.

Brève histoire de l'École littéraire; compte rendu de sa première séance publique. Les poètes — Jean Charbonneau, Arthur de Bussières, Gonsalve Desaulniers, E.-Z. Massicotte, Albert Ferland et Émile Nelligan qui récita: « Un rêve de Watteau », « Le Récital des anges », « L'Idiote aux cloches » — ont droit à des compliments admiratifs.

662 *La Littérature au Canada,* dans *Le Monde illustré,* 15e année, n° 767, 14 janvier 1899, p. 578.

Brève analyse des œuvres qui composèrent le programme littéraire de la première séance publique, tenue au Château de Ramezay, le 29 décembre 1898. Nelligan y lut: « Un rêve de Watteau », « Le Récital des anges » et « L'Idiote aux cloches ».

663 *L'École littéraire,* dans *La Minerve,* 73e année, n° 148, 24 février 1899, p. 4.

Le journal annonce que la deuxième séance publique sera tenue au Monument national.

664 *A l'École littéraire,* dans *La Patrie,* 21e année, n° 2, 25 février 1899, p. 8.

Quelques impressions sur la deuxième séance publique de l'École littéraire de Montréal. Dans la liste des poètes nommés, Nelligan se trouve en dixième position avec les six pièces qu'il avait dites: « Le Perroquet », « Bohème blanche », « Les Carmélites », « Nocturnes séraphiques », « Le Roi du souper », « Notre-Dame-des-Neiges ».

665 *Vers et poètes,* dans *La Minerve,* 73e année, n° 149, 25 février 1899, p. 4.

Compte rendu élogieux de la deuxième séance publique de l'École littéraire de Montréal; elle eut lieu à l'amphithéâtre du Monument national, le 24 février.

666 *L'École littéraire. M. Jean Charbonneau donnera une conférence sur le symbolisme au Château de Ramezay,* dans *La Presse,* 11e année, n° 126, 30 mars 1899, p. 10.

Le journal annonce la troisième séance publique. « L'École littéraire se montre digne de ses débuts: elle nous promet encore pour le 7 avril prochain, une séance des plus grandioses. »

667 *L'École littéraire,* dans *La Patrie,* 21e année, n° 36, 8 avril 1899, p. 3.

Un bon résumé de la conférence de Jean Charbonneau sur le symbolisme, présentée à la troisième séance publique de l'École. Y sont également mentionnés les titres des pièces de Nelligan qui figuraient au programme: « Prière vespérale », « Petit Vitrail de chapelle », « Amour immaculé », « La Passante ».

668 *L'École littéraire,* dans *La Presse,* 11e année, n° 113, 8 avril 1899, p. 18.

En plus de la conférence de Jean Charbonneau, est mentionnée la contribution des poètes nommés dans l'ordre suivant: Louis Fréchette, A. Ferland, A. Desjardins, W. Larose, E. Nelligan, Gonzalve Desaulniers, E.-Z. Massicotte. « Tous les poètes ont eu beaucoup de succès, dit-on, et ont eu des compliments à foison. »

669 *L'École littéraire. M. Jean Charbonneau nous fait l'historique du Symbolisme en France. De la poésie !,* dans *La Presse,* 11e année, n° 133, 8 avril 1899, p. 18.

Compte rendu détaillé de la troisième séance publique de l'École littéraire de Montréal. Nelligan récita « Prière Vespérale », « Petit vitrail de chapelle », « Amour immaculé », « La Passante ». « Tous ces poètes, dit le chroniqueur, ont eu beaucoup de succès et ont eu des compliments à foison. »

670 *L'École littéraire de Montréal,* dans *La Minerve,* 73e année, n° 223, 26 mai 1899, p. 4.

La quatrième séance publique de l'École littéraire de Montréal, au Château de Ramezay, fut particulièrement réussie. Nelligan fit grande impression sur le public en récitant sa « Romance du Vin ».

671 *L'École littéraire. La Dernière Séance publique,* dans *La Presse,* 11e année, n° 173, 26 mai 1899, p. 7.

Quatrième séance publique de l'École. Nelligan récitera, nous dit-on, quatre de ses pièces: « Le Talisman », « La Romance du Vin », « Le Robin des bois » et « Rêve d'artiste ».

672 *École littéraire,* dans *Le Monde illustré,* 16e année, n° 786, 27 mai 1899, p. 55.

La rédaction annonce la tenue de la quatrième séance publique de l'École littéraire au Château de Ramezay.

673 *L'École littéraire de Montréal,* dans *La Patrie,* 21e année, n° 78, 27 mai 1899, p. 8.

Compte rendu de la quatrième séance publique de l'École littéraire de Montréal illustré par les photos des poètes qui ont pris part à cette célèbre soirée: Wilfrid Larose, Louis Fréchette, Gonzalve Desaulniers, Albert Ferland, Jean Charbonneau, Charles Gill, E.-Z. Massicotte, Louvigny de Montigny, Antonio Pelletier, Émile Nelligan, Hector Demers, Henri Desjardins, G.-A. Dumont, Arthur de Bussières.

674 *L'École littéraire donne sa dernière séance publique de l'année au Château de Ramezay. — L'Éducation américaine,* dans *La Presse,* 11e année, n° 174, 27 mai 1899, p. 7.

« M. Émile Melligan [*sic*] est un rêveur dont les vers nous rappellent une douce musique », écrit-on sur l'auteur de la « Romance du Vin ».

675 *Les livres nouveaux,* dans *Les Débats,* 1re année, n° 3, 17 décembre 1899, p. 3.

Une petite note non dénuée d'un brin de malice: « L'École littéraire de Montréal ne fait plus grand mousse, et l'on attend encore ce fameux volume qu'elle nous avait promis pour le mois de septembre. » On fait ici allusion aux *Soirées du Château de Ramezay* qui ne paraîtront qu'en mars 1900.

676 *A travers les livres et les revues : Franges d'autel,* dans *Revue canadienne,* 36e année, vol. 2, t. 38, 1900, p. 396-397.

Compte rendu. La pièce de Nelligan « Petit Vitrail » est citée en entier. On y remarque, lisons-nous, peu de défauts et « beaucoup de gentilles qualités descriptives ».

677 *Au Château Ramesay* [sic]. *L'École littéraire présente au public le recueil de ses travaux. Un beau volume,* dans *La Presse,* 16e année, n° 128, 3 avril 1900, p. 5.

Compte rendu de la réunion de l'École littéraire au Château de Ramezay, tenue le lundi 2 avril. Deux cents personnes étaient présentes. La soirée littéraire n'eut pas l'éclat des quatre séances précédentes. Mais on loua le volume, *Les Soirées du Château de Ramezay.* On reproduisit dans le texte l'*Homme aux cercueils* de Nelligan. Ce volume a été envoyé à l'Exposition Universelle de Paris.

678 ♦ *École littéraire 1899-1900,* dans *Le Monde illustré,* 16e année, n° 833, 21 avril 1900, p. 817, (page de titre).

Une photographie collective est offerte par la rédaction du journal à ses lecteurs à la page de titre. On y voit H. Desjardins, A. de Bussières, G. Desaulniers, A. Pelletier, W. Larose, Charles Gill, H. Demers, E.-Z. Massicotte, Louis Fréchette, G.-A. Dumont, G. Beaulieu, A. Ferland, J. Charbonneau, E. Nelligan et A.-H. Trémandan.

679 *Émile Nelligan et son œuvre,* dans *Le Canada,* vol. 1, n° 277, 29 février 1904, p. 4.

Présentant aux lecteurs du *Canada* la première édition des *Poésies* de Nelligan, l'auteur, anonyme, considère que le fond essentiel de cette œuvre est « une tristesse sombre et désolée ».

680 *The Dean's Window,* dans *The Standard,* vol. 4, n° 25, 20 juin 1908, p. 8.

Compte rendu de l'étude que Charles ab der Halden a incluse dans ses *Nouvelles Études de la littérature canadienne-française,* Paris, F. R. de Rudeval, 1907, xvi, 379 pages, surtout « Émile Nelligan », p. 339-377.

681 — *Nelligan's Poems. The Poet's Personality,* dans *The Standard,* vol. 6, n° 24, 11 juin 1910, p. 4.

Poignant est le lyrisme de Nelligan, significatif surtout en raison de cette mélancolie ineffable qui baigne l'œuvre dans son ensemble. Dans cet état d'âme, tout à la fois rêve, inquiétude et engloutissement, l'auteur croit voir la plus grande originalité de Nelligan.

682 [*Nelligan parmi ses amis*], photographie publiée dans *La Presse,* (supplément), 49e année, n° 52, 17 décembre 1932, p. 33.

Cette photographie a été prise l'été 1932, dans les jardins du juge Desaulniers, à Ahuntsic, alors que Nelligan avait pu quitter l'hôpital pour passer la journée avec ses amis. On le voit ici en compagnie de G. Desaulniers, de Mlle Desaulniers, de Mme Huguenin et de Camille Ducharme, un jeune artiste du théâtre « Stella ». L'épreuve originale de cette photographie se trouve aux archives du Centre de recherche en civilisation canadienne-française de l'Université d'Ottawa.

683 *Décès du poète Émile Nelligan,* dans *La Presse,* 58e année, n° 30, 19 novembre 1941, p. 3 et 29.

On annonce la mort de Nelligan, décédé le mardi 18 novembre, à 2 heures 15. Sa dépouille mortelle a été exposée à Saint-Jean-de-Dieu où « le service y sera chanté vendredi matin à 9 heures », précise-t-on. Suit alors une note biographique, illustrée de deux photographies de Nelligan, celle de Nelligan collégien et celle de Nelligan en 1932, lors de sa visite chez Gonzalve Desaulniers.

684 ♦ *Dernière heure de Nelligan,* dans *La Presse,* 58e année, n° 30, 19 novembre 1941, p. 3 et 29.

Description de l'agonie de Nelligan: « Émile Nelligan est mort en fixant un humble crucifix de bois noir. [...] Le poète [...] a rendu l'âme à deux heures et quinze minutes, mardi, le 18 novembre. [...] Il s'est endormi paisiblement dans la mort. Auprès de lui se trouvaient son neveu le R.P. Lionel Corbeil, c.s.c., et le frère Paul-Marie, de la même communauté. »

685 [*Émile Nelligan. Le Dernier Tercet du Vaisseau d'or*], dans *La Patrie,* 63e année, n° 225, 19 novembre 1941, p. 3.

Les trois vers ici photographiés furent écrits et signés par Nelligan, le mardi 14 septembre 1937, lors d'une entrevue que le poète accorda à l'un des journalistes de *La Patrie.*

686 *Émile Nelligan,* dans *Le Devoir,* vol. 32, n° 269, 20 novembre 1941, p. 1.

Article publié à l'occasion de la mort de Nelligan. On reproduit l'interview d'un journaliste avec E.-Z. Massicotte, paru dans *Le Devoir* du 4 mai 1938.

687 *Émile Nelligan repose en paix,* dans *La Patrie,* 63e année, n° 226, 20 novembre 1941, p. 8.

Photographie de la dépouille mortelle d'Émile Nelligan, prise à la chapelle de l'hôpital Saint-Jean-de-Dieu, avec, en marge, une brève note explicative.

688 *Émile Nelligan est conduit en terre,* photographie dans *La Patrie,* 63e année, n° 227, 21 novembre 1941, p. 3.

Cette photographie représente le cortège funèbre qui est conduit par Émile Corbeil, beau-frère du poète, et par les neveux de celui-ci: Maurice, Guy, Gilles Corbeil et le docteur Léo Ladouceur.

689 ♦ *Les Obsèques du poète Nelligan,* dans *La Patrie,* 63e année, n° 227, 21 novembre 1941, p. 3.

Les obsèques de Nelligan eurent lieu à la chapelle de l'Hôpital Saint-Jean-de-Dieu, le vendredi 21 novembre 1941, à 9 heures du matin. L'inhumation eut lieu au cimetière de la Côte-des-Neiges. Outre les familles Corbeil et Ladouceur, apparentées au défunt, étaient représentées l'Université de Montréal en la personne de son vice-recteur, Mgr Émile Chartier, et l'École littéraire de Montréal avec Jean-Aubert Loranger et Louis-J. Béliveau. L'Hôpital Saint-Jean-de-Dieu avait délégué les docteurs Guillaume Lahaise, Eugène Dufresne et J.-E. Cabana.

690 ♦ *Émile Nelligan est décédé à 62 ans et 11 mois,* dans *La Patrie,* 63e année, n° 228, 22 novembre 1941, p. 40.

A la suite de certaines erreurs relevées dans les notices biographiques publiées dans des journaux, E.-Z. Massicotte, conservateur des Archives judiciaires de Montréal, signale qu'il possède l'extrait de baptême d'Émile Nelligan. Ce document permet de préciser que le poète est né le 24 décembre 1879 et non pas le 24 décembre 1882 comme l'ont écrit par erreur plusieurs critiques.

691 ♦ *« Le Vaisseau d'Or » transcrit de mémoire par Nelligan lui-même,* dans *Le Petit Journal,* vol. 16, n° 5, 23 novembre 1941, p. 14.

Le célèbre sonnet est reproduit en fac-similé avec ce commentaire: « Voici un document très précieux, puisqu'il constitue un souvenir du grand poète canadien-français, Émile Nelligan, décédé mardi dernier. Il s'agit de son poème bien connu 'Le Vaisseau d'Or', recopié de mémoire par Nelligan lui-même, le 28 décembre 1936. Cette pièce autographe ne correspond pas tout à fait au sonnet que l'on trouve dans l'édition imprimée de ses œuvres, car la mémoire de Nelligan a fait légèrement défaut. Dans le premier vers, le poète a écrit 'taillé de l'or massif' au lieu de 'taillé dans l'or massif'. Dans le quatrième, il a écrit: 'S'étalait à sa poupe au soleil sans merci' au lieu de 'S'étalait à sa proue au soleil excessif'. Ce document nous a été gracieusement prêté par un religieux dominicain, spécialiste en psychologie expérimentale, qui tient à garder l'anonymat. A tous les fervents de la littérature, nous conseillons de conserver cette photo, car il n'existe que très peu d'autographes du grand poète. » Le commentateur anonyme a oublié de mentionner que le premier vers comporte une autre variante: « C'était » au lieu de « Ce fut ». (Cf.: notice 86.)

692 *Un événement littéraire,* dans *Le Devoir,* vol. 39, n° 284, 4 décembre 1948, p. 8-9.

Le 26 novembre, à la bibliothèque des Éditions Fides, à un groupe d'écrivains, d'hommes de lettres et d'éditeurs réunis pour la circonstance, Luc Lacourcière explique ce que sera la Collection du Nénuphar, destinée aux œuvres contemporaines, collection qu'on lançait ce jour-là avec des œuvres d'Alfred DesRochers, d'Alain Grandbois et de Marius Barbeau. C'est aussi dans cette collection que les Éditions Fides publieront, en 1952, l'édition critique des *Poésies complètes* de Nelligan.

693 (R 692) *Un événement littéraire,* dans *Le Droit,* 36e année, n° 281, 4 décembre 1948, p. 2.

Article identique à celui paru le même jour dans *Le Devoir.*

694 *Au lancement du livre « Poésies complètes » chez Fides,* dans *Notre Temps,* vol. 8, n° 7, 6 décembre 1952, p. 5.

Photographie du lancement. On y reconnaît notamment: Mme Guy Corbeil, Guy Corbeil, Gilles Corbeil, Émile Corbeil, Mme Maurice Corbeil, R.P. Paul-A. Martin, Luc Lacourcière, Mme Léo Ladouceur, Maurice Corbeil, Jean Corbeil, le docteur Léo Ladouceur.

695 *Hommage à Émile Nelligan,* dans *L'Action catholique,* 45e année, n° 14034, 9 décembre 1952, p. 2.

Une photographie et une note fournissent quelques renseignements sur le lancement des *Poésies complètes* de Nelligan, au Cercle universitaire de Montréal.

696 *Pour saluer Émile Nelligan,* dans *Le Devoir,* vol. 43, n° 293, 13 décembre 1952, p. 7.

On souligne la solennité de la cérémonie à l'occasion de la sortie de la première édition critique des *Poésies complètes* de Nelligan, à laquelle assistaient de nombreuses personnalités du monde littéraire.

697 *Nelligan par Paul Wyczynski aux Éditions de l'Université d'Ottawa,* dans *Le Bulletin du Cercle juif,* 7e année, n° 58, octobre 1960, p. 3.

Compte rendu du livre *Émile Nelligan, sources et originalité de son œuvre.*

698 *Semaine Émile Nelligan du 18 au 25 novembre,* dans *L'Évangéline,* vol. 79, n° 267-[8453], 17 mars 1966, p. 4.

Le journal des Acadiens rend hommage à Nelligan.

699 *Fondation de l'Association des Amis d'Émile Nelligan,* dans *La Presse,* supplément *Arts et Lettres,* 82e année, n° 141, 18 juin 1966, p. 2.

On accueille favorablement l'idée de la fondation de l'Association des Amis d'Émile Nelligan, présidée par le docteur Lionel Lafleur.

700 *Hommage à Nelligan,* dans *Poésie,* vol. 1, n° 3, été 1966, p. 3.

La Société des Poètes canadiens-français annonce sa participation à la Semaine Nelligan, sous forme d'un concours littéraire intitulé « Hommage à Nelligan ». L'invitation s'adresse non seulement aux membres de la Société mais à « tous les intellectuels amis qui considèrent la poésie comme une discipline de haute valeur ». Toutes les formes poétiques sont admises et chaque envoi devra comprendre 14 vers au minimum et 25 au maximum.

701 *L'Association Émile Nelligan est née,* dans *Le Devoir,* vol. 57, n° 151, 30 juin 1966, p. 6.

La fondation de l'Association des Amis d'Émile Nelligan inaugure une longue suite de manifestations destinées à commémorer le 25e anniversaire de la mort de Nelligan. Au docteur Lionel Lafleur, premier président de cette Association, revient le mérite d'avoir donné à l'année Nelligan l'éclat qu'on connaît.

702 *Création de l'Association des Amis d'Émile Nelligan,* dans *Le Soleil,* 69e année, n° 156, 30 juin 1966, p. 24.

L'article apporte en substance les mêmes faits que ceux rapportés le même jour dans *Le Devoir*: un groupe de personnes, fidèles à la mémoire d'Émile Nelligan, s'est proposé de faire revivre sa poésie.

703 *L'Année de Nelligan,* dans *Le Petit Journal,* vol. 40, n° 36, 3 juillet 1966, p. 38.

Brève annonce des manifestations à l'occasion du vingt-cinquième anniversaire de la mort de Nelligan.

704 *Conférence de M. Robidoux sur Émile Nelligan,* dans *Le Devoir,* vol. 57, n° 161, 13 juillet 1966, p. 6.

Annonce de la conférence du professeur Réjean Robidoux, à l'Université de Montréal, le 13 juillet 1966, sous le titre: « Émile Nelligan, expérience et création ».

705 *La Société des Poètes canadiens-français lance un concours en hommage à Nelligan,* dans *L'Événement,* vol. 100, n° 56, le 2 août 1966, p. 15.

Reprise du communiqué de la Société au sujet du concours poétique « Hommage à Nelligan »; la notice 700 en donne les détails relatifs au règlement de participation.

706 *Hommage à Nelligan,* dans *La Voix de l'Est,* vol. 31, n° 175, 4 août 1966, p. 2.

Invitation au concours poétique institué en l'honneur de Nelligan.

707 *Hommage à Nelligan,* dans *Le Devoir,* vol. 57, n° 182, 6 août 1966, p. 10.

Dans le cadre des manifestations culturelles, à l'occasion du 25e anniversaire de la mort de Nelligan, la Société des Poètes canadiens-français annonce son concours poétique: « Hommage à Nelligan ». Il s'agit de composer, en l'honneur de l'auteur du « Vaisseau d'Or », un poème qui ne devra pas avoir moins de quatorze vers, sans en excéder vingt-cinq. On trouvera cette annonce imprimée dans plusieurs journaux québécois à qui elle aura été communiquée.

708 *Un concours en hommage à Nelligan,* dans *Le Soleil,* 69e année, n° 197, 6 août 1966.

On annonce le concours « Hommage à Nelligan ». Le texte fournit les mêmes renseignements que l'article publié le même jour dans *Le Devoir.*

709 *Hommage à Nelligan,* dans *L'Action catholique,* 50e année, n° 17-[740], 19 août 1966, p. 23.

Annonce du concours poétique en hommage à Nelligan.

710 *Si Nelligan . . . ,* dans *La Presse,* 82e année, n° 214, 15 septembre 1966, p. 39.

« Nelligan était au rendez-vous, bien vivant, lisons-nous, à travers l'âme des jeunes troubadours modernes qui animaient hier, en fin d'après-midi, le cocktail de presse donné dans le hall du Gesù par le comité exécutif de l'Association des Amis de Nelligan. » Il s'agit en effet de Pierre Bourdon qui exécuta « La Romance du Vin ». La photo le montre en compagnie de Mlle Marie Lapalme et de Fernand Boucher, tous les trois entourés de M. et Mme Lionel Lafleur et de Mme Lise Perret.

711 *Une Semaine Nelligan du 18 au 25 novembre,* dans *La Presse,* 82e année, n° 214, 15 septembre 1966, p. 33.

La Presse annonce sommairement les manifestations qui auront lieu à Montréal du 17 au 25 novembre pour commémorer le vingt-cinquième anniversaire de la mort de Nelligan.

712 *Une semaine sera consacrée au grand poète canadien-français,* dans *Le Devoir,* vol. 57, n° 217, 17 septembre 1966, p. 12.

Le programme de la Semaine Nelligan qui se déroulera entre les 18 et 25 novembre 1966.

713 *Un poème de Nelligan sert d'inspiration à un roman,* dans *Poésie,* vol. 1, n° 4, automne 1966, p. 36.

Dans une brève note, on précise qu'un poème de Nelligan — « Le Vaisseau d'Or » en l'occurrence — a servi d'inspiration à Berthe Hamelin, la femme de Jacques Roussan, pour son deuxième roman, intitulé *Un mât touchait l'azur* (Montréal, Beauchemin, 1961).

714 *Colloque sur Nelligan à McGill en novembre,* dans *La Presse,* 82ᵉ année, n° 240, 17 octobre 1966, p. 53.

Quelques renseignements sur le Colloque Nelligan.

715 *Hommage à Nelligan,* dans *Culture-Information,* vol. 1, n° 7, 20 octobre-20 novembre 1966, p. 17.

Renseignements généraux à propos du concours poétique organisé pour rendre hommage à Nelligan.

716 *Le Colloque Nelligan à l'Université McGill,* dans *Le Devoir,* vol. 57, n° 246, 22 octobre 1966, p. 14.

Brève note au sujet du Colloque Nelligan organisé par Jean Éthier-Blais et le Centre d'études canadiennes-françaises de l'Université McGill.

717 *Poésie,* dans *Le Carabin,* vol. 27, n° 15, 27 octobre 1966, p. 5.

A l'occasion du 25ᵉ anniversaire de la mort de Nelligan *Le Carabin* publie quelques morceaux choisis et suggère aux étudiants en Lettres d'organiser une soirée consacrée à la lecture de l'œuvre de celui que l'on considère comme le premier des poètes du Québec. Trois poèmes de Nelligan sont reproduits: « Le Vaisseau d'Or », « Le Jardin d'antan » et « Potiche ».

718 *P. Andrinet gagne le prix Émile Nelligan,* dans *Le Soleil,* 69ᵉ année, n° 260, 2 novembre 1966, p. 14.

Paul Andrinet gagne le prix Émile Nelligan d'un montant de $100, attribué par la Société des Poètes canadiens-français et remis par madame Maurice Lemelin. La présentation officielle du prix accordé coïncidait, le 1ᵉʳ novembre, avec le Salon du Livre de Québec. Une exposition de livres et de manuscrits relatifs à Nelligan put également avoir lieu au cours de cette journée.

719 *Prix de poésie,* dans *Montréal-Matin,* vol. 37, n° 105, 4 novembre 1966, p. 21.

Plus de 200 poètes ont participé au concours « Hommage à Émile Nelligan ». Le prix a été décerné à Paul Andrinet de Montréal.

720 *Émile Nelligan, poète naufragé,* dans *La Presse* (Section « Arts et Lettres »), 82ᵉ année, n° 257, 5 novembre 1966, p. 2.

Le titre de l'article est celui de la pochette du disque Select qui regroupe 27 textes de Nelligan, choisis et dits par René-Salvator Catta.

721 *Le Colloque sur Nelligan à McGill,* dans *La Presse,* 82e année, n° 260, 9 novembre 1966, p. 64.

Henri Jones, l'un des conférenciers du colloque à se préparer, explique brièvement le sujet qu'il a choisi de traiter: la folie de Nelligan.

722 *Colloque public sur le poète Émile Nelligan,* dans *Le Devoir,* vol. 57, n° 264, 12 novembre 1966, p. 12.

Renseignements sur le Colloque en préparation. On parle plus précisément de la conférence du professeur Jones.

723 *En hommage à la mémoire d'Émile Nelligan,* dans *La Presse,* 82e année, n° 63, 12 novembre 1966, p. 6.

Programme du Colloque Nelligan.

724 *Colloque sur Nelligan,* dans *Le Soleil,* 69e année, n° 271, 15 novembre 1966, p. 28.

Simple annonce du Colloque Nelligan.

725 *Edito express,* dans *Ici Radio-Canada : Jeunesse,* vol. 1, n° 8, 15 novembre-15 décembre 1966, p. 4.

Une photo de Nelligan est insérée dans le texte. Il s'agit d'un hommage du Club des Jnobs: « Émile Nelligan est mort, mais sa mémoire ressuscite, à travers les François Dompierre, Pierre Bourdon, Nicole Perrier et Renée Claude qui chantent de ses poèmes. Tous des commandos de la poésie; pensons au « Vaisseau d'Or », au « Mai d'amour », à « L'Idiote aux cloches ». Pensons à l'émission « le Club des Jnobs » du 14 novembre pour mieux nous souvenir ou pour mieux découvrir Émile Nelligan. Malade et poète. Homme de rare espèce. Le Jnob n° 1. »

726 *Le Colloque Nelligan,* dans *Le Devoir,* vol. 57, n° 268, 17 novembre 1966, p. 8.

Programme du colloque sur Émile Nelligan qui s'ouvre ce jour même au pavillon Stephen Leacock, de l'Université McGill.

727 *Hommage au poète Émile Nelligan du 17 au 25 novembre,* dans *La Voix de l'Est,* vol. 31, n° 261, 17 novembre 1966, p. 20.

Renseignements sur le Colloque Nelligan.

728 *Programme de la semaine Nelligan,* dans *La Presse,* 82e année, n° 267, 17 novembre 1966, p. 61.

Article d'information au sujet du Colloque Nelligan.

729 ♦ *En hommage au poète Nelligan mort il y a vingt-cinq ans,* dans *La Presse,* 82e année, n° 269, 19 novembre 1966, p. 3. (Avec une photo de Michel Gravel, qui fixe un moment de la cérémonie qui s'est déroulée sur la tombe de Nelligan: Alfred DesRochers dévoile la stèle de Nelligan.)

Compte rendu de la cérémonie qui s'est déroulée, le 18 novembre, à 14 heures, au Cimetière de la Côte-des-Neiges, devant la tombe de Nelligan, à l'occasion du vingt-cinquième anniversaire de sa mort. Étaient présents: Albert Millaire, pour l'Association des Amis d'Émile Nelligan; les descendants de Nelligan, à savoir les familles Corbeil,

Campbell et Demers; Jean-Noël Tremblay, ministre des Affaires culturelles du Québec; un représentant de la Ville de Montréal; Mgr Chimichella, délégué par le cardinal Paul-Émile Léger; Mme Anne Saint-Pierre et Alfred DesRochers qui récita des poèmes. On lit sur la stèle nouvellement érigée: « Émile Nelligan, 1879-1941 ». Au pied du monument sont gravés ces vers du « Vaisseau d'Or »: « Ses mâts touchaient l'azur, sur des mers inconnues. »

730 *Hommage à Émile Nelligan,* dans *Le Droit,* 54e année, no 198, 19 novembre 1966, p. 12.

Quelques éléments biographiques sont suivis du programme de la Semaine Nelligan.

731 *Semaine Émile Nelligan du 18 au 25 novembre,* dans *L'Évangéline,* vol. 79, no 267-[8453], 19 novembre 1966, p. 4.

Article d'information sur le Colloque Nelligan.

732 *Émouvant hommage à Nelligan,* dans *Le Soleil,* vol. 69, no 277, 22 novembre 1966, p. 20.

Brève description de la cérémonie qui se déroula sur la tombe de Nelligan, le 18 novembre 1966.

733 *A la recherche de Nelligan,* dans *L'Action catholique,* 59e année, no 17-[820], 23 novembre 1966, p. 14.

Résumé succinct de trois conférences prononcées à l'Université Laval, dans le cadre des mardis universitaires, le 22 novembre, par Luc Lacourcière, Gérard Bessette et le R.P. Yves Garon. Ces trois conférenciers avaient traité les mêmes sujets à l'Université McGill, quelques jours auparavant.

734 *Au club musical et littéraire,* dans *La Presse,* 82e année, no 274, 25 novembre 1966, p. 19.

Le Club musical et littéraire, présidé par Gérard Gamache, annonce sa deuxième conférence annuelle, celle du docteur Lionel Lafleur qui se propose de traiter: « Sons et Lumières, ou la musique et la couleur dans l'œuvre de Nelligan. » L'artiste Paul Dupuis dira des poèmes de Nelligan; le chansonnier Pierre Bourdon interprétera quelques poèmes mis en musique. A côté de cet article une photo et un petit commentaire intitulé « Au Château de Ramezay ». Sur la photo on reconnaît: Mme Daniel Johnson, le critique Éloi de Grandmont et le docteur Lionel Lafleur, réunis au Château de Ramezay, à l'occasion du lancement des *Poèmes choisis* de Nelligan, le 24 novembre 1966.

735 *A la mémoire de Nelligan,* dans *Montréal-Matin,* vol. 37, no 124, 26 novembre 1966, p. 8.

Photographie. On reconnaît: Mme Daniel Johnson (qui a présidé, au Château de Ramezay, le lancement des *Poèmes choisis*), Éloi de Grandmont, le R.P. Paul-Aimé Martin, directeur des Éditions Fides, le docteur Lionel Lafleur et Louis-Martin Tard, ces deux derniers respectivement président et vice-président de l'Association des Amis d'Émile Nelligan.

736 *Hommage à Émile Nelligan,* dans *L'Information nationale,* vol. 15, no 8, novembre 1966, p. 11.

Photo stylisée de Nelligan avec note pour indiquer que la Société Saint-Jean-Baptiste de Montréal s'associe aux diverses manifestations qui marqueront le vingt-cinquième anniversaire de la mort du « premier poète authentique du Québec ». Le vendredi 18 novembre, à deux heures, au cimetière de la Côte-des-Neiges, Michel Brochu, membre de la SSJB et au nom de cette société, déposera une couronne de fleurs sur la tombe du poète.

737 *Nelligan : notes ingénieuses,* dans *Les Carnets* (supplément du *Sainte-Marie*), vol. 12, n° 9, novembre 1966, p. 8.

Article où perce un brin d'ironie. La pensée surgit, éclate et se brise. Tantôt elle amorce un jugement de valeur, tantôt elle verse dans une confusion. Exemples: Nelligan « n'a point atteint à cette émergence du langage — l'image ! — qui signifie le poète véritable ». Plus loin: « Nelligan, ce poète, qui, le premier, a fait émerger notre poésie d'une rhétorique abrutissante, ce poète du drame vécu enfin, a buté sur la forme. » Ces remarques ne manquent pas d'astuce; elles demanderaient à être nuancées. Il reste que l'étudiant qui a rédigé cet article voit juste: la poésie est toujours liée au langage créé sinon elle ne serait qu'un simple exercice littéraire, ou une banalité du niveau de la prose rimée ou rythmée.

738 *Poèmes choisis d'Émile Nelligan,* dans *L'Information nationale,* vol. 15, n° 8, novembre 1966, p. 13.

On annonce la publication, chez Fides, des *Poèmes choisis* de Nelligan, dans la collection « Bibliothèque canadienne-française ».

739 *Au Club musical et littéraire de Montréal,* dans *La Presse,* 82ᵉ année, n° 282, 5 décembre 1966, p. 17.

Compte rendu succinct de la soirée littéraire organisée à l'hôtel Ritz-Carlton, le 1ᵉʳ décembre 1966. Une photo prise par Yves Beauchamp permet de voir réunis: le docteur Lionel Lafleur et sa femme, la marquise de Ruzé d'Effiat, Gérard Gamache, Paul Dupuis et Paul Wyczynski.

740 *Un disque Nelligan : 20 poèmes, vingt lectures,* dans *La Presse* (Section « Arts et Lettres »), 82ᵉ année, n° 299, 24 décembre 1966, p. 2.

Pour prolonger le souvenir de Nelligan au-delà d'une simple semaine de manifestations littéraires, Éloi de Grandmont propose à la maison Jupiter de préparer un disque en hommage au poète, sous la direction d'Yvan Dufresne. Le titre: « Florilège Émile Nelligan ». Plusieurs artistes se sont offerts d'y participer: Albert Millaire, Huguette Oligny, Jacques Normand, Robert Gadouas, Donald Lautrec, Camille Ducharme, Nathalie Naubert. Ainsi conçu, « Florilège Émile Nelligan » aurait dû ajouter un nouveau témoignage aux disques réalisés par René-Salvator Catta et Claude Léveillée. Mais ce projet n'a pas été réalisé.

741 *La Semaine Émile Nelligan,* dans *Vient de paraître,* vol. 3, n° 1, janvier 1967, p. 13.

En écho aux manifestations organisées pour rendre hommage à Nelligan qui eurent lieu au Québec, en novembre 1966, une photo prise au Château de Ramezay montre: Mᵐᵉ Daniel Johnson, le R.P.

Paul-Aimé Martin, c.s.c., directeur général des Éditions Fides, le docteur Lionel Lafleur et les écrivains Éloi de Grandmont et Jean-Paul Pinsonneault qui ont participé à la préparation des *Poèmes choisis* de Nelligan.

742 *Émile Nelligan, le père de la poésie canadienne,* dans *Le Droit,* 54ᵉ année, nº 286, 4 mars 1967, p. 16.

Il s'agit d'un article de circonstance qui ne présente que quelques événements biographiques, par ailleurs déjà connus.

743 *Tombeau de Nelligan,* dans *Poésie,* vol. 2, nº 2, printemps 1967, p. 20-24.

La deuxième partie de ce numéro, riche de cinq poèmes dont les signataires sont Marie-Andrée Massicotte, Marjolaine Gaudreau-LaForce, Marie DeSion, Adèle Lessard, Jean Dumas, porte le titre de « Tombeau de Nelligan ».

744 *La Rentrée littéraire québécoise,* dans *Le Devoir,* vol. 58, nº 203, 2 septembre 1967, p. 13.

Premier article d'une série consacrée au programme des éditeurs québécois. Fides annonce trois études dans la collection « Écrivains canadiens d'aujourd'hui », dont l'une sur Nelligan, par Paul Wyczynski.

745 *Éditions de grand luxe comme on en voit rarement,* dans *Dimanche-Matin,* vol. 14, nº 42, 29 octobre 1967, p. 55.

Article d'information pour la sortie chez Fides, en édition de grand luxe, des *Poésies complètes* de Nelligan et de *Menaud, Maître-draveur.*

746 *Des archives et des souvenirs,* dans *Le Devoir,* vol. 58, nº 281, 5 décembre 1967, p. 10.

L'article signale la parution du premier « Dossier de documentation sur la littérature canadienne-française ». La maison Fides annonce à cette occasion la mise en chantier d'un autre dossier, consacré à Émile Nelligan.

747 *Le lancement de trois ouvrages,* dans *Bulletin de la Faculté des Arts de l'Université d'Ottawa,* vol. 2, nº 3, février 1968, p. 4.

Bref compte rendu du lancement de trois ouvrages: *Émile Nelligan,* de Paul Wyczynski, *Xavier Marmier et le Canada,* de Jean Ménard, et *Imprimés dans le Bas-Canada, 1801-1810,* de M. John Hare et de J.-P. Wallot. Sous la présidence du R.P. J.-M. Quirion, doyen de la Faculté des Arts, cette soirée eut lieu à Ottawa, le 28 février 1968.

748 *A l'Université d'Ottawa lancement de trois nouveaux ouvrages de nature historique,* dans *Le Droit,* 55ᵉ année, nº 286, 1ᵉʳ mars 1968, p. 4.

Description de la soirée — avec une photo — du 28 février, au cours de laquelle on fêta la parution de trois ouvrages, dont *Émile Nelligan* de Paul Wyczynski.

749 *Chez Fides, six classiques canadiens, un Nelligan et un Savard,* dans *Le Devoir,* vol. 59, nº 70, 23 mars 1968, p. 14.

Parmi les publications récentes on souligne la parution d'*Émile Nelligan* par Paul Wyczynski, et de *Félix-Antoine Savard* par André Major.

750 *F.-A. Savard vu par André Major,* dans *La Presse,* 84e année, nº 82, 5 avril 1968, p. 13.

La note et la photo ont trait au lancement chez Fides, le 4 avril 1968, d'*Émile Nelligan,* de Paul Wyczynski, et de *F.-A. Savard,* d'André Major.

751 *Le Film du jour,* dans *Montréal-Matin,* vol. 38, nº 233, 6 avril 1968, p. 4.

Note et photographie à l'occasion de la publication d'*Émile Nelligan* par Paul Wyczynski, et de *Félix-Antoine Savard* par André Major.

752 *Publication chez Fides,* dans *Le Devoir,* vol. 59, nº 82, 6 avril 1968, p. 16.

Au bas de l'article, essentiellement consacré à F.-A. Savard, figure une photo sur laquelle on reconnaît Marcel Trudel, André Vachon, André Major, Félix-Antoine Savard, Paul Wyczynski et le père Paul Martin, réunis lors du lancement, chez Fides, le 4 avril 1968.

753 *Vient de paraître aux Éditions Fides,* dans *Le Droit,* 56e année, nº 15, 13 avril 1968, p. 7.

On annonce la parution de *Félix-Antoine Savard* et d'*Émile Nelligan* avec les photos d'André Major et de Paul Wyczynski, les auteurs respectifs de ces deux livres destinés à s'inscrire dans la collection « Écrivains canadiens d'aujourd'hui ».

754 *Émile Nelligan par Paul Wyczynski,* dans *Le Progrès,* vol. 19, nº 7, 17 avril 1968, p. 6.

Compte rendu du livre de Paul Wyczynski, publié en février 1968 chez Fides. L'article se compose essentiellement de citations.

755 *Émile Nelligan par Paul Wyczynski,* dans *La Presse,* 84e année, nº 99, 27 avril 1968, p. 28.

On signale la parution d'*Émile Nelligan,* de Paul Wyczynski; la conclusion de ce livre est reproduite dans l'article.

756 *Aux éditions Fides : Émile Nelligan,* dans *Voix populaire,* vol. 23, nº 19, 8 mai 1968, p. 54.

On parle du livre de Paul Wyczynski, publié chez Fides, en février 1968.

757 *Un dossier Nelligan,* dans *Le Devoir,* vol. 59, nº 205, 31 août 1968, p. 9.

On annonce la publication d'un cahier de documentation sur Nelligan dans la collection « Dossiers de documentation sur la littérature canadienne-française ».

758 *Émile Nelligan par Paul Wyczynski,* dans *La Victoire des Deux-Montagnes et de la région des Mille-Iles,* vol. 23, nº 5, 18 septembre 1968, p. 24.

Compte rendu du livre *Émile Nelligan,* publié chez Fides, dans la collection « Écrivains canadiens-français d'aujourd'hui ». Au tout début, l'auteur souligne: « Nelligan est le poète canadien-français qui nous émeut le plus profondément », que « son œuvre, courte et douloureuse, continue d'inspirer les écrivains, émerveille toujours le lecteur qui, pour la première fois, en écoute les accents pathétiques ».

759 *Des poèmes inédits d'Émile Nelligan,* dans *Montréal-Matin,* vol. 39, n° 170, 24 janvier 1969, p. 12.

Commentaires sur les « inédits » de Nelligan, publiés dans *La Barre du jour,* en décembre 1968.

760 *Hier soir, à la Bibliothèque nationale, ouverture du dossier Nelligan. Jean-Noël Tremblay préside au lancement de ce dossier,* dans *Montréal-Matin,* vol. 39, n° 193, le 20 février 1969, p. 33.

Résumé du film de Claude Fournier, à l'occasion de la première projection de ce long métrage, à la Bibliothèque nationale du Québec, le 19 février.

761 *Nelligan présenté sous un éclairage nouveau,* dans *L'Action,* 62e année, n° 18-[704], 20 février 1969, p. 15.

Communiqué officiel, à propos du film de Claude Fournier, émis par le ministère des Affaires culturelles du Québec.

762 *Ouverture du dossier Nelligan,* dans *Montréal-Matin,* vol. 39, n° 193, 20 février 1969, p. 33.

On décrit la soirée de la veille, au cours de laquelle on a présenté pour la première fois, à la Bibliothèque nationale du Québec, à Montréal, le film de Claude Fournier. Le résumé de ce long métrage n'est que la reproduction du communiqué officiel du ministère des Affaires culturelles du Québec, publié pour la circonstance.

763 *Première du film « Le Dossier Nelligan »,* dans *Le Soleil,* 72e année, n° 45, 20 février 1969, p. 32.

Émanant du ministère des Affaires culturelles, le texte offre un résumé du film de Claude Fournier sans aucun commentaire critique.

764 *Un « Dossier » filmé sur Émile Nelligan,* dans *La Presse,* 85e année, n° 43, 20 février 1969, p. 21. (Avec une photo du ministre Jean-Noël Tremblay et de Gilles Corbeil.)

Communiqué de presse. Un résumé du film sans plus.

765 *« Le Dossier Nelligan », un grand film !,* dans *Le Petit Journal,* 43e année, n° 19, 2 mars 1969, p. 87.

Texte composé d'après le communiqué officiel du ministère des Affaires culturelles du Québec, avec quelques ajouts sur l'avant-première du film de Claude Fournier; article de simple information sans aucun jugement critique.

766 *Le Dossier Nelligan,* dans *Le Droit,* 56e année, n° 286, 4 mars 1969, p. 11.

Quelques commentaires sur le film de Claude Fournier.

767 *Nelligan : poésie rêvée et poésie vécue,* dans *Le Petit Journal,* 43e année, n° 21, 16 mars 1969, p. 91.

Note au sujet de la publication du volume qui reproduit les textes des conférences présentées au Colloque Émile Nelligan, à l'Université McGill, en 1966.

768 *Nelligan mort ou vivant,* dans *La Frontière,* vol. 31, n° 39, 26 mars 1969, p. 6.

En marge du film de Claude Fournier, le chroniqueur fait sien ce jugement d'André Major: « Demandons à Baudelaire ou à Rimbaud de se taire, et examinons-les avec les instruments du médecin ou du psychiatre. On découvre certes un homme, mais muet, autrement dit condamné à une sorte d'insignifiance intolérable. »

769 *« Dossier Nelligan » de l'Office du film du Québec,* dans *Ici Radio-Canada,* vol. 3, n° 17, 19 au 25 avril 1969, p. 9.

On précise que ce long métrage en couleurs sera offert aux maisons d'enseignement universitaire et secondaire et on résume le contenu du film de Claude Fournier. (Il serait regrettable de voir les autorités de l'éducation au Québec donner suite à un pareil projet: l'élève perdrait son temps et la poésie son attrait.) Radio-Canada a programmé ce film pour le dimanche 20 avril, à 23 heures 30 pour recevoir aussitôt la réponse du public qui — heureusement ! — conserve encore le sens des valeurs. On laisse entendre au lecteur que « *Le Dossier Nelligan* présente le poète sous un éclairage nouveau ». On sait déjà en quoi cette « nouveauté » consiste. Dans le texte de l'article, figurent trois photographies: celle d'Émile Nelligan, celle de sa mère et celle de la maison de l'avenue Laval où habita le poète.

770 *Le Dossier Nelligan à la Bibliothèque nationale,* dans *Québec-Amérique,* avril 1969, p. 36.

Résumé du film de Claude Fournier, produit par l'Office du film du Québec.

771 *Protestation contre « Le Dossier Nelligan »,* dans *La Presse,* 85ᵉ année, n° 113, 15 mai 1969, p. 21.

Le film de Claude Fournier a suscité, non sans raison, bien des réactions au Québec. L'article reproduit une pétition, dont les termes sans équivoque ont été transmis au ministère des Affaires culturelles, à la suite de la présentation du « Dossier Nelligan » à la télévision. Parmi les signataires figurent Gérald Godin et Jacques Godbout. Il y est écrit: « Un jeune poète de 18 ans, Émile Nelligan, a eu cette année le malheur de tomber dans les pattes d'un potineur, cinéaste sans morale et sans éthique, plus soucieux de gracieusetés de montage syncopé et de crocs-en-jambe indécents à ses interviewés, que de vérité historique complète et de respect pour tout être humain. » Les soussignés demandent que le film soit retiré de la circulation et que soit confié le dossier Nelligan à un cinéaste qui aime la poésie car il « est gênant pour quiconque de voir un tribunal de comédie se pencher sur un poète mort ».

772 *Une pétition contre le « Dossier Nelligan ». Le ministère des Affaires culturelles étudie la possibilité de le retirer,* dans *Le Devoir,* vol. 60, n° 114, 16 mai 1969, p. 10.

Il s'agit substantiellement du même texte qui a paru dans *La Presse* du 15 mai 1969.

773 *Cinéastes et producteurs. Appui au « Dossier Nelligan »,* dans *Le Devoir,* vol. 60, n° 115, 17 mai 1969, p. 7.

Les cinéastes et producteurs de film au Québec, regroupés en deux associations professionnelles, se dissocient de la déclaration des cinq cinéastes de l'ONF. L'APCQ et l'APFQ, sans préjuger la valeur sur le film incriminé dont Claude Fournier est l'auteur, voient mal comment un gouvernement démocratique pourrait interdire la libre circulation d'une œuvre parce qu'elle ne fait pas l'unanimité dans son esprit et sa réalisation. Que ceux qui pensent ainsi respectent, avec la même largeur d'esprit, le jugement du public et de la critique.

774 *Remise des manuscrits de Nelligan à la Bibliothèque nationale du Québec,* dans *Le Droit,* 57ᵉ année, nº 61, 7 juin 1969, p. 7.

On précise les clauses en vertu desquelles les manuscrits de Nelligan ont été déposés à la Bibliothèque nationale du Québec. Il s'agit, en effet, de conserver ces manuscrits dans un lieu à l'épreuve du feu et de respecter le consentement des héritiers de Nelligan pour consulter les originaux de cette collection.

775 *Le Poète Émile Nelligan aurait 90 ans le 24 décembre,* dans *Le Devoir,* vol. 60, nº 298, 23 décembre 1969, p. 10.

Récital donné les 25, 26 et 27 décembre, au Restaurant Le Vaisseau d'Or de Montréal, en hommage à Nelligan.

776 *Nelligan,* dans *Le Soleil,* 72ᵉ année, nº 301, 24 décembre 1969, p. 41.

Une photo de Nelligan est accompagnée de ce commentaire: « La carrière du poète québécois rappelle à bien des égards celle de Rimbaud. Comme lui, à vingt ans déjà, son œuvre était terminée. Comme lui aussi, il est demeuré pour ses successeurs un symbole de la poésie. Le cinéaste Claude Fournier a bien tenté dans un récent « Dossier Nelligan » de détruire ce qu'il considère comme un mythe. Mais les vives réactions que son film a suscitées prouvent que la légende de Nelligan demeure vivace. » Et sa poésie aussi !

777 *Demain : hommage à Nelligan au canal 2,* dans *Le Devoir,* vol. 60, nº 302, 30 décembre 1969, p. 8.

Radio-Canada annonce qu'un hommage à Nelligan sera diffusé le 31 décembre, à 15 heures, dans le cadre de l'émission « Femme d'aujourd'hui ». Il s'agira, plus précisément, d'un spectacle musical et poétique au Restaurant Le Vaisseau d'Or, les 25, 26 et 27 décembre, à l'occasion du 90ᵉ anniversaire de la naissance du poète.

778 *En attendant l'Opéra de Montréal, Le Vaisseau d'Or vous présente, pendant le dîner, Jean-Louis Pellerin et Marcel Couture,* dans *Le Devoir,* vol. 41, nº 119, 23 mai 1970, p. 15.

Annonce: au cours des soirées des 22, 23, 24 mai 1970, Gilles Pelletier dira « La Romance du Vin », « Le Vaisseau d'Or », « Le Voyageur », « Devant le Feu », « Rondel à ma pipe », « Vieux Piano », « Beauté cruelle ».

779 *Gammes de Nelligan,* dans *La Presse,* 87ᵉ année, nº 107, 8 mai 1971, p. 1.

Insertion à propos de la publication *Nelligan et la Musique* de Paul Wyczynski.

D. – Chronologie des écrits sur Nelligan

1891

780 DESJARDINS, Henry-M., « Chronique de mes derniers mois de belles-lettres au Séminaire Ste-Thérèse, du 17 avril au 12 mai 1891 », (Journal manuscrit), 153 feuillets écrits à la main.

1893

781 [MONT-SAINT-LOUIS], « Registre matricule de Mont-Saint-Louis, n° 641 », (manuscrit), actuellement aux Archives du Collège Mont-Saint-Louis de Montréal. (Juin 1893.)

1894

782 COQUETON, Louis, *Gretchen,* dans *Le Monde illustré,* 11e année, n° 546, 20 octobre 1894, p. 296-297.

1895

783 « Bulletin de conduite et d'application », registre aux Archives du Collège Sainte-Marie de Montréal, années scolaires 1895-1896, 1896-1897.

784 [COLLÈGE SAINTE-MARIE], « Extrait des registres matricules du Collège de Montréal », préparé pour Paul Wyczynski par le R.P. Antonio Dansereau, p.s.s., d'après les archives du Collège de Montréal. [Juin 1895.]

785 A. D. L., *Aventures véridiques d'un Groupe d'éponges. Première saturnale,* dans *Le Samedi,* vol. 7, n° 12, 24 août 1895, p. 10; *Deuxième saturnale,* dans *Le Samedi,* vol. 7, n° 16, 21 septembre 1895, p. 3.

786 ♦ MELANÇON, l'abbé Joseph-Marie, « Journal », (manuscrit), du 19 octobre 1895 au 26 janvier 1929, 118 feuillets.

787 DESJARDINS, Henry-M., *Aux jeunes littérateurs,* dans *Le Canada,* vol. 16, n° 249, 25 novembre 1895, p. 3.

1896

788 [COLLÈGE SAINTE-MARIE], **Collège Sainte-Marie,** Montréal, Perreault, 1896, 68 pages, surtout p. 49.

789 MASSICOTTE, Edmond-J., *Le Repas des rois,* dans *Le Samedi,* vol. 7, n° 32, 11 janvier 1896, p. 10-11.

790 ♦ *Grand Bazar au profit de l'œuvre des religieux du T.-S. Sacrement,* dans *La Presse,* 12e année, n° 129, 4 avril 1896, p. 12.

791 ♦ *Paderewski, concert à la salle Windsor,* dans *La Presse,* 12e année, n° 132, 8 avril 1896, p. 1.

792 *Le Bazar du T.-S. Sacrement,* dans *La Presse,* 12e année, n° 140, 17 avril 1896, p. 3.

793 ♦ MASSICOTTE, É[douard]-Z[otique], *Paul Verlaine,* dans *La Feuille d'érable,* vol. 1, n° 2, 25 avril 1896, p. 32; n° 3, 10 mai 1896, p. 50; n° 4, 25 mai 1896, p. 79.

794 *Au Collège Sainte-Marie. Distribution des prix pour les jeux et pour les cours académiques,* dans *La Minerve,* 68e année, n° 241, 24 juin 1896, p. 2.

795 [COLLÈGE SAINTE-MARIE], « Registre. Programme d'études 1892-1901 », surtout p. 150 et p. 173, Archives du Collège Sainte-Marie de Montréal. (Juin 1896.)

796 [*École littéraire de Montréal. — Accusé de réception d'une photographie*], dans *Le Courrier du Livre,* juin 1896, p. 18.

797 [RÉDACTION DU MONDE ILLUSTRÉ], *Le Carnet du Monde illustré. Émile Kovar,* dans *Le Monde illustré,* 13e année, n° 638, 25 juillet 1896, p. 195.

798 [ÉCOLE LITTÉRAIRE DE MONTRÉAL], « Archives de l'École littéraire de Montréal », présentement en dépôt à la bibliothèque de la Société historique, à Montréal, 7 cahiers de format inégal, aux pages non numérotées. (10 septembre 1896 - 18 novembre 1929.)

1897

799 [COLLÈGE SAINTE-MARIE], **Collège Sainte-Marie,** Montréal, Globenski, 1897, 68 pages, surtout p. 4, 10.

800 [RÉDACTION DU MONDE ILLUSTRÉ], *Petite Poste en famille. E. N. Peck-à-boo Villa,* dans *Le Monde illustré,* 14e année, n° 679, 8 mai 1897, p. 23.

801 MASSICOTTE, É[douard]-Z[otique], *Étude sur Paul Verlaine,* dans *Le Signal,* vol. 2, n° 57, 11 décembre 1897, p. 1; n° 57a, 18 décembre 1897, p. 4; n° 58, 24 décembre 1897, p. 4; n° 59, 31 décembre 1897, p. 1; n° 61, 15 janvier 1898, p. 3.

1898

802 *École littéraire de Montréal,* dans *Le Monde illustré,* 14e année, n° 713, 1er janvier 1898, p. 563.

803 *École littéraire,* dans *Le Monde illustré,* 14e année, n° 720, 17 février 1898, p. 682.

804 *École littéraire. Inauguration des séances publiques au Château de Ramezay,* dans *La Minerve,* 73e année, n° 85, 10 décembre 1898, p. 8.

805 *L'École littéraire,* dans *Le Monde illustré,* 15e année, n° 763, 13 décembre 1898, p. 519.

806 *L'École littéraire,* dans *La Minerve,* 73e année, n° 88, 14 décembre 1898, p. 4.

807 *L'École littéraire,* dans *La Minerve,* 73e année, n° 99, 27 décembre 1898, p. 2.

808 *L'École littéraire de Montréal,* dans *La Presse,* 15e année, n° 50, 30 décembre 1898, p. 8.

809 *Nouveau Parnasse. Première séance publique de l'École littéraire. Un drame inédit de M. Fréchette,* dans *La Minerve,* 73e année, n° 102, 30 décembre 1898, p. 4.

810 *Une pléiade de littérateurs. Première séance de l'École littéraire au Château de Ramezay,* dans *La Patrie,* 20e année, n° 260, 30 décembre 1898, p. 1.

1899

811 FRANÇOISE [X Robertine Barry], *Causerie fantaisiste,* dans *La Patrie,* 20e année, n° 266, 7 janvier 1899, p. 10.

812 *La Littérature au Canada,* dans *Le Monde illustré,* 15e année, n° 767, 14 janvier 1899, p. 578.

813 *L'École littéraire,* dans *La Minerve,* 73e année, n° 148, 24 février 1899, p. 4.

814 *A l'École littéraire,* dans *La Patrie,* 21e année, n° 2, 25 février 1899, p. 8.

815 *Vers et Poètes,* dans *La Minerve,* 73e année, n° 149, 25 février 1899, p. 4.

816 MARCHY, [E.] de, *L'École littéraire de Montréal,* dans *Le Monde illustré,* 15e année, n° 775, 11 mars 1899, p. 706-707.

817 *L'École littéraire. M. Jean Charbonneau donnera une conférence sur le symbolisme au Château de Ramezay,* dans *La Presse,* 11e année, n° 126, 30 mars 1899, p. 10.

818 *L'École littéraire,* dans *La Patrie,* 21e année, n° 36, 8 avril 1899, p. 3.

819 *L'École littéraire,* dans *La Presse,* 11e année, n° 113, 8 avril 1899, p. 18.

820 *L'École littéraire. M. Jean Charbonneau nous fait l'historique du Symbolisme en France. De la poésie !* dans *La Presse,* 11e année, n° 133, 8 avril 1899, p. 18.

821 MARCHY, [E.] de, *L'École littéraire,* dans *Le Monde illustré,* 15e année, n° 781, 22 avril 1899, p. 802-803.

822 *L'École littéraire de Montréal,* dans *La Minerve,* 73e année, n° 223, 26 mai 1899, p. 4.

823 *L'École littéraire. La Dernière Séance publique,* dans *La Presse,* 11e année, n° 173, 26 mai 1899, p. 7.

824 *École littéraire,* dans *Le Monde illustré,* 16e année, n° 786, 27 mai 1899, p. 55.

825 *L'École littéraire de Montréal,* dans *La Patrie,* 21e année, no 78, 27 mai 1899, p. 8.

826 *L'École littéraire donne sa dernière séance publique de l'année au Château de Ramezay. — L'Éducation américaine,* dans *La Presse,* 11e année, no 174, 27 mai 1899, p. 7.

827 MARCHY, [E.] de, *L'École littéraire,* dans *Le Monde illustré,* 16e année, no 788, 10 juin 1899, p. 82-83.

828 [HÔPITAL SAINT-JEAN-DE-DIEU], « Dossier Émile Nelligan », no 18136, en dépôt à l'Hôpital Saint-Jean-de-Dieu, à Montréal. (Du 9 août 1899 au 18 novembre 1941.)

829 *Les Livres nouveaux,* dans *Les Débats,* 1re année, no 3, 17 décembre 1899, p. 3.

1900

830 *A travers les livres et les revues : Franges d'autel,* dans *Revue canadienne,* 36e année, vol. 2, t. 38, 1900, p. 396-397.

831 BÉLANGER, Émile, *Émile Nelligan,* dans *Le Passe-Temps,* vol. 6, no 141, 18 mars 1900, p. 337-338.

832 GILL, Charles, *Les Débuts de l'École littéraire,* dans *La Presse,* 16e année, no 126, 31 mars 1900, p. 4.

833 COMTE, Gustave, *Notes d'art,* dans *Les Débats,* 1re année, no 18, 1er avril 1900, p. 5-6.

834 *Au Château Ramesay* [*sic*]. *L'École littéraire présente au public le recueil de ses travaux. Un beau volume,* dans *La Presse,* 16e année, no 128, 3 avril 1900, p. 5.

835 ♦ *École littéraire 1899-1900,* dans *Le Monde illustré,* 16e année, no 833, 21 avril 1900, p. 817 (page de titre).

836 ♦ SAINT-HILAIRE, Joseph, *Les Soirées du Château de Ramezay. M. Émile Nelligan,* dans *Les Débats,* 1re année, no 23, 6 mai 1900, p. 3.

1902

837 ♦ DANTIN, Louis [X Eugène Seers], *Émile Nelligan,* dans *Les Débats,* 3e année, nos 143-149, livraisons hebdomadaires entre le 17 août et le 28 septembre 1902. Cette étude peut être facilement consultée aujourd'hui puisqu'elle figure dans *Émile Nelligan,* Montréal, Fides, [1968], p. 2-20. (« Dossiers de documentation sur la littérature canadienne-française », 3.) (Voir notice 140.)

838 MADELEINE [X Anne-Marie Gleason], *Testament d'âme. Aux amis d'Émile Nelligan,* dans *La Patrie,* 24e année, no 225, 14 novembre 1902, p. 22.

1903

839 FRÉCHETTE, Louis, *Notre Progrès littéraire,* dans *La Presse,* 19e année, n° 51, 3 janvier 1903, p. 10.

840 DANTIN, Louis [X Eugène Seers], *Émile Nelligan et son œuvre,* dans *Revue canadienne,* t. 43, n° 3, mars 1903, p. 277-282.

841 MADELEINE [X Anne-Marie Gleason], *Émile Nelligan,* dans *La Patrie,* 25e année, n° 41, 11 avril 1903, p. 6.

842 ~ *Denis Lanctôt,* dans *La Patrie,* 25e année, n° 152, 22 août 1903, p. 18.

1904

843 GILL, Charles, [*Une photographie de Nelligan*], Archives du Centre de recherche en civilisation canadienne-française, Université d'Ottawa. (Offerte à Lozeau, en 1904.)

844 LABERGE, A[lbert], *Émile Nelligan et son œuvre,* dans *La Presse,* 20e année, n° 98, 27 février 1904, p. 2.

845 MADELEINE [X Anne-Marie Gleason], *L'Œuvre d'Émile Nelligan,* dans *La Patrie,* 26e année, n° 4, 27 février 1904, p. 22.

846 *Émile Nelligan et son œuvre,* dans *Le Canada,* vol. 1, n° 277, 29 février 1904, p. 4.

847 GILL, Charles, *Émile Nelligan,* dans *Le Nationaliste,* 1re année, n° 1, 6 mars 1904, p. 4.

848 LOZEAU, Albert, *Émile Nelligan et l'Art canadien,* dans *Le Nationaliste,* 1re année, n° 2, 13 mars 1904, p. 4.

849 FRANÇOISE [X Robertine Barry], *Émile Nelligan,* dans *Le Journal de Françoise,* 3e année, n° 1, 2 avril 1904, p. 313-314.

1905

850 ANSEL, Franz, *Émile Nelligan et son œuvre,* dans *Durandal : revue catholique d'art et de littérature* (Bruxelles), 12e année, 1905, p. 229-230.

851 HALDEN, Charles ab der, *Un poète maudit : Émile Nelligan,* dans *La Revue d'Europe et des Colonies* (Paris), t. 13, n° 1, janvier 1905, p. 49-62.

852 LEBEAU, René, *La Littérature canadienne en France,* dans *Le Nationaliste,* 1re année, n° 45, 8 janvier 1905, p. 3.

853 HALDEN, Charles ab der, *Émile Nelligan,* dans *Le Nationaliste,* 1re année, n° 49, 5 février 1905, p. 4; n° 51, 19 février 1905, p. 3; n° 52, 26 février 1905, p. 4.

854 HIRSH, Charles-Henry, *Les Revues,* dans *Mercure de France* (Paris), vol. 53, 15 février 1905, p. 613-615.

855 HALDEN, Charles ab der, *A propos d'Émile Nelligan,* dans *Le Nationaliste,* 2e année, no 4, 26 mars 1905, p. 3.

1906

856 ♦ MARMANDE, R. de, *La Littérature française au pays de Jacques Cartier,* dans *Mercure de France,* 17e année, t. 64, novembre-décembre 1906, p. 21-33, surtout p. 33. (Série moderne.)

857 ROUSSIN, Camille, *Soirée littéraire au Collège Saint-Laurent : « Rapprochement entre les Gouttelettes de M. Pamphile Le May et l'Œuvre d'Émile Nelligan. Conférence par M. Amédée Jasmin, E.E.L. »*, dans *L'Avenir du Nord,* vol. 10, no 21, 24 mai 1906, p. 2.

1907

858 ♦ HALDEN, Charles ab der, **Nouvelles Études de Littérature canadienne-française,** Paris, F. R. de Rudeval, 1907, xvi, 379 pages, surtout *Émile Nelligan,* p. 339-377. De larges extraits de cette étude ont été publiés dans *Émile Nelligan,* Montréal, Fides, 1968, p. 61-65. (« Dossiers de documentation sur la littérature canadienne-française », 3.)

859 ROY, abbé Camille, *M. Émile Nelligan,* dans **Tableau de l'histoire de la littérature canadienne-française,** Québec, Imprimerie de l'Action sociale, 1907, p. 28.

860 MONTIGNY, Louvigny-[Testard] de, « *L'Âme Solitaire* », dans *Revue canadienne,* 43e année, no 9, septembre 1907, p. 305-320.

1908

861 THE DEAN'S WINDOW, dans *The Standard,* vol. 4, no 25, 20 juin 1908, p. 8.

1909

862 CHOQUETTE, Dr [Ernest], *Émile Nelligan,* dans *Le Canada,* vol. 7, no 223, 24 décembre 1909, p. 4.

1910

863 LIONNET, Jean, **Chez les Français du Canada,** Paris, Plon, 1910, 284 pages, surtout p. 85-86.

864 CHOQUETTE, Dr [Ernest], *Comment a sombré son intelligence,* dans *Le Semeur,* 6e année, no 6, janvier 1910, p. 166-167.

865 PROULX, A.-E., *Voyageurs rhapsodes et trouvères. André Thévet,* dans *Le Nationaliste,* 6e année, no 52, 13 février 1910, p. 2.

866 THE DEAN'S WINDOW, *Nelligan's Poems. The Poet's Personality,* dans *The Standard,* vol. 6, no 24, 11 juin 1910, p. 4.

1911

867 VÉZINA, Émile, *Nos poètes : M. Émile Nelligan,* dans *Le Nationaliste,* 8e année, no 12, 14 mai 1911, p. 1.

868 ARNOULD, Louis, *La poésie canadienne et l'enseignement supérieur français,* dans *France-Amérique,* juin 1911, p. 65-67.

869 ~ *L'École littéraire de Montréal,* dans *La Revue franco-américaine,* vol. 7, n° 5, septembre 1911, p. 378-379.

1912

870 MADELEINE [X Anne-Marie Gleason] [Mme W.-A. Gleason-Huguenin], **Le Long du Chemin,** [s.l.], [s.é.], [1912], xiv, 248 pages, surtout *Émile Nelligan,* p. 67-73.

871 GILL, Charles, [Lettre à Louis-Joseph Doucet] du 10 février 1912, Archives de Mme Marcelle Pommerleau, Montréal.

872 DORCHAIN, Auguste, *La Poésie au Canada,* dans *Les Annales* (Paris), n° 1508, 19 mai 1912, p. 439-440.

873 MUDDIMAN, Bernard, *The Soirées of the Château de Ramezay,* dans *Queen's Quarterly,* vol. 20, n° 1, juillet-septembre 1912, p. 73-91. (Avec une photographie de Nelligan. Un tiré à part de cette étude porte un titre différent: *The French Canadian Literary Movement,* 21 pages.)

1913

874 ARNOULD, Louis, **Nos amis les Canadiens,** Paris, G. Oudin, 1913, 364 pages, surtout p. 169-175. (Deuxième édition en 1915.)

875 ROY, abbé Camille, **French-Canadian Literature,** Toronto, Glasgow, Brook & Company, 1913, p. 435-489, surtout p. 469-470. (Collection « Canada and its Provinces », sous la direction d'Adam Shortt et d'A. G. Goughty. A noter que la pagination de l'étude de Roy est celle de la collection.)

1914

876 LORRAIN, Léon, *Imitation et Influences françaises,* dans *Le Devoir,* vol. 5, n° 29, 5 février 1914, p. 1.

1916

877 CHARBONNEAU, Jean, **Des influences françaises au Canada,** Montréal, Beauchemin, 1916, t. 1, xix, 229 pages, surtout p. 85-97.

1917

878 ♦ DUMONT, G.-A., **L'École littéraire de Montréal : Réminiscences,** Montréal, Librairie G.-A. Dumont, [1917], 15 pages. (Au verso de la couverture une photographie de la vitrine de la Librairie Dumont, située au 1212, rue Saint-Denis.)

1918

879 ROQUEBRUNE, Robert de, *Hommage à Nelligan,* dans *Le Nigog,* vol. 1, n° 7, juillet 1918, p. 219-224.

880 SAINTE-FOY, Jean, *Sur un sonnet,* dans *Le Terroir,* vol. 1, nº 4, décembre 1918, p. 17-22, surtout p. 20-21.

1919

881 RINFRET, Fernand, *L'Effort littéraire du Canada,* dans *Mémoires de la Société royale du Canada,* Série B, vol. 13, section 1, 1919, p. 101-112, surtout p. 104-106.

882 ARNOULD, Louis, *La Tristesse de Nelligan,* dans *France-Amérique* (Paris), 10e année, nº 93, septembre 1919, p. 343-346.

883 ASSELIN, Olivar, *Quelques livres canadiens (Le Cap Éternité),* dans *La Revue moderne,* vol. 1, nº 1, 15 novembre 1919, p. 17-20.

1920

884 LOZEAU, Albert, *L'Anthologie des poètes canadiens,* dans *Le Devoir,* vol. 11, nº 14, 17 mai 1920, p. 1.

885 DUVAL, Clovis, *L'Anthologie des poètes canadiens,* dans *Le Devoir,* vol. 11, nº 123, 27 mai 1920, p. 2.

886 PELLETIER, Fred., *La Sainte-Cécile et les musiciens de Montréal,* dans *La Revue nationale,* vol. 1, nº 11, novembre 1920, p. 21.

1922

887 ♦ FOURNIER, Jules, **Mon Encrier : recueil posthume d'études et d'articles choisis dont deux inédits,** Montréal, Éditeur : Madame Jules Fournier, 1922, vol. 2, 211 pages, surtout « Réplique à M. ab der Halden », p. 20-34.

1923

888 LA DURANTAYE, Louis-Joseph de, *Les Images et les Procédés d'Émile Nelligan,* dans *Les Annales* (publication de l'Institut canadien-français d'Ottawa), 2e année, nº 1, janvier 1923, p. 5-6. Un extrait de cette étude figure aussi dans *Émile Nelligan,* Montréal, Fides, [1968], p. 71-72. (« Dossiers de documentation de littérature canadienne-française », 3.)

889 LANCTÔT, Gustave, *Autour du symbolisme,* dans *Les Annales,* vol. 2, nos 8-9, septembre et octobre 1923, p. 2-4.

1924

890 MACMECHAN, Archibald, **Headwaters of Canadian Literature,** Toronto, McClelland and Stewart, [1924], 247 pages, surtout chapitre « In Montreal », p. 155-164.

1925

891 [♦ LÉVEILLÉ, Lionel], *Souvenirs,* dans *Les Soirées de l'École littéraire de Montréal,* [s.é.], 1925, p. 11-31. (Article écrit sous le pseudonyme d'Englebert Gallèze.)

892 SŒURS DE SAINTE-ANNE, **Précis d'Histoire des littératures, française, canadienne-française, étrangères et anciennes,** Lachine, Procure des Missions des Sœurs de Sainte-Anne, 1925, 478 pages, surtout p. 258-259.

1926

893 EDMOND, Léo, *Émile Nelligan et son œuvre,* dans *Le Devoir,* vol. 17, n° 65, 20 mars 1926, p. 1.

1927

894 HANOTAUX, Gabriel, *L'Apport intellectuel des colonies à la France,* dans *Revue des deux mondes* (Paris), t. 37, 1927, p. 129-140.

895 PIERCE, Lorne, *Émile Nelligan,* dans **An Outline of Canadian Literature (French and English),** Montréal et New-York, Louis Carrier — At the Mercury, 1927, p. 58-59.

1928

896 SŒURS DE SAINTE-ANNE, **Précis d'histoire littéraire : littérature canadienne-française,** Lachine, Procure des Missions des Sœurs de Sainte-Anne, 1928, 336 pages, surtout p. 155-156, 275.

897 ROY, abbé Camille, *Notre littérature,* dans *Le Devoir,* vol. 19, n° 140, 16 juin 1928, p. 7.

898 DANTIN, Louis, [X Seers, Eugène], *Les Débuts de l'École littéraire de Montréal,* dans *Le Canada,* vol. 26, n° 165, 16 octobre 1928, p. 4.

1929

899 BERNARD, Harry, **Essais critiques,** Montréal, Librairie d'Action canadienne-française, 1929, 197 pages.

900 DUGAS, Marcel, **Littérature canadienne : aperçus,** Paris, Firmin-Didot, 1929, 203 pages, surtout p. 15-18.

901 HARVEY, Jean-Charles, *Le Mois artistique et littéraire,* dans *La Revue moderne,* 11ᵉ année, n° 2, décembre 1929, p. 7-8.

1930

902 BROWN, E. K., *The Claims of French Canadian Poetry,* dans *Queen's Quarterly,* vol. 37, n° 4, automne 1930, p. 724-731, surtout p. 725-727.

1931

903 DANTIN, Louis [X Eugène Seers], **Gloses critiques,** Montréal, A. Lévesque, 1931, 222 pages, surtout p. 179-199.

904 LAMARCHE, o.p., Thomas-Marie, *Un grand musicien d'aujourd'hui,* dans *Le Devoir,* vol. 22, n° 83, 11 avril 1931, p. 7.

1932

905 LAMARCHE, Thomas-Marie, *Émile Nelligan,* dans *Revue dominicaine,* 38e année, octobre 1932, p. 560-571.

906 [*Nelligan parmi ses amis*], photographie publiée dans *La Presse* (supplément), 49e année, no 52, 17 décembre 1932, p. 33.

1933

907 BASTIEN, Hermas, **Témoignages. Études et profils littéraires,** Montréal, A. Lévesque, 1933, 316 pages, surtout p. 85-145.

908 DANDURAND, abbé Albert, **La Poésie canadienne-française,** Montréal, A. Lévesque, 1933, 245 pages, surtout p. 186-199.

909 LESAGE, Jules-S., **Propos littéraires (Écrivains d'hier),** 2e série, Québec, L'Action catholique, 1933, 260 pages, surtout « Émile Nelligan », p. 189-194.

1935

910 ♦ CHARBONNEAU, Jean, **L'École littéraire de Montréal,** [Montréal], A. Lévesque, [1935], 320 pages, surtout « Émile Nelligan », p. 117-126.

1936

911 BERTRAND, C., *Les livres et leurs auteurs,* dans *Le Devoir,* vol. 27, no 19, 25 janvier 1936, p. 8.

1937

912 ♦ ASSELIN, Olivar (?), *M. Émile Nelligan,* dans **Pensée française,** Montréal, Éditions d'ACF, 1937, p. 15-17.

913 SAINT-GEORGES, Hervé de, *Pour avoir eu trop de génie, Émile Nelligan vit à jamais dans un rêve tragique qui ne se terminera qu'avec la mort,* dans *La Patrie,* 59e année, no 175, 18 septembre 1937, p. 19, 21. (Texte reproduit dans **Émile Nelligan,** Montréal, Fides, [1968], p. 24-26, « Dossiers de documentation sur la littérature canadienne-française », 3.)

1938

914 LABERGE, A[lbert], **Peintres et Écrivains d'hier et d'aujourd'hui,** Montréal, Édition privée, 1938, 248 pages, surtout p. 225-229.

915 LÉGER, Jules, **Le Canada et son expression littéraire,** Paris, Nizet et Bastard, 1938, 213 pages, surtout p. 144-146.

916 TURNBULL, Jean M., **Essential Traits of French-Canadian Poetry,** Toronto, MacMillan, 1938, 225 pages, surtout p. 120-134.

917 GRUNER, Nanine, *Naissance de la littérature canadienne,* dans *Les Nouvelles littéraires* (Paris), no 800, 12 février 1938, p. 8.

918 VALDOMBRE [X Claude-Henri Grignon], *Marques d'amitiés,* dans *Les Pamphlets de Valdombre,* 2e année, no 4, mars 1938, p. 173-176.

919 DANTIN, Louis [X Eugène Seers], [Lettre inédite à Jules-Édouard Prévost] du 22 avril 1938, communiquée à Paul Wyczynski par le R.P. Yves Garon.

920 A. A. [X Alfred Ayotte], *Une trouvaille de M. Massicotte : Émile Nelligan n'est pas né en 1882 mais en 1879 et il a été baptisé à l'église Saint-Patrice de Montréal. Son extrait de baptême est rédigé en anglais,* dans *Le Devoir,* vol. 29, n° 103, 4 mai 1938, p. 1.

921 VALDOMBRE [X Claude-Henri Grignon], *Louis Dantin, dit le vieillard cacochyme,* dans *Les Pamphlets de Valdombre,* 2e année, n° 6, mai 1938, p. 273-286.

922 ♦ BEAULIEU, Germain, *Nelligan est-il l'auteur de ses vers?* dans *Les Idées,* 4e année, nos 5-6, mai-juin 1938, p. 337-348. Texte partiellement reproduit dans **Émile Nelligan,** Montréal, Fides, [1968], p. 36-40. (« Dossiers de documentation sur la littérature canadienne-française », 3.)

923 ASSELIN, Olivar, *M. Émile Nelligan,* dans *Les Idées,* 4e année, nos 5 et 6, mai-juin 1938, p. 349-351.

924 ♦ MASSICOTTE, É[douard]-Z[otique], *Où et quand naquit le poète Émile Nelligan,* dans *Le Bulletin des recherches historiques,* vol. 44, n° 6, juin 1938, p. 176-177.

925 GAB., *Découpage, en épluchant les choux,* dans *Le Quartier latin,* vol. 21, n° 5, 4 novembre 1938, p. 6.

1939

926 HERTEL, François, **Le Beau Risque,** Montréal, Valiquette-A.C.F., 1939, 136 pages.

927 ♦ KIEFFER, c.s.v., Michel-I., « L'École littéraire de Montréal », thèse de maîtrise ès arts, présentée à l'Université McGill de Montréal, 1939, 96 feuillets.

928 BOIVIN, René-O., *A l'époque où l'on offrait un recueil de poésies manuscrites comme cadeau de noce,* dans *La Patrie,* 5e année, n° 8 (Section Magazine), 19 février 1939, p. 17.

929 GRANDPRÉ, Pierre de, *Généralités sur notre littérature,* dans *Le Quartier latin,* vol. 22, n° 9, 1er décembre 1939, p. 4.

1941

930 CHARTIER, Mgr Émile, **Au Canada français : la vie de l'esprit 1760-1925,** Montréal, Éditions Bernard Valiquette, 1941, 356 pages, surtout *École littéraire ou lyrique de Montréal,* 1890-1920, p. 145-166.

931 JOBIN, Antoine-Joseph, *L'École de Montréal,* dans **Visages littéraires du Canada français,** Montréal, Éditions du Zodiaque, 1941, p. 54-58.

932 CHARBONNEAU, Jean, *Bel Hommage d'un poète à Émile Nelligan. M. Jean Charbonneau signale les qualités de l'œuvre du défunt,* dans *La Presse,* 58e année, n° 30, 19 novembre 1941, p. 29.

933 *Décès du poète Émile Nelligan,* dans *La Presse,* 58e année, n° 30, 19 novembre 1941, p. 3, 29.

934 ♦ *Dernière heure de Nelligan,* dans *La Presse,* 58e année, n° 30, 19 novembre 1941, p. 3, 29.

935 [*Émile Nelligan. Le Dernier Tercet du Vaisseau d'or*], dans *La Patrie,* 63e année, n° 225, 19 novembre 1941, p. 3.

936 LÉVEILLÉ, Lionel, *Émile Nelligan,* dans *Le Devoir,* vol. 32, n° 268, 19 novembre 1941, p. 1, 10.

937 ♦ SAINT-GEORGES, Hervé de, et Jean-Aubert LORANGER, *Émile Nelligan est décédé à 59 ans,* dans *La Patrie,* 63e année, n° 225, 19 novembre 1941, p. 3, 26.

938 *Émile Nelligan,* dans *Le Devoir,* vol. 32, n° 269, 20 novembre 1941, p. 1.

939 *Émile Nelligan repose en paix,* dans *La Patrie,* 63e année, n° 226, 20 novembre 1941, p. 8.

940 *Émile Nelligan est conduit en terre,* photographie dans *La Patrie,* 63e année, n° 227, 21 novembre 1941, p. 3.

941 ♦ *Les Obsèques du poète Nelligan,* dans *La Patrie,* 63e année, n° 227, 21 novembre 1941, p. 3.

942 ♦ *Émile Nelligan est décédé à 62 ans et 11 mois,* dans *La Patrie,* 63e année, n° 228, 22 novembre 1941, p. 40.

943 *Prisca, Sainte Cécile et les musiciens,* dans *Le Devoir,* vol. 32, n° 271, 22 novembre 1941, p. 23.

944 ♦ *« Le Vaisseau d'Or » transcrit de mémoire par Nelligan lui-même,* dans *Le Petit Journal,* vol. 16, n° 5, 23 novembre 1941, p. 14.

945 GAUTRIE, Jean, *Émile Nelligan,* dans *Le Quartier latin,* vol. 24, n° 9, 28 novembre 1941, p. 5.

946 BRULARD, Henri, *Mosaïque,* dans *Amérique française,* 1re année, n° 2, 24 décembre 1941, p. 47-48.

1942

947 BARBEAU, Antonio, **Sous les platanes de Cos,** Montréal, Valiquette, [1942], 181 pages, surtout le chapitre « Les Fous que j'aime », p. 157-179.

948 BRIEN, Roger, « Émile Nelligan », (manuscrit, février 1942), 12 feuillets.

1943

949 HALLÉ, Thérèse, « Émile Nelligan-poète », bio-bibliographie, thèse présentée à l'École de bibliothécaires de l'Université de Montréal, 1943, 14 feuillets.

1945

950 AYOTTE, Alfred, *Le Souvenir de l'École littéraire de Montréal,* dans *La Presse*, 61e année, n° 292, 29 septembre 1945, p. 30.

1946

951 ♦ BESSETTE, Gérard, « Les Images chez Nelligan », thèse de maîtrise, présentée à la Faculté des Lettres de l'Université de Montréal, 1946, 100 feuillets.

952 BRUNET, Berthelot, **Histoire de la littérature canadienne-française,** Montréal, Éditions de l'Arbre, 1946, 187 pages, surtout p. 78-81.

953 ♦ PAUL-CROUZET, Jeanne, **Poésie au Canada,** Paris, Didier, 1946, 373 pages; surtout p. 120-138.

954 R[OUX], J[ean]-L[ouis], *Poésies,* dans *Le Quartier latin,* vol. 28, n° 25, 29 janvier 1946, p. 3.

955 SYLVESTRE, Guy, *Deux judicieuses rééditions,* dans *Le Droit,* vol. 34, n° 40, 16 février 1946, p. 2.

956 DUHAMEL, Roger, *Les Poésies de Nelligan,* dans l'*Action nationale,* vol. 27, mars 1946, p. 237-238.

957 SYLVESTRE, Guy, *Poésie d'Émile Nelligan,* dans *Le Soleil,* 65e année, n° 72, 23 mars 1946, p. 8.

958 HAMEL, Charles, *Poésies par Émile Nelligan,* dans *Le Canada,* vol. 44, n° 21, 29 avril 1946, p. 5.

959 BOISVERT, Réginald, *A propos d'une édition critique : Poésies, par Émile Nelligan,* dans *Le Devoir,* vol. 37, n° 103, 4 mai 1946, p. 8-9.

960 L[ÉGARÉ], [o.f.m.], R[omain], *Émile Nelligan,* dans *Culture,* vol. 7, n° 2, juin 1946, p. 246.

961 BESSETTE, Gérard, *Les Images chez Nelligan,* dans l'*Action nationale,* vol. 28, nov. 1946, p. 195-200.

1947

962 GOURAIGE, e.e.l., *Simples notes sur Nelligan et DesRochers,* dans *Le Carabin,* vol. 7, n° 2, 8 octobre 1947, p. 6.

963 ♦ MONTIGNY, Louvigny-[Testard] de, *Émile Nelligan and the École littéraire de Montréal,* dans *Saturday Night,* vol. 63, n° 9, 1er novembre 1947, p. 32.

1948

964 LOISELLE, Alphonse, *Préface,* dans **Bonjour, les gars !** de Jean Narrache, Montréal, Ferland Pilon, 1948, p. 8-13.

965 NADEAU, Gabriel, **Louis Dantin : sa vie et son œuvre,** Manchester, Lafayette, 1948, 253 pages.

966 VOVARD, André, *Le Drame d'un poète canadien : Émile Nelligan,* dans *Livres et Lectures,* n° 13, juin 1948, p. 245-246.

967 ~ *Le Drame d'un poète canadien,* dans *Le Devoir,* vol. 39, n° 190, 14 août 1948, p. 5.

968 ♦ BESSETTE, Gérard, *Analyse d'un poème de Nelligan,* dans l'*Action universitaire,* 15e année, n° 1, octobre 1948, p. 62-79; étude réimprimée dans **Littérature en ébullition,** Montréal, Éditions du Jour, 1968, p. 27-41; figure aussi dans **Émile Nelligan,** Montréal, Fides, [1968], p. 45-53. (« Dossiers de documentation sur la littérature canadienne-française », 3.)

969 *Un événement littéraire,* dans *Le Devoir,* vol. 39, n° 284, 4 décembre 1948, p. 8-9.

970 *Un événement littéraire,* dans *Le Droit,* 36e année, n° 281, 4 décembre 1948, p. 2.

1949

971 DES ORMES, Renée [X Mme Louis Turgeon], **Robertine Barry, en littérature : Françoise,** Québec, l'Action sociale, 1949, 159 pages.

972 CHAUVIN, R., *Émile Nelligan,* dans *The Canadian Forum,* vol. 28, n° 338, mars 1949, p. 277-278.

973 LUCE, Jean, *Défense du vers libre,* dans *La Presse,* 65e année, n° 176, 14 mai 1949, p. 65.

974 MELANÇON, abbé Joseph-Marie, *Émile Nelligan,* dans *La Patrie,* 15e année, n° 30, 24 juillet 1949, p. 58, 61.

1950

975 ♦ LÉVIS, [Fortier], s.c., frère, « Le Vaisseau d'Or d'Émile Nelligan », thèse de doctorat en philosophie, présentée à la Faculté des Arts de l'Université d'Ottawa, 1950, 233 feuillets.

976 ♦ DESROCHERS, Alfred, *Nelligan a-t-il subi une influence anglaise ?* conférence donnée à la Bibliothèque municipale de Montréal le 29 novembre 1950, publiée le lendemain par *Le Devoir,* vol. 41, n° 277, 30 novembre 1950, p. 2; reprise dans *Les Carnets viatoriens,* 16e année, n° 3, juillet 1951, p. 187-198, et n° 4, octobre 1951, p. 300-307. Cette étude figure aussi dans **Émile Nelligan,** Montréal, Fides, [1968], p. 65-71. (« Dossiers de documentation sur la littérature canadienne-française », 3.)

1951

977 GARNEAU, René, *La littérature,* dans **Les Arts, Lettres et Sciences au Canada, 1949-1951 : recueil d'études spéciales préparées pour la Commission royale d'enquête sur l'avancement des arts, lettres et sciences au Canada,** Ottawa, Edmond Cloutier, 1951, p. 83-97.

978 DION-LÉVESQUE, Rosaire, *Une première visite à Émile Nelligan,* dans *Le Phare : magazine des Franco-Américains,* vol. 4, n°s 6-7, juillet-août 1951, p. 23-24. Ce texte sera réimprimé dans *Poésie,* vol. 1, n° 9, automne 1966, p. 14-17.

979 BASTIEN, Hermas, *Émile Nelligan, poète génial,* dans *Qui ?* vol. 3, n° 2, décembre 1951, p. 25-40.

1952

980 ♦ LACOURCIÈRE, Luc, *Introduction,* dans **Émile Nelligan, Poésies complètes 1896-1899,** Montréal et Paris, Fides, 1952, p. 7-20. (L'« Introduction » est suivie d'une « Chronologie d'Émile Nelligan » [p. 31-38]; quelque peu modifiées, celles-ci paraîtront dans les deux éditions postérieures de 1958 et de 1966.)

981 FERRON, Jacques, *Nelligan,* dans *L'Information médicale et paramédicale,* vol. 4, n° 5, 15 janvier 1952, p. 8.

982 LACOURCIÈRE, Luc, *L'Œuvre d'Émile Nelligan dans une édition critique,* dans *Notre Temps,* vol. 7, n° 24, 12 avril 1952, p. 1.

983 *Au lancement du livre « Poésies complètes » chez Fides,* dans *Notre Temps,* vol. 8, n° 7, 6 décembre 1952, p. 5.

984 LAROCHELLE, Jean-Thomas, *M. Luc Lacourcière nous parle de son travail sur Nelligan,* interview avec Luc Lacourcière, dans *Notre Temps,* vol. 8, n° 7, 6 décembre 1952, p. 4.

985 RICHER, Julia, *Poésies complètes d'Émile Nelligan,* dans *Notre Temps,* vol. 8, n° 7, 6 décembre 1952, p. 5.

986 *Hommage à Émile Nelligan,* dans *L'Action catholique,* 45e année, n° 14034, 9 décembre 1952, p. 2.

987 *Pour saluer Émile Nelligan,* dans *Le Devoir,* vol. 43, n° 293, 13 décembre 1952, p. 7.

1953

988 LÉON-VICTOR, [Paquin], i.c., frère, « L'Influence parnassienne sur la littérature canadienne-française et, particulièrement, chez Émile Nelligan, Paul Morin, René Chopin et Arthur de Bussières », thèse de maîtrise ès arts, présentée à la Faculté des Lettres de l'Université de Montréal, 1953, xiii, 127 feuillets.

989 PINSONNEAULT, Jean-Paul, *Poésie complètes d'Émile Nelligan,* dans *Lectures,* t. 9, n° 5, janvier 1953, p. 198-203.

990 DUHAMEL, Roger, *Deux poètes canadiens d'il y a un demi-siècle,* dans *La Patrie,* 18e année, no 53, 4 janvier 1953, p. 56.

991 LEBEL, Maurice, *Émile Nelligan,* dans *Le Droit,* 41e année, no 7, 10 janvier 1953, p. 2.

992 VALOIS, Marcel, *Les « Poésies d'Émile Nelligan »*, dans *La Presse,* 69e année, no 83, 24 janvier 1953, p. 64.

993 LEBEL, Maurice, *Émile Nelligan,* dans *Vie française,* vol. 7, no 5, janvier-février 1953, p. 265-267.

994 MAILLET, Andrée, *Livres reçus,* dans *Amérique française,* vol. 11, no 1, janvier-février 1953, p. 78-80.

995 MARCOTTE, Gilles, *Le Drame exprimé et le Drame vécu,* dans *Vie étudiante,* 1er février 1953, p. 3-4.

996 MARCOTTE, Gilles, *Émile Nelligan,* dans *Le Devoir,* vol. 44, no 25, 31 janvier 1953, p. 6; no 31, 7 février 1953, p. 8.

997 TILLY, André, *Poésies complètes d'Émile Nelligan,* dans *La Tribune,* 43e année, no 296, 10 février 1953, p. 4.

998 LAROCHELLE, Jean-Thomas, *... des yeux pour ne point voir ...*, dans *Notre Temps,* vol. 8, no 17, 21 février 1953, p. 3.

999 RACICOT, Paul-Émile, *Émile Nelligan. Poésies complètes,* dans *Relations,* vol. 13, no 146, février 1953, p. 56.

1000 PREZZOLINI, Giuseppe, *Poeta in lingua francese del Canada, Émile Nelligan,* dans *Idea* (Rome), 5e année, nos 9-10, 1-8 mars 1953, p. 1-2.

1001 DESILETS, Alphonse, *Nelligan, Émile : Poésies complètes,* dans *Culture,* vol. 14, no 1, 3 mars 1953, p. 97-98.

1002 CATTA, R[ené]-S[alvator], *Émile Nelligan,* dans *Le Courrier,* vol. 1, no 9, 13 mars 1953, p. 7.

1003 LAMARCHE, o.p., Antonin, *Émile Nelligan. Poésies complètes,* dans *La Revue dominicaine,* vol. 49, t. 1, mars 1953, p. 124.

1004 LAPOINTE, Jeanne, *Poésies complètes de Nelligan,* causerie à Radio-Canada, CBF, publiée dans *La Semaine à Radio-Canada,* vol. 3, no 15, du 5 au 11 avril 1953, p. 5-6.

1005 ANJOU, s.j., Marie-Joseph d', *Émile Nelligan. Poésies complètes,* dans *Collège et Famille,* vol. 2, no 2, avril 1953, p. 79.

1006 LACROIX, o.p., Benoît, *Notes et Variantes sur un nouveau Nelligan,* dans *Revue dominicaine,* vol. 49, t. 1, avril 1953, p. 176-179.

1007 M. F., *Luc Lacourcière : Poésies complètes d'Émile Nelligan,* dans la *Revue de l'Université Laval,* vol. 7, no 8, avril 1953, p. 749-750.

1008 COLLIN, W. E., *Letters in Canada : 1952,* dans *University of Toronto Quarterly,* vol. 22, no 4, juillet 1953, p. 392-441, surtout p. 405-406.

1954

1009 LACROIX, o.p., Benoît, **Vie des lettres et Histoire canadienne,** Montréal, Les Éditions du Lévrier, 1954, 77 pages. (Préface d'Antonin Lamarche, o.p., Extrait de la *Revue dominicaine.*)

1010 SŒURS DE SAINTE-ANNE, **Histoire des littératures française et canadienne,** Lachine, Procure des Missions Mont Sainte-Anne, 1954, 602 pages, surtout p. 529-530. (Édition refondue et mise à jour.)

1011 VIATTE, Auguste, **Histoire littéraire de l'Amérique française des origines à 1950,** Québec, Presses universitaires Laval; Paris, Presses universitaires de France, 1954, xi, 545 pages, surtout le chapitre IV de la première partie, 2e section, « L'École littéraire de Montréal », p. 138-149.

1012 ♦ LE DANTEC, Y[ves]-G[érard], *La Vie poétique,* dans *Revue des deux mondes* (Paris), 124e année, n° 14, juillet 1954, p. 334-346, surtout p. 336-339.

1957

1013 ASSELIN, Jacques, « Les thèmes majeurs chez Nelligan », thèse de maîtrise, Université de Montréal, 1957, 97 feuillets.

1014 BAILLARGEON, c.ss.r., Samuel, *Émile Nelligan (1879-1941). Un rêveur génial et morbide,* dans **Littérature canadienne-française,** Montréal et Paris, Fides, [1957], p. 162-170.

1015 TOUSIGNANT, abbé Jean, *Analyses littéraires d'œuvres canadiennes, Émile Nelligan. Le Vaisseau d'Or,* dans l'*Enseignement secondaire,* vol. 36, n° 6, mars 1957, p. 271-272.

1958

1016 LÉON-VICTOR, i.c., frère, « Arthur de Bussières, sa vie et son œuvre », thèse de doctorat en philosophie (mention littérature), Université d'Ottawa, 1958, viii, 344 feuillets.

1017 SYLVESTRE, Guy, *La littérature canadienne-française,* dans **Panorama das Literaturas das Americas** (de 1900 à actualidade), Angola, Ediçao do Municipio de Nova Lisboa, 1958, t. 1, p. 243-278, surtout p. 256-263. (Direcçao de Joaquim de Montezumade Carvalho.)

1018 VIATTE, Auguste, *Littératures connexes,* dans **Histoire des littératures,** Paris, Gallimard, 1958, p. 1365-1413, surtout « Canada », p. 1385-1390. (« Bibliothèque de la Pléiade ».)

1019 BOUTET, Edgar, *Nos poètes,* dans *Le Droit,* 46e année, n° 202, 30 août 1958, p. 13.

1020 WYCZYNSKI, Paul, *Émile Nelligan : Poésies complètes,* dans *Revue de l'Université d'Ottawa,* vol. 28, n° 4, octobre-décembre 1958, p. 539-540.

1959

1021 Wyczynski, Paul, *Émile Nelligan,* dans *Lectures,* nouvelle série, vol. 6, n° 2, octobre 1959, p. 37-39.

1960

1022 Baillargeon, c.ss.r., Samuel, *Émile Nelligan (1879-1941). Un rêveur génial et morbide,* dans **Littérature canadienne-française,** Montréal, Fides, [1960], p. 189-196 (2e édition).

1023 ♦ Bessette, Gérard, **Les Images en Poésie canadienne-française,** Montréal, Beauchemin, 1960, 280 pages, surtout p. 215-274. (Thèse de doctorat, présentée à l'Université de Montréal, en 1950, 498 feuillets.)

1024 ♦ Garon, a.a., Yves, « Louis Dantin, sa vie et son œuvre », thèse de doctorat ès lettres, Université Laval, Québec, 1960, xiii, 641 feuillets.

1025 Jacob, Roland, « Émile Nelligan, poète de l'angoisse », thèse de maîtrise, Université de Montréal, 1960, 101 feuillets.

1026 ♦ Tougas, Gérard, *Émile Nelligan (1879-1941),* dans **Histoire de la littérature canadienne-française,** Paris, Presses universitaires de France, 1960, p. 94-99.

1027 ♦ Wyczynski, Paul, **Émile Nelligan, sources et originalité de son œuvre,** Ottawa, Éditions de l'Université d'Ottawa, 1960, 349 pages. (Avec un portrait de Nelligan et un dessin de Roger Larivière. Collection « Visage des lettres canadiennes », 1. Bibliographie: p. 307-334. L'ouvrage a été d'abord présenté comme thèse de doctorat à l'Université d'Ottawa, 1957, xxiii, 456 feuillets.)

1028 ~ *Les Origines de l'École littéraire de Montréal,* dans **Thought 1960,** Toronto, W. J. Gage, 1960, p. 211-225.

1029 Grandmont, Éloi de, *Les Influences et les Déficiences,* dans *Le Devoir,* vol. 51, n° 89, 23 avril 1960, p. 9.

1030 Poliquin, Jean-Marc, *Émile Nelligan,* dans *Le Droit,* 48e année, n° 95, 23 avril 1960, p. 8.

1031 A. L., *Paul Wyczynski-Émile Nelligan,* dans la *Revue dominicaine,* vol. 56, mai 1960, p. 249.

1032 Lacroix, o.p., Benoît, *Émile Nelligan relu par Paul Wyczynski,* dans *Lectures,* nouvelle série, vol. 6, n° 10, juin 1960, p. 291-292.

1033 Léonard, Yves, *Paul Wyczynski : « Émile Nelligan, sources et originalité de son œuvre »* dans *Les Études classiques,* t. 28, n° 3, juillet 1960, p. 346-347.

1034 Marion, Séraphin, *Émile Nelligan, sources et originalité de son œuvre, de Paul Wyczynski,* dans *Le Travailleur* (Worcester), vol. 30, n° 27, 7 juillet 1960, p. 1, 4.

1035 LÉGARÉ, o.f.m., Romain, *Wyczynski, Paul : « Émile Nelligan. Sources et originalité de son œuvre »*, dans *Culture*, vol. 21, nº 3, septembre 1960, p. 444-445.

1036 *Nelligan par Paul Wyczynski aux Éditions de l'Université d'Ottawa*, dans *Le Bulletin du Cercle juif*, 7e année, nº 58, octobre 1960, p. 3.

1037 LE MOINE, Roger, *Un poète universel : Nelligan*, dans *Le Carabin*, vol. 20, nº 12, 8 décembre 1960, p. 13.

1038 VIATTE, Auguste, *Deux étapes de poésie canadienne : Émile Nelligan, Anne Hébert*, dans *La Croix* (Paris), vol. 81, nº 23-[707], 12 décembre 1960, p. 5.

1961

1039 CHATILLON, Pierre, « Les Thèmes de l'enfance et de la mort dans l'œuvre poétique de Nelligan, Saint-Denys Garneau, Anne Hébert, Alain Grandbois », thèse de maîtrise, Faculté des lettres, Université de Montréal, 1961, vii, 46, 49 feuillets, surtout première partie, feuillets 11-17, et deuxième partie, feuillets 1-7.

1040 CHÉNÉ, Yolande, **Au seuil de l'enfer,** [Montréal], Le Cercle du Livre de France, [1961], 252 pages, surtout p. 24-25, 28, 35, 60.

1041 CORDIÉ, Carlo, *Paul Wyczynski : Émile Nelligan*, dans *Paideia* (Gênes), vol. 16, 1961, p. 142-144.

1042 VIATTE, Auguste, *Deux étapes dans la poésie canadienne*, dans *Le Carabin*, vol. 20, nº 16, 19 janvier 1961, p. 8.

1043 NIHILO, Eva, *Paul Wyczynski. Émile Nelligan*, dans *Revue de l'Université Laval*, vol. 15, nº 8, avril 1961, p. 773.

1044 BESSETTE, Gérard, *Paul Wyczynski : Émile Nelligan, sources et originalité de son œuvre*, dans *Revue de l'Université d'Ottawa*, numéro spécial, avril-juin 1960, p. 304-307. (Ce numéro est devenu le premier volume de la Collection « Archives des Lettres canadiennes ».)

1045 WYCZYNSKI, Paul, *Gérard Bessette : — Les Images en Poésie canadienne-française*, dans *Revue de l'Université d'Ottawa*, numéro spécial, avril-juin 1961, p. 301-304. (Ce numéro est devenu le premier volume de la collection « Archives des lettres canadiennes ».)

1046 TREMBLAY, s.j.m., Marcel, *Contribution aux recherches sur Émile Nelligan*, dans l'*Enseignement secondaire*, vol. 40, nº 5, mai 1961, p. 11-15.

1047 MARCOTTE, Gilles, *Critique universitaire*, dans *Liberté*, nos 15-16, mai-août 1961, p. 648-651.

1048 BONENFANT, Jean-Charles, *Les Études sociales*, dans *University of Toronto Quarterly*, vol. 30, nº 4, juillet 1961, p. 499-508, surtout p. 503-504.

1049 WYCZYNSKI, Paul, *Émile Nelligan, poète de l'inquiétude,* dans *Canadian Literature,* n° 10, automne 1961, p. 40-50.

1050 TOUGAS, Gérard, « *La Poésie de Nelligan* » *de Paul Wyczynski,* dans *Canadian Literature,* n° 7, hiver 1961, p. 62-65.

1962

1051 GAGNON, Marcel-A., **La Vie orageuse d'Olivar Asselin,** Montréal, Les Éditions de l'Homme, 1962, t. 1, 160 pages, surtout p. 40-41.

1052 MARCOTTE, Gilles, *Émile Nelligan,* dans **Une littérature qui se fait,** Montréal, HMH, 1962, p. 98-106.

1053 GARON, a.a., Yves, *Louis Dantin et la « critique intime »,* dans *La Revue de l'Université Laval,* vol. 16, n°s 5-6, janvier-février 1962, p. 521-535. (Tiré à part, 29 pages.)

1054 CHARTIER, Mgr Émile, *L'École littéraire de Montréal,* dans *La Revue de l'Université de Sherbrooke,* vol. 2, n° 3, mars 1962, p. 157-170.

1963

1055 ♦ BESSETTE, Gérard, *Nelligan et les remous de son subconscient,* dans *L'École littéraire de Montréal,* Montréal et Paris, Fides, [1963], p. 131-149. (Collection « Archives des lettres canadiennes », t. 2. Étude reprise dans *Une littérature en ébullition,* Montréal, Éditions du Jour, p. 43-62.)

1056 ♦ CENTRE DE RECHERCHES EN LITTÉRATURE CANADIENNE-FRANÇAISE DE L'UNIVERSITÉ D'OTTAWA, **L'École littéraire de Montréal,** Montréal et Paris, Fides, [1963], 384 pages. (Collection « Archives des lettres canadiennes », t. 2.)

1057 GARON, a.a., Yves, *Louis Dantin aux premiers temps de l'École littéraire de Montréal,* dans **L'École littéraire de Montréal,** Montréal, Fides, 1963, p. 257-270. (« Archives des lettres canadiennes », t. 2.)

1058 LEBEL, Maurice, **D'Octave Crémazie à Alain Grandbois,** Québec, Les Éditions de l'Action, 1963, 285 pages, surtout p. 79-83.

1059 ♦ WYCZYNSKI, Paul, *École littéraire de Montréal : origines, évolution, rayonnement,* dans **L'École littéraire de Montréal,** Montréal et Paris, Fides, [1963], p. 11-36.

1060 ÉTHIER-BLAIS, Jean, *En marge de Nelligan,* dans *Le Devoir,* vol. 54, n° 75, 30 mars 1963, p. 10.

1061 PAQUETTE, Albert, *Le Souvenir d'Émile Nelligan,* dans *Le Droit,* 51e année, n° 221, 21 septembre 1963, p. 6.

1062 ♦ GRANDBOIS, Alain, *Émile Nelligan, grand poète au sort étrange,* dans *Le Petit Journal,* 38e année, n° 5, 24 novembre 1963, p. 53. (Avec une photographie de Nelligan et deux poèmes de celui-ci: « Tristesse blanche » et « Le Vaisseau d'Or ».)

1964

1063 Sylvestre, Guy, *Au tournant du siècle,* dans *Panorama des lettres canadiennes-françaises,* Québec, Ministère des Affaires Culturelles, 1964, p. 24-28. (« Arts, vie et sciences au Canada français », 1.)

1064 Tougas, Gérard, *Émile Nelligan (1879-1941),* dans **Histoire de la littérature canadienne-française,** Paris, Presses universitaires de France, 1964, p. 73-77 (2e édition). (Le même texte paraîtra dans la 3e [1965] et la 4e [1967] édition.)

1065 Robert, Guy, *Du désir demeuré désir au « Goût bizarre du tombeau »,* dans *Le Devoir,* vol. 55, n° 78, 4 avril 1964, p. 18-19. Amputé, différemment appelé sous le titre « Nelligan tel qu'il fut », ce texte est reproduit dans **Émile Nelligan,** Montréal, Fides, [1968], p. 23-31. (« Dossiers de documentation sur la littérature canadienne-française », 3.) Une autre fois remanié et avec un nouveau titre, « Nelligan : un désir demeuré désir », le voilà intégré au livre **Aspects de la littérature québécoise,** Montréal, Beauchemin, 1970, p. 115-130.

1066 Éthier-Blais, Jean, *La Cité : ferment intellectuel et symbole de demain,* dans *Le Devoir,* vol. 55, n° 263, 7 novembre 1964, p. 26.

1067 Sylvestre, Guy, *Amour et poésie : Éros au pays de Québec,* dans *Le Devoir,* vol. 55, n° 263, 7 novembre 1964, p. 20-21.

1965

1068 Monay, Félicien, et Jeanne-Marie Dulong, **Guide méthodologique de l'explication de texte,** Montréal, Centre éducatif et culturel Inc., 1965, 77 pages, surtout p. 63-68.

1069 Wilson, Edmund, **O Canada. An American's Notes on Canadian Culture,** New-York, Farrar, Straus and Giroux, 1965, 245 pages, surtout *Émile Nelligan,* p. 97-101.

1070 Wyczynski, Paul, *Nelligan, poète de l'inquiétude,* dans **Poésie et Symbole,** Montréal, Librairie Déom, 1965, p. 81-108. (Collection « Horizons ». Couverture et illustrations de Zygmunt J. Nowak.)

1071 Saint-Onge, Paul, *Propos sur le roman (XI) : Cécile Cloutier — Émile Nelligan,* dans *Le Droit,* 52e année, n° 7, 9 janvier 1965, p. 7.

1072 Huot, Maurice, *En quelques mots,* dans *Le Bien public,* vol. 54, nos 1-2, 15 janvier 1965, p. 1.

1073 Paradis, Suzanne, *Réalité de la vie poétique au Canada français,* dans *Lettres et Écritures,* vol. 2, n° 4, avril 1965, p. 27-32.

1074 Éthier-Blais, Jean, *L'Hexagone,* dans *Études françaises,* 1re année, n° 2, juin 1965, p. 115-121.

1075 Catta, R[ené]-S[alvator], *A la recherche des mots,* dans *L'Enseignement secondaire,* t. 44, n° 4, septembre-octobre 1965, p. 23-234, I; t. 44, n° 5, novembre-décembre 1965, p. 249-252, II; t. 45, n° 1, janvier-février 1966, p. 35-38, III; t. 45, n° 2, mars-avril 1966, p. 81-84, IV; t. 45, n° 3, mai-juin 1966, p. 140-144, V; t. 45, n° 4, septembre-octobre 1966, p. 202-205, VI; t. 45, n° 5, novembre-décembre 1966, p. 258-261, VII. Un large extrait de cette étude se trouve dans **Émile Nelligan,** Montréal, Fides, [1968], p. 75-81. (« Dossiers de documentation sur la littérature canadienne-française », 3.)

1076 ÉTHIER-BLAIS, Jean, *L'École littéraire de Montréal,* dans les *Études françaises,* 1re année, n° 3, octobre 1965, p. 107-112.

1077 NAUD, Jacques, *Émile Nelligan,* dans *Moisson,* vol. 3, n° 1, octobre 1965, p. 4. (Avec une photo du poète dont la signature en fac-similé constitue le titre de l'article.)

1966

1078 DUCHARME, Réjean, **L'Avalée des avalés,** Paris, Gallimard, [1966], 282 pages, surtout p. 22.

1079 GONZALEZ-MARTIN, Jeronimo Pablo, **Cinco poetas franco-canadienses actuales,** Sevilla, Publicaciones de la Escuela de Estudios hispano-americanos, 1966, 167 pages, surtout p. 14-16.

1080 MARIE-HENRIETTE-DE-JÉSUS, s.n.j.m., Sœur, **Lucien Rainier (abbé Joseph-Marie Melançon): L'homme et l'œuvre,** Montréal, Les Éditions du Lévrier, 1966, 347 pages.

1081 SYLVESTRE, Guy, Conron BRANDON et Carl F. KLINCK, **Canadian Writers — Écrivains canadiens,** Montréal, HMH, 1966, xviii, 186 pages, surtout p. 115-116.

1082 TOUGAS, Gérard, **History of French-Canadian Literature,** Toronto, The Ryerson Press, 1966, 300 pages, surtout p. 73-76 (traduit par Alta Lind Cook).

1083 THÉBERGE, Jean-Yves, *Le livre de poche,* dans *Le Canada français,* vol. 106, n° 39, 17 février 1966, p. 26.

1084 *Semaine Émile Nelligan du 18 au 25 novembre,* dans *L'Évangéline,* vol. 79, n° 267-[8453], 17 mars 1966, p. 4.

1085 T[URCOTTE], R[aymond], *Un inédit de Nelligan ?* dans les *Cahiers de Sainte-Marie,* n° 1, mai 1966, p. 85-88.

1086 HUOT, Maurice, *En quelques mots,* dans *Le Bien public,* vol. 55, n° 22, 3 juin 1966, p. 8.

1087 ~ *Pour le 25e anniversaire de la mort d'Émile Nelligan,* dans *Le Droit,* 54e année, n° 58, 4 juin 1966, p. 16.

1088 TARD, Louis-Martin, *1966, c'est l'année Nelligan,* dans *La Patrie,* 87e année, n° 23, 12 juin 1966, p. 49.

1089 *Fondation de l'Association des Amis d'Émile Nelligan,* dans *La Presse,* supplément: « Arts et Lettres », 82e année, n° 141, 18 juin 1966, p. 2.

1090 *Hommage à Nelligan,* dans *Poésie,* vol. 1, n° 3, été 1966, p. 3.

1091 *L'Association Émile Nelligan est née,* dans *Le Devoir,* vol. 57, n° 151, 30 juin 1966, p. 6.

1092 *Création de l'Association des amis d'Émile Nelligan,* dans *Le Soleil,* 69e année, n° 156, 30 juin 1966, p. 24.

1093 LA SOCIÉTÉ DES POÈTES CANADIENS-FRANÇAIS, « Hommage à Nelligan », communiqué, texte dactylographié, juillet 1966, 1 feuillet.

1094 *L'Année de Nelligan,* dans *Le Petit Journal,* vol. 40, n° 36, 3 juillet 1966, p. 38.

1095 VALIQUETTE, Bernard, *Il y a vingt-cinq ans ... mourait Émile Nelligan,* dans *Échos-Vedettes,* vol. 4, n° 25, 9 juillet 1966, p. 22.

1096 *Conférence de M. Robidoux sur Émile Nelligan,* dans *Le Devoir,* vol. 57, n° 161, 13 juillet 1966, p. 6.

1097 DUPIRE, Jacques, *Vous êtes invité à faire partie de l'Association des Amis d'Émile Nelligan,* dans *Échos-Vedettes,* vol. 4, n° 28, 30 juillet 1966, p. 23.

1098 *La Société des Poètes canadiens-français lance un concours en hommage à Nelligan,* dans *L'Événement,* vol. 100, n° 56, le 2 août 1966, p. 15.

1099 *Hommage à Nelligan,* dans *La Voix de l'Est,* vol. 31, n° 175, 4 août 1966, p. 2.

1100 *Hommage à Nelligan,* dans *Le Devoir,* vol. 57, n° 182, 6 août 1966, p. 10.

1101 *Un concours en hommage à Nelligan,* dans *Le Soleil,* 69e année, n° 197, 6 août 1966.

1102 *Hommage à Nelligan,* dans *L'Action catholique,* 50e année, n° 17-[740], 19 août 1966, p. 23.

1103 DUPIRE, Jacques, *Concours « Hommage à Nelligan »,* dans *Échos-Vedettes,* vol. 4, n° 31, 20 août 1966, p. 25.

1104 ROBIN, Étienne, *Études nelliganiennes,* dans *L'Information médicale et paramédicale,* vol. 18, n° 20, 6 septembre 1966, p. 33.

1105 *Si Nelligan ...,* dans *La Presse,* 82e année, n° 214, 15 septembre 1966, p. 39.

1106 *Une semaine Nelligan du 18 au 25 novembre,* dans *La Presse,* 82e année, n° 214, 15 septembre 1966, p. 33.

1107 *Une semaine sera consacrée au grand poète canadien-français,* dans *Le Devoir,* vol. 57, n° 217, 17 septembre 1966, p. 12.

1108 MAÎTRE, Manuel, *Semaine Émile Nelligan ... à l'occasion du 25e anniversaire de la mort du poète,* dans *La Patrie,* 87e année, n° 37, 18 septembre 1966, p. 50.

1109 LAFLEUR, docteur Lionel, *Émile Nelligan,* dans *Poésie,* vol. 1, n° 4, automne 1966, p. 11-13.

1110 LEMIEUX-LÉVESQUE, Alice, *Pour nous, ceux d'avant-hier,* dans *Poésie,* vol. 1, n° 4, automne 1966, p. 6-7.

1111 MALOUIN, Reine, *Ce fut un Vaisseau d'Or,* dans *Poésie,* vol. 1, n° 4, automne 1966, p. 3-5.

1112 ROYER, Jean, *Des primes lumières données,* dans *Poésie,* vol. 1, n° 4, automne 1966, p. 9-10.

1113 LA SOCIÉTÉ DES POÈTES CANADIENS-FRANÇAIS, *Poésie,* vol. 1, n° 4, automne 1966, 36 pages.

1114 *Un poème de Nelligan sert d'inspiration à un roman,* dans *Poésie,* vol. 1, n° 4, automne 1966, p. 36.

1115 POISSON, Roch, *Vie littéraire,* dans *Photo-Journal,* vol. 30, n° 25, 5 au 12 octobre 1966, p. 65.

1116 *Colloque sur Nelligan à McGill en novembre,* dans *La Presse,* 82e année, n° 240, 17 octobre 1966, p. 53.

1117 *Hommage à Nelligan,* dans *Culture-Information,* vol. 1, n° 7, 20 octobre-20 novembre 1966, p. 17.

1118 *Le Colloque Nelligan à l'Université McGill,* dans *Le Devoir,* vol. 57, n° 246, 22 octobre 1966, p. 14.

1119 T[URGEON]-D[AIGNEAULT], P[aul], « *Les mâts touchaient l'azur, sur des mers inconnues...* », dans *Le Soleil,* 69e année, n° 251, 22 octobre 1966, p. 9.

1120 *Poésie,* dans *Le Carabin,* vol. 27, n° 15, 27 octobre 1966, p. 5.

1121 L'Association des Amis d'Émile Nelligan, [Invitation], carte imprimée, novembre 1966.

1122 BEAUREGARD, Alain, *Au cimetière de la Côte-des-Neiges...,* dans *Tourbillon,* numéro spécial, novembre 1966, p. 20.

1123 — *Colloque de M. Gérard Bessette,* dans *Tourbillon,* numéro spécial, novembre 1966, p. 13.

1124 — *Dévoilement de plaques commémoratives...,* dans *Tourbillon,* numéro spécial, novembre 1966, p. 19.

1125 — *Hommage à Nelligan,* dans *Tourbillon,* numéro spécial, novembre 1966, p. 1.

1126 — *Interview,* dans *Tourbillon,* numéro spécial, novembre 1966, p. 23.

1127 BENOÎT, Jacques, *Nelligan retrouvé,* dans *Les Carnets* publiés par *Le Sainte-Marie,* vol. 12, n° 9, novembre 1966, p. 1.

1128 *Hommage à Émile Nelligan,* dans *L'Information nationale,* vol. 15, n° 8, novembre 1966, p. 11.

1129 LE CENTRE D'ÉTUDES CANADIENNES-FRANÇAISES DE L'UNIVERSITÉ McGILL, *En hommage à la mémoire d'Émile Nelligan,* novembre 1966, programme imprimé, 2 pages.

1130 LAFLEUR, le docteur Lionel, [« Plaque commémorative: projet »]. Photographie, novembre 1966. En dépôt au Centre de recherche en civilisation canadienne-française de l'Université d'Ottawa.

1131 LEFEBVRE, J[ean]-J[acques], *Émile Nelligan,* dans *En hommage à la mémoire d'Émile Nelligan,* (novembre 1966), programme du Colloque à l'Université McGill, 2 pages.

1132 *Nelligan : notes ingénieuses,* dans *Les Carnets* (supplément du *Sainte-Marie*), vol. 12, n° 9, novembre 1966, p. 8.

1133 *Poèmes choisis d'Émile Nelligan,* dans l'*Information nationale,* vol. 15, n° 8, novembre 1966, p. 13.

1134 *Tourbillon,* [journal des étudiants de l'École normale de l'Université d'Ottawa], numéro spécial, novembre 1966, en grande partie consacré à Nelligan, 38 pages polycopiées.

1135 BROSSEAU, Cécile, *Nelligan à l'honneur au Salon du livre de Québec,* dans *La Presse,* 82e année, n° 254, 2 novembre 1966, p. 47.

1136 *P. Andrinet gagne le prix Émile Nelligan,* dans *Le Soleil,* 69e année, n° 260, 2 novembre 1966, p. 14.

1137 *Prix de poésie,* dans *Montréal-Matin,* vol. 37, n° 105, 4 novembre 1966, p. 21.

1138 *Émile Nelligan, poète naufragé,* dans *La Presse* (Section « Arts et Lettres »), 82e année, n° 257, 5 novembre 1966, p. 2.

1139 PONTAUT, Alain, *L'Hommage à Nelligan : un « devoir de sagesse patriotique »,* dans *La Presse,* 82e année, n° 257, 5 novembre 1966, p. 4. Un extrait de cet article est repris dans **Émile Nelligan,** Montréal, Fides, [1968], p. 72-73. (« Dossiers de documentation de littérature canadienne-française », 3.)

1140 *Le Colloque sur Nelligan à McGill,* dans *La Presse,* 82e année, n° 260, 9 novembre 1966, p. 64.

1141 *Colloque public sur le poète Émile Nelligan,* dans *Le Devoir,* vol. 57, n° 264, 12 novembre 1966, p. 12.

1142 DUPIRE, Jacques, *Encore Nelligan,* dans *Échos-Vedettes,* vol. 4, n° 43, 12 novembre 1966, p. 27.

1143 *En hommage à la mémoire d'Émile Nelligan,* dans *La Presse,* 82e année, n° 63, 12 novembre 1966, p. 6.

1144 GAGNON, Lysiane, *Émile Nelligan,* dans *La Presse* (magazine), 82e année, n° 263, 12 novembre 1966, p. 16, 18-19, 50-54.

1145 HUOT, Maurice, *Évocation de Nelligan,* dans *Le Droit,* 54e année, n° 192, 12 novembre 1966, p. 12.

1146 BERNIER, Germaine, *La Semaine Émile Nelligan, le « poète naufragé »*, dans *Le Devoir*, vol. 57, n° 265, 14 novembre 1966, p. 11.

1147 *Colloque sur Nelligan*, dans *Le Soleil*, 69e année, n° 271, 15 novembre 1966, p. 28.

1148 CREVIER, Gilles, *Le Drame tragique du temps chez Nelligan*, dans *Le Flambeau de l'Est*, vol. 21, n° 34, 15 novembre 1966, p. 7.

1149 *Edito express*, dans *Ici Radio-Canada : Jeunesse*, vol. 1, n° 8, 15 novembre - 15 décembre 1966, p. 4.

1150 [PRESSE CANADIENNE], *Colloque sur le poète Émile Nelligan en fin de semaine à McGill*, dans *Le Droit*, vol. 54, n° 195, 16 novembre 1966, p. 25.

1151 BURGER, Baudouin, *Nelligan : une recherche de la délivrance*, dans *Le Nouveau Cahier du Quartier-latin*, vol. 3, n° 10, 17 novembre 1966, p. 7.

1152 *Le Colloque Nelligan*, dans *Le Devoir*, vol. 57, n° 268, 17 novembre 1966, p. 8.

1153 GAGNON, Nancy, *D'autres élèves écrivent*, dans *Le Canada français*, vol. 107, n° 26, 17 novembre 1966, p. 30.

1154 HARBEC, Francine, et Germain HARBEC, *Émile Nelligan*, dans *Le Canada français*, vol. 107, n° 26, 17 novembre 1966, p. 30.

1155 *Hommage au poète Émile Nelligan du 17 au 25 novembre*, dans *La Voix de l'Est*, vol. 31, n° 261, 17 novembre 1966, p. 20.

1156 LANCIAULT, Louise, et Lucette HUET, *D'autres élèves nous écrivent*, dans *Le Canada français*, vol. 107, n° 26, 17 novembre 1966, p. 30.

1157 LANGLOIS, Ruth, et Jean-Pierre GINGRAS, *D'autres élèves nous écrivent*, dans *Le Canada français*, vol. 107, n° 26, 17 novembre 1966, p. 30.

1158 [PRESSE CANADIENNE], *De l'image au son*, dans *Le Nouvelliste*, vol. 47, n° 15, 17 novembre 1966, p. 20.

1159 *Programme de la semaine Nelligan*, dans *La Presse*, 82e année, n° 267, 17 novembre 1966, p. 61.

1160 THÉBERGE, Jean-Yves, *Il y aura vingt-cinq ans demain . . .*, dans *Le Canada français*, vol. 107, n° 26, 17 novembre 1966, p. 30.

1161 MILLET, Geneviève, *Un citoyen de Granby possède un poème inédit de Nelligan*, dans *La Voix de l'Est*, 31e année, n° 262, 18 novembre 1966, p. 1.

1162 PALLASCIO-MORIN, Ernest, *Émile Nelligan tué par le rêve — ressuscité par l'amour*, dans *L'Action*, vol. 59, n° 17-[816], 18 novembre 1966, p. 21. (Le texte dactylographié de cet article se trouve au Centre de recherche en civilisation canadienne-française de l'Université d'Ottawa.)

1163 L'ASSOCIATION DES AMIS D'ÉMILE NELLIGAN, *Semaine Émile Nelligan du 18 au 25 novembre 1966,* 2 feuillets dactylographiés. (En dépôt au Centre de recherche en civilisation canadienne-française de l'Université d'Ottawa.)

1164 ANJOU, René d', *Émile Nelligan demeure le plus méconnu de nos poètes,* dans *Le Soleil,* 69ᵉ année, nº 275, 19 novembre 1966, p. 22.

1165 *En hommage au poète Nelligan mort il y a vingt-cinq ans,* dans *La Presse,* 82ᵉ année, nº 269, 19 novembre 1966, p. 3. (Avec une photo de Michel Gravel, qui fixe un moment de la cérémonie qui s'est déroulée sur la tombe de Nelligan: Alfred DesRochers dévoile la stèle de Nelligan.)

1166 ÉTHIER-BLAIS, Jean, *Nelligan ou le spasme de vivre,* dans *Le Devoir,* vol. 57, nº 270, 19 novembre 1966, p. 11. Un paragraphe de cet article est reproduit dans **Émile Nelligan,** Montréal, Fides, [1968], p. 72. (« Dossiers de documentation sur la littérature canadienne-française », 3.)

1167 GRANDMONT, Éloi de, *Émile Nelligan : merveilleux adolescent,* dans *Sept Jours,* vol. 1, nº 10, 19 novembre 1966, p. 1, 26-27, 38.

1168 *Hommage à Émile Nelligan,* dans *Le Droit,* 54ᵉ année, nº 198, 19 novembre 1966, p. 12.

1169 *Semaine Émile Nelligan du 18 au 25 novembre,* dans *L'Évangéline,* vol. 79, nº 267-[8453], 19 novembre 1966, p. 4.

1170 MAÎTRE, Manuel, *Les Anglais honorent Nelligan,* dans *La Patrie,* 87ᵉ année, nº 46, 20 novembre 1966, p. 57.

1171 BASILE, Jean, *Succès complet du Colloque Nelligan,* dans *Le Devoir,* vol. 57, nº 271, 21 novembre 1966, p. 11.

1172 [COLLÈGE GESÙ, le Comité d'organisation de la soirée Nelligan], *La Soirée Nelligan, lundi, 21 novembre 1966, à 8.00 heures,* programme imprimé, 1 feuillet. (En dépôt au Centre de recherche en civilisation canadienne-française de l'Université d'Ottawa.)

1173 *Émouvant hommage à Nelligan,* dans *Le Soleil,* vol. 69, nº 277, 22 novembre 1966, p. 20.

1174 *A la recherche de Nelligan,* dans *L'Action catholique,* 59ᵉ année, nº 17-[820], 23 novembre 1966, p. 14.

1175 BRANCON, Raymond, *La Gloire littéraire de Nelligan est aujourd'hui éclatante,* dans *Le Soleil,* vol. 69, nº 278, 23 novembre 1966, p. 8.

1176 BARBERIS, Robert, *Le Colloque Nelligan : un triomphe,* dans *Le Nouveau Cahier du Quartier latin,* vol. 3, nº 11, 24 novembre 1966, p. 4-5.

1177 CREVIER, Gilles, *Le Drame tragique du temps chez Nelligan,* dans *L'Hebdo métropolitain,* édition Outremont-Côte-des-Neiges, vol. 1, nº 11, 24 novembre 1966, p. 7.

1178 *Au club musical et littéraire,* dans *La Presse,* 82e année, no 274, 25 novembre 1966, p. 19.

1179 *A la mémoire de Nelligan,* dans *Montréal-Matin,* vol. 37, no 124, 26 novembre 1966, p. 8.

1180 LAPOINTE, Gatien, *Émile Nelligan : une œuvre exemplaire,* dans *Le Soleil,* 69e année, no 281, 26 novembre 1966, p. 27.

1181 ROYER, Jean, *Émile Nelligan,* dans *L'Action,* vol. 59, nos 17, 823, 26 novembre 1966, p. 7.

1182 FOURNIER, Roger, *Des moments émouvants sur la tombe d'Émile Nelligan,* dans *Le Petit Journal,* 41e année, no 5, 27 novembre 1966, p. 52.

1183 GERMAIN, Jean-Claude, *Expert en singeries, Clément Rosset se moque de Nelligan,* dans *Le Petit Journal,* 41e année, no 5, 27 novembre 1966, p. 51.

1184 SAINT-GERMAIN, André, *Un fou poète ou un poète fou : Émile Nelligan,* dans *Le Carabin,* vol. 27, no 24, 29 novembre 1966, p. 6.

1185 MELANÇON, Adrien, *Hommage à Émile Nelligan, poète canadien-français,* dans *Le Nico : journal des élèves du Séminaire de Nicolet,* vol. 4, no 5, 30 novembre 1966, p. 10.

1186 LANTHIER, Daniel, *Les Amis de Nelligan,* dans *Les Jeunesses littéraires du Canada français,* vol. 4, no 1, décembre 1966, p. 5-6.

1187 LÉGARÉ, o.f.m., Romain, *Émile Nelligan,* dans *Culture,* vol. 27, no 4, décembre 1966, p. 476-477.

1188 ~ *Salon du Livre de Québec,* dans *Culture,* vol. 27, no 4, décembre 1966, p. 474.

1189 HOULE, Louise, *Le Cercle Nelligan,* dans *Le Mont Saint-Louis,* vol. 37, no 4, 1er décembre 1966, p. 7.

1190 LAFLEUR, docteur Lionel, « *Émile Nelligan 1879-1941 : Sons et lumières* », texte dactylographié d'une causerie prononcée le 1er décembre 1966, à l'Hôtel Ritz-Carlton de Montréal, en dépôt au Centre de recherche en civilisation canadienne-française de l'Université d'Ottawa, 18 feuillets.

1191 LEPAGE, Gilbert, *Un ancien : Nelligan,* dans *Le Mont-Saint-Louis,* vol. 37, no 4, 1er décembre 1966, p. 1-2.

1192 MAHEUX, Marcel, *Apothéose à* [*sic*] *un grand poète : Émile Nelligan,* dans *The Monitor-Eclair,* vol. 8, 1er décembre 1966, p. 5.

1193 DUCHARME, Camille, *Avons-nous tué Émile Nelligan ?* dans *Nouvelles illustrées,* vol. 14, no 23, 3 décembre 1966, p. 15.

1194 M. G., *La Semaine Nelligan : un franc succès,* dans *La Patrie,* 47e année, no 35, 4 décembre 1966, p. 59.

1195 *Au Club musical et littéraire de Montréal,* dans *La Presse,* 82e année, n° 282, 5 décembre 1966, p. 17.

1196 B[ROSSEAU], C[écile], *Sons et lumières dans la poésie de Nelligan,* dans *La Presse,* 82e année, n° 282, 5 décembre 1966, p. 17.

1197 POISSON, Roch, *Nelligan trois fois,* dans *Photo-Journal,* vol. 30, n° 34, 7 au 14 décembre 1966, p. 87.

1198 BOYD, Suzanne, *Vive Nelligan !* dans *Le Sainte-Marie,* vol. 12, n° 10, 9 décembre 1966, p. 3.

1199 ANJOU, René d', *Émile Nelligan demeure le plus méconnu de nos poètes,* dans *La Parole,* vol. 16, n° 44, 14 décembre 1966, p. 8.

1200 PROVINCE DE QUÉBEC, Le Secrétariat de la Province, [« *Renseignements à la date du 19 décembre 1966 concernant les opérations de l'Association des Amis d'Émile Nelligan en tant qu'une corporation* »], 4 pages.

1201 *Un disque Nelligan : 20 poèmes, vingt lectures,* dans *La Presse* (Section « Arts et Lettres »), 82e année, n° 299, 24 décembre 1966, p. 2.

1202 FOURNIER, Guy, *Émile Nelligan,* dans *Perspectives,* vol. 8, n° 52, 24 décembre 1966, p. 10-15.

1967

1203 BURGER, Baudoin [*sic*], « L'Expérience poétique d'Émile Nelligan », D.E.S., Université de Montréal, 1967, 112 feuillets.

1204 DUHAMEL, Roger, *Émile Nelligan,* dans **Manuel de littérature canadienne-française,** Montréal, Éditions du Renouveau pédagogique, 1967, p. 49-52.

1205 ÉTHIER-BLAIS, Jean, *École littéraire de Montréal. — A l'ombre de Nelligan,* dans **Signets II,** Montréal, Le Cercle du Livre de France, 1967, p. 77-84.

1206 ~ *La Ville — « Quærens quem devoret » —,* dans **Signets II,** Montréal, Le Cercle du Livre de France, 1967, p. 23-30, surtout p. 23-27.

1207 LAPIERRE, Laurier-L., **Québec : hier et aujourd'hui,** Toronto, Macmillan of Canada, 1967, 306 pages, surtout p. 69-70. (Publié par le Centre d'études canadiennes-françaises de l'Université McGill, sous la direction de M. Laurier-L. Lapierre.)

1208 LIPSCOMBE, Robert, **The Story of old St. Patrick's,** Montréal, [s.é.], 1967, 34 pages, surtout p. 22. (Avec la collaboration de l'abbé Leonard J. Crowley; les photographies ont été exécutées par Armour Landry.)

1209 SIMARD-LAVALLÉE, Gisèle, « La Maison hantée de Nelligan » [manuscrit], Jonquière, Société d'études et de conférences (Cercle Lajoie), 1967, 25 feuillets.

1210 VIATTE, Auguste, *La Littérature canadienne-française,* dans **Encyclopédie générale Larousse,** Paris, Librairie Larousse, [1967], vol. 1, p. 803-805, surtout p. 803.

1211 *La Semaine Émile Nelligan,* dans *Vient de paraître,* vol. 3, n° 1, janvier 1967, p. 13.

1212 VALIQUETTE, Bernard, *Poèmes choisis,* dans *Échos-Vedettes,* vol. 4, n° 52, 14 janvier 1967, p. 20.

1213 T[HÉBERGE], J[ean]-Y[ves], *1966, l'année Nelligan,* dans *Le Canada français,* vol. 107, n° 35, 19 janvier 1967, p. 30.

1214 GAGNON, Lysiane, *Émile Nelligan,* dans *Québec 67,* vol. 4, février 1967, p. 73-81.

1215 GOULET, Antoine, *Poètes du Canada, de France et de Belgique,* dans *Le Travailleur,* vol. 37, n° 6, 9 février 1967, p. 1, 4.

1216 *Émile Nelligan, le père de la poésie canadienne,* dans *Le Droit,* 54e année, n° 286, 4 mars 1967, p. 16.

1217 ROY, Claire, *Émile Nelligan, adolescent tragique,* dans *Le Nouvelliste,* vol. 47, n° 107, 8 mars 1967, p. 10.

1218 BARIL, Pierre, *M. Jean Éthier-Blais nous parle de Nelligan,* dans *Le Nouvelliste,* 47e année, n° 113, 15 mars 1967, p. 12.

1219 BONNEVILLE, Jean-Pierre, *Le poète de la mélancolie, Émile Nelligan, vit encore,* dans *La Frontière,* vol. 29, n° 38, 22 mars 1967, p. 27.

1220 DAGENAIS, Jean-Pierre, *Un poète, Émile Nelligan,* dans *L'Écho de Vaudreuil-Soulanges et Robert Baldwin,* vol. 12, n° 12, 29 mars 1967, p. 77.

1221 LEMAY, Michel, *Émile Nelligan,* dans *L'Engagé : journal des Normaliens de Trois-Rivières,* vol. 3, n° 10, 29 mars 1967, p. 1.

1222 *Tombeau de Nelligan,* dans *Poésie,* vol. 2, n° 2, printemps 1967, p. 20-24.

1223 LEMAY, Michel, *Émile Nelligan,* dans *Le Bien Public,* vol. 56, n° 17, 28 avril 1967, p. 7.

1224 GERVAIS, Monique, « *Nelligan. Vaisseau d'Or* », dans *Les Jeunesses littéraires du Canada français,* vol. 4, n° 4, juin 1967, p. 7, 9-10.

1225 ROY, G., *Nelligan : Vaisseau d'Or,* dans *Les Jeunesses littéraires du Canada français,* vol. 4, n° 4, juin 1967, p. 7, 9-10.

1226 COLLARD, Marcel, *Un coup d'œil féminin sur l'œuvre du poète canadien, Émile Nelligan,* dans *Le Soleil,* 70e année, n° 142, 13 juin 1967, p. 29.

1227 SYLVESTRE, Guy, *La Poésie,* dans *University of Toronto Quarterly,* vol. 37, n° 3, juillet 1967, vol. 36, n° 4, p. 524-530, surtout p. 524.

1228 [PRESSE CANADIENNE], *Erratic Montreal Poet Is Being Rediscovered,* dans *Quebec Chronicle,* vol. 204, n° 21, 17 juillet 1967, p. 12.

1229 BONENFANT, Jean-Charles, *Le Canada français à la fin du XIXe siècle,* dans *Études françaises,* vol. 3, n° 3 (numéro spécial), août 1967, p. 265-274.

1230 BURGER, Baudouin, *Bibliographie d'Émile Nelligan,* dans *Études françaises,* vol. 3, n° 3, août 1967, p. 285-298.

1231 DESROCHERS, Alfred, *Témoignages d'écrivains,* dans *Études françaises,* vol. 3, n° 3, août 1967, p. 302.

1232 DUCHARME, Réjean, *Témoignages d'écrivains,* dans *Études françaises,* vol. 3, n° 3, août 1967, p. 306-307.

1233 [ÉTUDES FRANÇAISES], *Documents,* dans *Études françaises,* vol. 3, n° 3, août 1967, p. 277-283.

1234 [ÉTUDES FRANÇAISES], *Études françaises,* vol. 3, n° 3, août 1967, p. 253-321 (numéro spécial).

1235 GODBOUT, Jacques, *Témoignages d'écrivains,* dans *Études françaises,* vol. 3, n° 3, août 1967, p. 303-304.

1236 LANGEVIN, Gilbert, *Témoignages d'écrivains,* dans *Études françaises,* vol. 3, n° 3, août 1967, p. 304.

1237 MAJOR, André, *Témoignages d'écrivains,* dans *Études françaises,* vol. 3, n° 3, août 1967, p. 305.

1238 PÉLOQUIN, Claude, *Témoignages d'écrivains,* dans *Études françaises,* vol. 3, n° 3, août 1967, p. 304-305.

1239 RENAUD, Jacques, *Témoignages d'écrivains,* dans *Études françaises,* vol. 3, n° 3, août 1967, p. 306.

1240 VACHON, G.-André, *L'Ère du silence et l'âge de la parole,* dans *Études françaises,* vol. 3, n° 3 (numéro spécial), août 1967, p. 309-321.

1241 PONTAUT, Alain, *Nelligan, ou la poésie au désert,* dans *La Presse,* 83e année, n° 198, 26 août 1967, p. 25.

1242 *La Rentrée littéraire québécoise,* dans *Le Devoir,* vol. 58, n° 203, 2 sept. 1967, p. 13.

1243 ALYN, Marc, *Poèmes choisis d'Émile Nelligan,* dans *Le Figaro littéraire* (Paris), n° 1117, 11-17 septembre 1967, p. 27.

1244 PONTAUT, Alain, *Prix, Lancements et Jeux de plume,* dans *La Presse,* 83e année, n° 250, 28 octobre 1967, p. 25.

1245 *Éditions de grand luxe comme on en voit rarement,* dans *Dimanche-Matin,* vol. 14, n° 42, 29 octobre 1967, p. 55.

1246 HERTEL, François, *Du mot dans les lettres françaises,* dans *Rythmes et Couleurs,* vol. 1, n° 12, octobre-novembre 1967, p. 6-13.

1247 MAJOR, André, *Menaud et Nelligan en habit de velours,* dans *Le Devoir,* vol. 58, n° 255, 4 novembre 1967, p. 12.

1248 POISSON, Roch, *Vie littéraire,* dans *Photo-Journal,* vol. 31, n° 30, 8-15 novembre 1967, p. 87.

1249 MAJOR, André, *Nelligan ou le génie,* dans *Le Devoir,* vol. 58, n° 268, 20 novembre 1967, p. 9.

1250 *Des archives et des souvenirs,* dans *Le Devoir,* vol. 58, n° 281, 5 décembre 1967, p. 101.

1251 SAUVAGEAU, Richard, *Nelligan n'était pas un fou,* dans *Le Nico : journal des étudiants du Séminaire de Nicolet,* vol. 5, n° 4, 14 décembre 1967, p. 6-7.

1252 LEMIEUX-LÉVESQUE, Alice, *Le Salon du Livre de Québec,* dans *Poésie,* vol. 2, n° 1, hiver 1967, p. 15.

1968

1253 ♦ BESSETTE, Gérard, *Le Complexe parental chez Nelligan,* dans **Une littérature en ébullition,** Montréal, Éditions du Jour, [1968], p. 63-85.

1254 BESSETTE, G., L. GESLIN, Ch. PARENT, *Émile Nelligan,* dans **Histoire de la littérature canadienne-française par les textes,** Montréal, Centre éducatif et culturel, inc., 1968, p. 144-159.

1255 CHARLAND, R.P. Roland-M., *Bibliographie,* dans **Émile Nelligan,** Montréal, Fides, [1968], p. 95-103. (« Dossiers de documentation sur la littérature canadienne-française », 3.)

1256 ~ *Chronologie. Indications chronologiques des destinées de Nelligan et de l'École littéraire de Montréal,* dans **Émile Nelligan,** Montréal, Fides, [1968], p. 83-94. (« Dossiers de documentation sur la littérature canadienne-française », 3.)

1257 [♦ CHARLAND, R.P. Roland-M., et Jean-Noël SAMSON], *Émile Nelligan,* Montréal, Fides, [1968], 105 pages. (Collection « Dossiers de documentation sur la littérature canadienne-française », 3.)

1258 DOUCET, Édouard, **Les Médaillons d'Alonzo Cinq-Mars,** Montréal, Lidec, 1968, 36 pages. (Collection Panorama.)

1259 ÉTHIER-BLAIS, Jean, et Pierre DE GRANDPRÉ, *Un vrai poète : Émile Nelligan,* dans **Histoire de la littérature française du Québec,** Montréal, Beauchemin, 1968, t. 2, 290 pages, surtout p. 35-45.

1260 SAMSON, Jean-Noël, [Collaboration à] **Émile Nelligan,** Montréal, Fides, [1968], 104 pages, surtout p. 23-82. (Collection « Dossiers de documentation sur la littérature canadienne-française », 3.)

1261 SYLVESTRE, Guy, *Émile Nelligan,* dans **Dictionnaire des littératures,** II, Paris, Presses universitaires de France, 1968, p. 2783-2784.

1262 ♦ Wyczynski, Paul, **Émile Nelligan,** Montréal, Fides, 1968, 191 pages. (Collection « Écrivains canadiens d'aujourd'hui », 5.)

1263 *Le Lancement de trois ouvrages,* dans *Bulletin de la Faculté des Arts de l'Université d'Ottawa,* vol. 2, n° 3, février 1968, p. 4.

1264 *A l'Université d'Ottawa lancement de trois nouveaux ouvrages de nature historique,* dans *Le Droit,* 55e année, n° 286, 1er mars 1968, p. 4.

1265 Major, André, *Nelligan à la recherche du moi perdu,* dans *Le Devoir,* vol. 59, n° 52, 2 mars 1968, p. 13.

1266 Vallières, Claude, *L'Ombre de Nelligan,* dans *Le Progrès de Villeray,* vol. 33, n° 11, 13 mars 1968, p. 7.

1267 *Chez Fides, six classiques canadiens, un Nelligan et un Savard,* dans *Le Devoir,* vol. 59, n° 70, 23 mars 1968, p. 14.

1268 *F.-A. Savard vu par André Major,* dans *La Presse,* 84e année, n° 82, 5 avril 1968, p. 13.

1269 *Le Film du jour,* dans *Montréal-Matin,* vol. 38, n° 233, 6 avril 1968, p. 4.

1270 *Publication chez Fides,* dans *Le Devoir,* vol. 59, n° 82, 6 avril 1968, p. 16.

1271 *Vient de paraître aux Éditions Fides,* dans *Le Droit,* 56e année, n° 15, 13 avril 1968, p. 7.

1272 Maître, Manuel, *Huit livres nouveaux présentés le même jour,* dans *La Patrie,* 89e année, n° 15, semaine du 15 avril 1968, p. 53.

1273 *Émile Nelligan par Paul Wyczynski,* dans *Le Progrès,* vol. 19, n° 7, 17 avril 1968, p. 6.

1274 *Émile Nelligan par Paul Wyczynski,* dans *La Presse,* 84e année, n° 99, 27 avril 1968, p. 28.

1275 Duhamel, Roger, *Connaissance de nos lettres,* dans *Le Droit,* 56e année, n° 33, 4 mai 1968, p. 7.

1276 *Aux éditions Fides Émile Nelligan,* dans *Voix populaire,* vol. 23, n° 19, 8 mai 1968, p. 54.

1277 Daigneault, Yvon, *L'Âge de bronze de la critique littéraire au pays du Québec,* dans *Le Soleil,* 71e année, n° 132, 1er juin 1968, p. 34.

1278 Gagnon, Lysiane, *Émile Nelligan,* dans *La Frontière,* vol. 30, n° 51, 19 juin 1968, p. 101, 103, 105-107, 109, 111. (Numéro spécial à l'occasion de la fête de la Saint-Jean-Baptiste.)

1279 *La Poésie,* dans *University of Toronto Quarterly,* vol. 37, n° 4, juillet 1968, p. 578-588, surtout p. 578.

1280 Bertrand, André, *Un long métrage sur Nelligan,* dans *Le Devoir,* vol. 59, n° 168, 19 juillet 1968, p. 10.

1281 *Un dossier Nelligan,* dans *Le Devoir,* vol. 59, nº 205, 31 août 1968, p. 9.

1282 *Émile Nelligan par Paul Wyczynski,* dans *La Victoire des Deux-Montagnes et de la région des Mille-Îles,* vol. 23, nº 5, 18 septembre 1968, p. 24.

1283 T[HÉBERGE], J[ean]-Y[ves], *Un dossier Émile Nelligan,* dans *Le Canada français,* vol. 109, nº 19, 3 octobre 1968, p. 24.

1284 [LA BARRE DU JOUR], *Les Inédits,* dans *La Barre du Jour,* octobre-décembre 1968, p. 55-77.

1285 BURGER, Beaudoin, *Nelligan, prince des poètes,* dans *La Barre du Jour,* octobre-décembre 1968, p. 55-57.

1286 C[OLLETTE], J[ean]-Y[ves], *Provenance,* dans *La Barre du Jour,* octobre-décembre 1968, p. 59.

1287 BEAUDRY-GOURD, Anne, *Le Dossier Nelligan,* dans *La Frontière,* vol. 31, nº 21, 20 novembre 1968, p. 29.

1969

1288 ALLARD, Jacques, *Commentaire sur la conférence de M. Yves Garon,* dans **Nelligan : poésie rêvée, poésie vécue,** Montréal, Le Cercle du Livre de France, 1969, p. 79-85.

1289 BRAULT, Jacques, *Commentaire sur la conférence de Réjean Robidoux,* dans **Nelligan : poésie rêvée, poésie vécue,** Montréal, Le Cercle du Livre de France, 1969, p. 155-159.

1290 ♦ CENTRE DE RECHERCHES EN LITTÉRATURE CANADIENNE-FRANÇAISE DE L'UNIVERSITÉ D'OTTAWA, **La Poésie canadienne-française,** Montréal et Paris, Fides, [1969], 701 pages, surtout p. 79-84, 305-321. (Collection « Archives des lettres canadiennes », t. 4.)

1291 [♦ Colloque Nelligan], **Nelligan : poésie rêvée, poésie vécue,** Montréal, Le Cercle du Livre de France, 1969, 192 pages. (Ouvrage collectif avec un « Avant-propos » de Jean Éthier-Blais.)

1292 DESCHAMPS, Nicole, *Le thème de la sœur dans l'œuvre de Nelligan,* dans **Nelligan : poésie rêvée, poésie vécue,** Montréal, Le Cercle du Livre de France, 1969, p. 87-97.

1293 DUHAMEL, Roger, *Tombeau de Nelligan,* dans **Nelligan : poésie rêvée, poésie vécue,** Montréal, Le Cercle du Livre de France, 1969, p. 15-22.

1294 ÉTHIER-BLAIS, Jean, *Avant-propos,* dans **Nelligan : poésie rêvée, poésie vécue,** Montréal, Le Cercle du Livre de France, 1969, p. 9-14.

1295 ♦ GARON, a.a., Yves, *Louis Dantin, précurseur et frère d'Émile Nelligan,* dans **Nelligan : poésie rêvée, poésie vécue,** Montréal, Le Cercle du Livre de France, 1969, p. 59-78.

1296 GAY, [c.s.sp.], Paul, *Émile Nelligan (1879-1941),* dans **Guide littéraire du Canada français,** Montréal, HMH, 1969, p. 49-52.

1297 JONES, Henri, *La Folie dans les poèmes d'Émile Nelligan,* dans **Nelligan : poésie rêvée, poésie vécue,** Montréal, Le Cercle du Livre de France, 1969, p. 161-175.

1298 KUSHNER, Eva, *Émile Nelligan de Paul Wyczynski,* dans *Livres et auteurs canadiens 1968,* Montréal, Éditions Jumonville, [1969], p. 126-127.

1299 LACOURCIÈRE, Luc, *A la recherche de Nelligan,* dans **Nelligan : poésie rêvée, poésie vécue,** Montréal, Le Cercle du Livre de France, 1969, p. 23-54.

1300 LEBEL, Maurice, *Nelligan, l'art et la vie,* dans **Nelligan : poésie rêvée, poésie vécue,** Montréal, Le Cercle du Livre de France, 1969, p. 177-189.

1301 LEDUC, Mme Paule, *Commentaire sur la conférence de G.-André Vachon,* dans **Nelligan : poésie rêvée, poésie vécue,** Montréal, Le Cercle du Livre de France, 1969, p. 115-121.

1302 ROBIDOUX, Réjean, *Émile Nelligan, expérience et création,* dans **Nelligan : poésie rêvée, poésie vécue,** Montréal, Le Cercle du Livre de France, 1969, p. 123-153.

1303 ♦ ~ *La signification de Nelligan,* dans **La Poésie canadienne-française,** Montréal, Fides, 1969, p. 305-321. (Collection « Archives des lettres canadiennes », t. 4.)

1304 TASSIE, J.-S., *Commentaire sur la conférence de Luc Lacourcière,* dans **Nelligan : poésie rêvée, poésie vécue,** Montréal, Le Cercle du Livre de France, 1969, p. 55-58.

1305 VACHON, G.-André, *Émile Nelligan et la mélancolie,* dans **Nelligan : poésie rêvée, poésie vécue,** Montréal, Le Cercle du Livre de France, 1969, p. 103-113.

1306 VIGNEAULT, Robert, *Commentaire sur la conférence de Nicole Deschamps,* dans **Nelligan : poésie rêvée, poésie vécue,** Montréal, Le Cercle du Livre de France, 1969, p. 99-102.

1307 ♦ WYCZYNSKI, Paul, *L'Héritage poétique de l'École littéraire de Montréal,* dans **La Poésie canadienne-française,** Montréal, Paris, Fides, 1969, p. 75-108. (Collection « Archives des lettres canadiennes », t. 4.)

1308 ~ **Nelligan et la musique,** Ottawa, Éditions de l'Université d'Ottawa, 1969, 14 pages. (En dépôt au Centre de recherche en civilisation canadienne-française de l'Université d'Ottawa.)

1309 *Des poèmes inédits d'Émile Nelligan,* dans *Montréal-Matin,* vol. 39, n° 170, 24 janvier 1969, p. 12.

1310 TREMBLAY, Denis, *Dans le prochain numéro de « La Barre du Jour » des poèmes inédits d'Émile Nelligan,* dans *Montréal-Matin,* vol. 39, n° 170, 24 janvier 1969, p. 12.

1311 VACHON, G.-André, *Les aînés tragiques : Crémazie, Nelligan,* dans *Europe* (revue mensuelle de Paris), 47e année, nos 478-479, février-mars 1969, p. 24-32.

1312 *Hier soir, à la Bibliothèque nationale, ouverture du dossier Nelligan. Jean-Noël Tremblay préside au lancement de ce dossier,* dans *Montréal-Matin,* vol. 39, n° 193, le 20 février 1969, p. 33.

1313 *Nelligan présenté sous un éclairage nouveau,* dans *L'Action,* 62e année, n° 18-[704], 20 février 1969, p. 15.

1314 *Ouverture du dossier Nelligan,* dans *Montréal-Matin,* vol. 39, n° 193, 20 février 1969, p. 33.

1315 *Première du film « Le Dossier Nelligan »,* dans *Le Soleil,* 72e année, n° 45, 20 février 1969, p. 32.

1316 *Un Dossier filmé sur Émile Nelligan,* dans *La Presse,* 85e année, n° 43, 20 février 1969, p. 21. (Avec une photo du ministre Jean-Noël Tremblay et de Gilles Corbeil.)

1317 NADON, Claude, et André MAJOR, *« Dossier Nelligan », un film de Claude Fournier. Fallait-il nous tuer ce mythe ?* dans *Le Devoir,* vol. 60, n° 44, 22 février 1969, p. 13.

1318 PERREAULT, Luc, *« Dossier Nelligan » : un procès jugé d'avance,* dans *La Presse,* 85e année, n° 51, 1er mars 1969, p. 32.

1319 PIAZZA, François, *« Le Dossier Nelligan »,* dans *Échos-Vedettes,* vol. 7, n° 7, 1er mars 1969, p. 28.

1320 *« Le Dossier Nelligan », un grand film !* dans *Le Petit Journal,* 43e année, n° 19, 2 mars 1969, p. 87.

1321 *Le Dossier Nelligan,* dans *Le Droit,* 56e année, n° 286, 4 mars 1969, p. 11.

1322 DUHAMEL, Roger, *La Résurrection de Nelligan,* dans *Le Droit,* 56e année, n° 290, 8 mars 1969, p. 7.

1323 MAJOR, André, *Nelligan mort ou vivant,* dans *Le Devoir,* vol. 60, n° 62, 15 mars 1969, p. 14.

1324 BERNIER, Conrad, *Nelligan : poésie rêvée et poésie vécue,* dans *Le Petit Journal,* 43e année, n° 21, 16 mars 1969, p. 91.

1325 *Nelligan, poésie rêvée et poésie vécue,* dans *Le Petit Journal,* 43e année, n° 21, 16 mars 1969, p. 91.

1326 RICHER, Julia, *Échos littéraires,* dans *L'Information médicale et paramédicale,* vol. 21, n° 9, 18 mars 1969, p. 50-51.

1327 *Nelligan mort ou vivant,* dans *La Frontière,* vol. 31, n° 39, 26 mars 1969, p. 6.

1328 *Le Dossier Nelligan à la Bibliothèque nationale,* dans *Québec-Amérique,* avril 1969, p. 36.

1329 BORDELEAU, Jean-Marc, *Émile Nelligan,* dans *L'Information médicale et paramédicale,* vol. 21, n° 11, 15 avril 1969, p. 68.

1330 BONNEVILLE, [c.s.v., Frère] Léo, *A propos du film de Claude Fournier. Procès à Nelligan,* dans *Le Devoir,* vol. 60, n° 91, 19 avril 1969, p. 4.

1331 *« Dossier Nelligan » de l'Office du film du Québec,* dans *Ici Radio-Canada,* vol. 3, n° 17, 19 au 25 avril 1969, p. 9.

1332 M[AILHOT], L[aurent], *Paul Wyczynski . . . ,* dans *Études françaises,* vol. 5, n° 2, mai 1969, p. 223-226.

1333 L'ILLETTRÉ [X Harry Bernard], *Émile Nelligan,* dans *Le Droit,* 57e année, n° 30, 1er mai 1969, p. 6.

1334 LAKOFF, Aube, *Le Nelligan de Claude Fournier,* dans *Le Devoir,* vol. 60, n° 107, 8 mai 1969, p. 4.

1335 L'ILLETTRÉ [X Harry Bernard], *Un document unique sur le fier poète Émile Nelligan,* dans *Le Bien Public,* 58e année, n° 19, 9 mai 1969, p. 6.

1336 ABRAN, Serge, *Le Nationalisme en littérature,* dans *Le Devoir,* vol. 60, n° 113, 15 mai 1969, p. 4.

1337 DAOUST, Gilles, *Le Dossier Nelligan prouve que Québec doit intervenir. Jean-Noël Tremblay,* dans *La Presse,* 85e année, n° 113, 15 mai 1969, p. 61.

1338 *Protestation contre « Le Dossier Nelligan »,* dans *La Presse,* 85e année, n° 113, 15 mai 1969, p. 21.

1339 *Une pétition contre le « Dossier Nelligan ». Le Ministère des Affaires culturelles étudie la possibilité de le retirer,* dans *Le Devoir,* vol. 60, n° 114, 16 mai 1969, p. 10.

1340 *Cinéastes et producteurs. Appui au « Dossier Nelligan »,* dans *Le Devoir,* vol. 60, n° 115, 17 mai 1969, p. 7.

1341 BELLEFEUILLE, Paul de, *Un « dossier Nelligan » déplorable,* dans *Le Devoir,* vol. 60, n° 116, 20 mai 1969, p. 8.

1342 JASMIN, Claude, *De « Valérie » à « Émile Nelligan-dossier »,* dans *Sept Jours,* 3e année, n° 37, 31 mai 1969, p. 38.

1343 HUOT, Maurice, *En quelques mots,* dans *Le Bien public,* vol. 58, n° 23, 6 juin 1969, p. 3.

1344 L'ILLETTRÉ [X Harry Bernard], *Un document unique sur le fier poète Émile Nelligan,* dans *Le Travailleur* (Worcester), vol. 39, n° 23, 7 juin 1969, p. 1, 4.

1345 *Remise des manuscrits de Nelligan à la Bibliothèque nationale du Québec,* dans *Le Droit,* 57e année, n° 61, 7 juin 1969, p. 7.

1346 BAXTER, J. E., *How Literature Helped the French-Canadian Invent Himself* (Separateness Is Not a Recent Innovation), dans *Monday Morning,* vol. 3, n° 10, juin-juillet 1969, p. 30.

1347 FERRON, Jacques, *Papa Nelligan était aliéné,* dans *Le Petit Journal,* 43e année, n° 48, 21 septembre 1969, p. 85.

1348 ♦ TANGUAY, f.ch., Albert, *26 ans pensionnaire chez les Frères de la charité : Émile Nelligan,* dans *Le Bulletin des Frères éducateurs du Canada,* n° 19, septembre-octobre 1969, p. 30.

1349 ♦ WYCZYNSKI, Paul, *L'Influence de Verlaine sur Nelligan,* dans *Revue d'histoire littéraire de la France* (Paris), 69e année, n° 5, septembre-octobre 1969, p. 778-794.

1350 FERRON, Jacques, *Rimbaud, Nelligan et Jean Drapeau,* dans *Le Petit Journal,* 43e année, n° 52, 19 octobre 1969, p. 87.

1351 WYCZYNSKI, Paul, *Nelligan et la musique,* dans *Revue de l'Université d'Ottawa,* vol. 39, n° 4, octobre-décembre 1969, p. 513-532.

1352 *Le Poète Émile Nelligan aurait 90 ans le 24 décembre,* dans *Le Devoir,* vol. 60, n° 298, 23 décembre 1969, p. 10.

1353 *Nelligan,* dans *Le Soleil,* 72e année, n° 301, 24 décembre 1969, p. 41.

1354 *Demain : hommage à Nelligan au canal 2,* dans *Le Devoir,* vol. 60, n° 302, 30 décembre 1969, p. 8.

1355 RUDEL-TESSIER et al., *La Neige neigeait en l'honneur de Nelligan samedi,* dans *La Presse* [Spec], vol. 1, n° 46, 31 décembre 1969, p. 4.

1970

1356 LABSADE, Françoise de, *Poésie rêvée, poésie vécue,* dans *Livres et auteurs québécois 1969,* Montréal, Éditions Jumonville, [1970], p. 143.

1357 LE GRAND, Albert, *La Littérature canadienne-française,* dans *Histoire de la littérature française,* Paris, Colin, [1970], p. 1011-1056, surtout p. 1030-1033. (Collection U.)

1358 ROBERT, Guy, **Aspects de la littérature québécoise,** Montréal, Beauchemin, 1970, 193 pages, surtout *Nelligan un désir demeuré désir,* p. 115-130.

1359 BEAULIEU, Ivanhoe, *La Multiplication des phrases essentielles,* dans *Le Soleil,* 73e année, n° 64, 14 mars 1970, p. 45.

1360 *En attendant l'Opéra de Montréal, Le Vaisseau d'Or vous présente, pendant le dîner, Jean-Louis Pellerin et Marcelle Couture,* dans *Le Devoir,* vol. 41, n° 119, 23 mai 1970, p. 15.

1361 FERRON, Jacques, *L'Asile Saint-Benoît,* dans l'*Information médicale et paramédicale,* vol. 22, n° 14, 2 juin 1970, p. 18.

1362 ~ *La littérature utilitaire et l'écrivain engagé,* dans *Le Magazine McLean,* vol. 10, n° 7, juillet 1970, p. 44-46.

1363 EMMANUEL, Pierre, *La Poésie française du Canada vue de la France,* dans **Société canadienne et culture française. Colloque international organisé à l'Université de Liège le 31 janvier 1969,** Liège, Université de Liège, 1970, p. 35-55. (Collection « Les Congrès et Colloques de l'Université de Liège », vol. 56.)

1364 BISSONNETTE, Pierrette, et Jean-Pierre BOUCHARD, *Analyse de « Clavier d'antan », poème d'Émile Nelligan,* dans *Revue de l'Université d'Ottawa,* vol. 40, n° 4, oct.-déc. 1970, p. 597-604.

1971

1365 ♦ WYCZYNSKI, Paul, **Nelligan et la musique,** Ottawa, Éditions de l'Université d'Ottawa, 1971, 149 pages. (Collection « Cahiers du Centre de recherche en civilisation canadienne-française ». Avec plusieurs illustrations; reproduction de documents inédits. La couverture est de Zygmunt-J. Nowak.)

1366 ♦ ~ *Réponse de M. Paul Wyczynski de la Société royale : Nelligan et Baudelaire,* dans *Réception de M. Adrien Thério, M. Paul Wyczynski, M. Jean Darbelnet et M. Léon Dion à la Société royale du Canada,* [s.l.n.é.], [1971], p. 33-53.

1367 *Gammes de Nelligan,* dans *La Presse,* 87e année, n° 107, 8 mai 1971, p. 1.

1368 HERTEL, François, *La quinzaine à Paris : Hommage à Nelligan et à de Grandmont,* dans *Le Devoir,* vol. 62, n° 109, 13 mai 1971, p. 14.

1369 GAY, [c.s.sp.], Paul, *La Musique des profondeurs,* dans *Le Droit,* 59e année, n° 140, 11 septembre 1971, p. 21.

1370 BOYER, Michel, *Émile Nelligan,* dans *Le Droit,* 59e année, n° 134, 4 septembre 1971, p. 14; 59e année, n° 140, 11 septembre 1971, p. 20; 59e année, n° 146, 18 septembre 1971, p. 14.

1371 RICHER, Julia, *Échos littéraires,* dans l'*Information médicale et paramédicale,* vol. 23, n° 21, 21 septembre 1971, p. 16.

1372 VENNE, Rosario, *Émile Nelligan et ma jeunesse,* dans *Défi,* vol. 1, n° 25, 26 novembre 1971, p. 24. (Avec une photographie de Nelligan et une strophe de chacun des poèmes suivants: « Le Vaisseau d'Or », « Soirs d'automne », « Devant deux portraits de ma mère », « Rêve d'artiste ».)

1373 [LAFLEUR, docteur Lionel]: « Fonds Lionel Lafleur ». Déposé au Centre de recherche en civilisation canadienne-française de l'Université d'Ottawa, en novembre 1971.

1374 BEAULIEU, Michel, *Faisceaux de la poésie québécoise,* dans *Presqu'Amérique,* vol. 1, n° 2, novembre-décembre 1971, p. 22-24, surtout p. 22-23.

E. – Poèmes en hommage à Nelligan

1375 Andrinet, Paul, *Hommage à Nelligan,* dans *Poésie,* vol. 2, n° 1, hiver 1967, p. 16.

Lauréat du Prix Marie Lemelin, Paul Andrinet a composé un poème de qualité: il mérite d'être cité en entier.

Ô Nelligan tu as collé tant de matins aux fenêtres de nos yeux
Détruit tant de soleils dans le creux de nos mains
Immobilisé des coins de ciel à la dérive
Pour nos yeux affamés de visions
Parfumé l'odeur de notre misère
Chanté le vin qui grise au-delà de l'ivresse
Tu as cherché derrière le regard timide des roses
Le chant fragile de nos joies muettes
Dans la tristesse de l'automne
L'âge de notre douleur de notre solitude de notre désespoir
Et pour nos yeux d'enfants la neige qui neige

Tu as surgi de la nuit
Comme un affamé un assoiffé
Mordu par la triste réalité
Qui surveille aux frontières du rêve
Écœuré d'entendre sonner le glas
Annonçant matin et soir ton trépas
Tu es parti mourir aux quatre coins du monde
Emportant avec toi ton plus beau poème
Seul passager à bord du Vaisseau d'or
Fracassé quelque part dans la nuit de ton rêve.

1376 Beaulieu, Gabriel, *Présence d'un poète,* dans *Poésie,* vol. 2, n° 1, hiver 1967, p. 23.

Poème en vers libres, où est surtout mise en relief l'importance de la parole poétique: Nelligan homme a passé; Nelligan poète demeure.

1377 Boiteau, Georges, *La Nuit obscure d'Émile Nelligan,* dans *Poésie,* vol. 2, n° 1, hiver 1967, p. 22.

Hommage à Nelligan, ce sonnet est centré sur le thème du poète incompris.

1378 Charbonneau, Gilles, *Nelligan,* dans *Poésie,* vol. 2, n° 1, hiver 1967, p. 18-19.

Les versets s'ordonnent dans un dialogue entre le Poète et Dame-Poésie. Ce que l'artiste veut offrir à sa bien-aimée, ce sont

des forêts sans arbres
des mers sans fond
des montagnes sans sommet
et des vides plus pleins que la nuit.

1379 Coppens, Patrick, *Une lecture de Nelligan,* dans *Culture vivante,* n° 12, février 1969, p. 54.

Poème inspiré par l'œuvre de Nelligan et, plus particulièrement, par « Châteaux en Espagne » et « La Vierge noire ».

1380 Cusson, s.j., Gilles, *Chercheur de la nuit,* dans *Poésie,* vol. 2, n° 1, hiver 1967, p. 21.

Ce poème ouvre un espace tout à la fois ombre et lumière, ordonne en quatre strophes libres dont voici la première:

Tu as creusé dans la ténèbre
Et tu nous parles
du fond du vide béant
qui broie l'âme tendue vers la vie.

1381 DELAHAYE, Guy, *Musique et Névrose. Tryptique sinistre (Âme de basse — Vouée au mépris de Nelligan; Âme de Soprano — A Nelligan compris; Âme d'alto — A Nelligan incompris),* dans **Les Phases,** Montréal, C. Déom, 1910, p. 9-16. Reproduit dans *Poésie,* vol. 1, n° 4, automne 1966, p. 20-21.

Tryptique: trois poèmes de neuf vers, intitulés respectivement « Âme de basse », « Âme de soprano », « Âme d'alto » — dédiés au « Génie éternellement vivant de Nelligan ». Delahaye chante la gloire et l'infortune du jeune poète.

1382 DE SION, Marie, *Anfractuosité pour « Le Vaisseau d'Or » de Nelligan,* dans *Poésie,* vol. 2, n° 2, printemps 1967, p. 22.

Élégante variation sur le « Vaisseau d'Or » naufragé. Ce poème en vers libres s'achève ainsi:

Le génie dort dans des conques de nacre
Aux solitudes abyssales,
Soulève son rêve lourd,
Conspire sa libération
Dans la lumière,
Conjugue au même sillage
Les lambeaux de soleil à la dérive,
Enlace et presse l'épave
Jusqu'à son seuil.

1383 DESROCHERS, Alfred, *Nelligan à Gretchen,* dans *Gants du ciel,* n° 12, été 1946, p. 15.

Écrit en 1937, ce sonnet fait partie de la section « Rosaire de sonnets pour d'illustres amantes ». Nelligan se serait épris platoniquement — si l'on en croit quelques témoignages oraux — d'une blonde Allemande de son entourage; elle lui aurait inspiré quatre poèmes. C'est à partir de ce cycle que DesRochers conçoit un sonnet qui ouvre avec cette apostrophe:

Gretchen ! Entends grincer les vergues en fanfares
Aux voiliers du désir orientés vers toi !
L'interminable nuit s'est accroupie au toit
Et sa jupe a masqué l'œil clignotant des phares.

1384 — *A Émile Nelligan,* dans *Notre Temps,* vol. 3, n° 22, 13 mars 1948, p. 4. Reproduit dans *Poésie,* vol. 1, n° 4, automne 1966, p. 19.

Ce sonnet pourrait être considéré comme une image a posteriori de Nelligan:

Je ne te vis qu'en rêve, adolescent trop beau
Qui ravis le poème et t'en fis une proie:
Mais je dénie au Sort qu'il ait élu la voie
Où tu fuis, quarante ans, vers la paix du tombeau.

NELLIGAN, génial éphèbe, ton cerveau
Ne connut point d'affront funéraire. La joie
Des aubes et des soirs de pierres et de soie
Seule, t'orienta vers un pays nouveau.

1385 — *Le fraternel auteur . . .*, dans **Les Médaillons d'Alonzo Cinq-Mars,** par Édouard Doucet, Montréal, Lidec Inc., 1968, p. 3. (Collection « Panorama ».)

En tête du volume, ce sonnet glorifie l'œuvre d'Alonzo Cinq-Mars; le premier médaillon, exécuté en 1930, y est celui de Nelligan:

Gill, Nelligan, Lozeau, Calixa Lavallée,
Faucher de St-Maurice, Arthur Buies ! cette allée
Royale qui nous mène au palais de l'Esprit !

1386 DESROCHES, s.p.c.t., Francis, *L'épave,* dans *Poésie,* revue parisienne (Cahier canadien), 6e année, décembre 1927, p. 235-238. Poème reproduit dans *La Revue de l'Université Laval,* vol. 10, n° 6, 1956, p. 565-568. Figure aussi dans *Poésie* (de Québec), vol. 1, n° 4, automne 1966, p. 22-25.

A partir des deux derniers vers du « Vaisseau d'Or », l'auteur s'adonne à une longue paraphrase de ce sonnet.

1387 DION-LÉVESQUE, Rosaire, *Sonnet à Émile Nelligan,* dans **En égrenant le Chapelet des Jours,** Montréal-New-York, Les Éditions du Mercure, 1928, p. 30; reproduit dans *Poésie,* vol. 1, n° 4, automne 1966, p. 31.

En forme d'apostrophe, ce sonnet, de facture parnassienne, chante le « génial albatros » éprouvé à la façon de « l'imprudent Icare ».

1388 DUMAS, Jean, *Hommage au poète,* dans *Poésie,* vol. 2, n° 2, printemps 1967, p. 24.

Bien que les idées et l'admiration de l'auteur pour Nelligan soient légitimes, ce sonnet reste faible.

1389 GAUDREAU-LA FORCE, Marjolaine, *A Émile Nelligan,* dans *Poésie,* vol. 2, n° 2, printemps, 1967, p. 21.

Sous forme d'apostrophe, ce poème chante la force du verbe « illuminateur » chez Nelligan.

1390 GIBEAULT, Gaston, *A Nelligan,* dans *Poésie,* vol. 1, n° 4, automne 1966, p. 30.

Composé à Sainte-Agathe-des-Monts, le 14 août 1922, ce sonnet rappelle par ses rimes celles que Nelligan emploie dans son rondel « Marches funèbres ».

1391 GILL, Charles, **Le Cap Éternité,** Montréal, Éditions du Devoir, 1919, *La Cloche de Tadoussac,* p. 22. Publié aussi dans *Poésie,* vol. 1, n° 4, automne 1966, p. 19.

Il s'agit notamment du quatrain suivant qui figure dans le chant « La Cloche de Tadoussac ».

L'âme de Nelligan m'a prêté son génie
Pour clamer: Qui soupire ici des désespoirs ?
Cloche des âges morts sonnant à timbres noirs,
Dis-moi quelle douleur vibre en ton harmonie !

Gill cite donc le neuvième vers de « Chapelle ruinée », un sonnet de Nelligan; il en paraphrase le dixième vers. Nous rappelons le tercet dont s'est inspiré Gill:

Cloches des âges morts sonnant à timbres noirs
Et les tristesses d'or, les mornes désespoirs,
Portés par un parfum que le rêve rappelle.

1392 HÉBERT, Maurice, *Sonnet pour celle qui lisait Nelligan,* dans *Le Canada français,* vol. 14, n° 7, mars 1927, p. 478. Reproduit dans *Poésie* de Paris (cahier canadien), 6e année, décembre 1927, p. 234. Publié ensuite dans **Voix des Poètes,** Montréal, Éditions Variétés, 1945, p. 149. Paru aussi dans *Poésie,* vol. 1, n° 4, automne 1966, p. 33.

Ce sonnet est dédié à Mlle Alice Huot, une admiratrice de Nelligan. A la page précédente, une illustration appropriée — Alice Huot se détachant sur un fond de paysage canadien — est l'œuvre de Charles Huot. Ce « Cahier canadien » a vu le jour grâce à la collaboration dévouée de Mme Claude Rehny. (*Poésie* est une revue française que publièrent pendant plusieurs années les Éditions de « La Caravelle », de Paris.)

1393 HÉNAULT, Gilles, *Sonnet à Nelligan,* dans *La Nouvelle Relève,* vol. 1, n° 4, janvier 1942, p. 230.

Sonnet composé à la suite de la mort de Nelligan. Hénault y rend, à sa façon, un hommage au poète disparu:

Voici que par un soir de novembre morose,
Son cœur retentissant de sanglots assourdis
A cessé de souffrir et les vers déjà dits
Ne firent plus d'écho dedans son âme close.

Or, loin du monde vil, par ce mystique soir,
Ainsi qu'un pèlerin tiré d'un songe noir,
Il put s'acheminer vers l'éternelle Athènes.

1394 HERTEL, François, *Nocturne sur Nelligan,* dans **Voix des Poètes,** Montréal, Éditions Variétés, 1945, p. 155. Reproduit dans *Poésie,* n° 1, vol. 4, automne 1966, p. 28-29.

Long poème inspiré par le sort tragique de Nelligan où l'auteur s'identifie au poète dans un « je » de sympathie:

Éloignez ces soucis de ma tête brûlante,
J'ai décrit vos beautés, j'ai pleuré dans vos bras
J'ai chanté la blancheur de vos communiantes,
Bien des soirs, j'ai pleuré, dans vos temples, tout bas.

1395 HUYSMANS, Jean, *Hommage à Nelligan,* dans *Poésie,* vol. 2, n° 1, hiver 1967, p. 19.

Dix-sept vers libres, quelques images développées à partir d'un souvenir qui a survécu à la nuit des temps, quelques rythmes dont la vivacité voulue est adoucie par moments grâce à une rime-assonance: voilà le poème de Jean Huysmans où se projette l'ombre de Nelligan sur un horizon à jamais fuyant de « crépuscules scellés ».

1396 IMBEAULT, Christian, *A Émile Nelligan,* dans *Le Droit,* 59ᵉ année, nº 146, 18 septembre 1971, p. 14.

Poème rimé de quatorze vers qui dit la tempête d'un cœur candide.

1397 LAFLEUR, Lionel, *Hommage à Nelligan,* dans *Poésie,* vol. 1, nº 4, automne 1966, p. 18.

Composé de six quatrains, en imitant le langage de Nelligan, le poème est essentiellement l'hommage d'un ami qui veut participer efficacement au renouveau du culte de l'auteur du « Vaisseau d'Or ».

Car, déjà, des cirrus, les blanches caravelles
Portent le Vaisseau d'Or vers l'Immortalité.

1398 LAPRÉ, Jacques-Robert, « Émile Nelligan », poème manuscrit, 12 novembre 1966. (En dépôt au Centre de recherche en civilisation canadienne-française de l'Université d'Ottawa.)

Poème en sept quatrains, il a été écrit le 12 novembre 1966.

1399 LEMIEUX, Marie, *Hommage à Nelligan,* dans *Poésie,* vol. 2, nº 1, hiver 1967, p. 20.

Sonnet. L'auteur exalte l'hypersensibilité maladive de Nelligan, exprimée par un verbe frémissant.

1400 LESSARD, Adèle, *Hommage à Nelligan,* dans *Poésie,* vol. 2, nº 2, printemps 1967, p. 23.

On trouve dans ce poème quelques vers bien frappés, engendrés par une lecture attentive des poèmes de Nelligan. En vers libres, la pièce se termine ainsi:

Tant de silence, de mots
pour trouver cet être
unique
Au fond de notre mémoire.

1401 LE TOUROUVRAIN, Léon, *Le Martyr,* dans *La Grande Revue,* vol. 1, nº 5, 19 mai 1917, p. 13.

En vingt-deux alexandrins, cette pièce chante le triste sort de Nelligan. Évoquant au départ: « Nelligan, Nelligan, ô pauvre âme souffrante . . . », elle se termine par une métaphore d'une remarquable puissance évocatrice: « sublime, tu meurs, crucifié sur ta lyre ».

1402 LOZEAU, Albert, *A Émile Nelligan,* dans *Le Nationaliste,* 2ᵉ année, nº 21, 23 juillet 1905, p. 3. Fait partie de **L'Âme solitaire,** Paris, chez F. R. de Rudeval, 1907, p. 193. Deuxième édition, définitive, Montréal, [s.é.], 1925, p. 225. Reproduit dans *Poésie,* vol. 1, nº 4, automne 1966, p. 26.

Dans l'avant-dernière partie de son premier recueil, intitulée « Les Livres », Lozeau a consacré plusieurs sonnets à ses poètes préférés: Rutebeuf, Villon, Du Bellay, Ronsard, Baudelaire. Dernier de cette série, le sonnet dédié à Nelligan se termine en une sorte de paraphrase du « Vaisseau d'Or »:

Mesurant du regard le vaste espace bleu
Tu sentais la fatigue envahir peu à peu
La précoce vigueur de tes ailes sublimes.

Alors, fermant ton vol largement déployé,
Ô destin ! tu tombas d'abîmes en abîmes,
Comme un aigle royal en plein ciel foudroyé !

1403 MALOUIN, Reine, *Toast aux larmes !* dans *Poésie,* vol. 1, n° 4, automne 1966, p. 5, paru d'abord dans *Amérique française,* mars 1947, p. 40-41.

Sonnet bien venu qui prolonge en quelque sorte le « Banquet macabre » de Nelligan. Amour et douleur, rires et pleurs, s'y mélangent dans une « coupe de cristal poétique ». Retenons en particulier ces deux tercets:

Je bois à vous ! Mon verre est de larmes rempli . . .
Je recueille ce sang qui jaillit aux replis
Des mystères émus et de chaudes tempêtes.

Vous formez un étang sur lequel va fleurir
Ce nénuphar souffrant qu'un cœur de poète . . .
Eau lustrale qui nous empêche de mourir !

1404 — *Nelligan, ô mon frère* (poème), dans *Poésie,* vol. 1, n° 4, automne 1966, p. 32.

Fraternel hommage au poète à qui l'auteur s'identifie, ce poème le dit en forme de refrain:

Nelligan, frère de mon âme,
tu connus, les mêmes douleurs.

1405 MARCOUX, le docteur Guy, « Hommage à Émile Nelligan », manuscrit, novembre 1966, 1 feuillet dactylographié. En dépôt au Centre de recherche en civilisation canadienne-française de l'Université d'Ottawa. Fonds Lionel Lafleur.

Petit poème de circonstance en forme d'apostrophe, écrit en prose poétique.

1406 MASSICOTTE, Marie-Andrée, *Hommage à Nelligan,* dans *Poésie,* vol. 2, n° 2, printemps 1967, p. 20.

Sorte d'arabesque où se conjuguent le pays et la femme, l'hiver et la terre, au profit de cette signification de Nelligan:

. . . l'homme s'est perdu dans la nuit morte
A la recherche de l'espace blanc
Au dernier vers du poème inachevé.

1407 MATHIEU, Pierre, *Nelligan,* 1969. (Texte manuscrit, en dépôt au Centre de recherche en civilisation canadienne-française, Université d'Ottawa.)

Poème en vers libres: Mathieu chante le tragique abandon de l'auteur du « Vaisseau d'Or ».

1408 PALLASCIO-MORIN, Ernest, *A Émile Nelligan,* dans *Poésie,* vol. 1, n° 4, automne 1966, p. 27. (Le texte dactylographié de ce poème se trouve au Centre de recherche en civilisation canadienne-française de l'Université d'Ottawa.)

Poème composé en septembre 1966, en l'honneur du « fulgurant génie, emporté par l'orage ».

1409 PROULX, Daniel, *Tombeau de Nelligan,* dans *Poésie,* vol. 2, n° 1, hiver 1967, p. 17.

En vers libres, de facture aisée, avec ce refrain qui n'est en somme que la répétition du nom de Nelligan, le poème s'élabore à la gloire de cette vérité de vivre « dans sa nudité du dedans ».

1410 RIVEST, Émile, *Hommage à Émile Nelligan : dialogue entre un pseudo-poète et sa muse.* (Poème manuscrit, en dépôt au Centre de recherche en civilisation canadienne-française de l'Université d'Ottawa.)

Poème sans prétention, simple dialogue dont le rythme rappelle celui d'un poème de Nelligan « Qu'elle est triste . . . ». L'auteur de ce poème habite Lebel-sur-Quévillon.

1411 VIAU, o.p., Stanislas-M., *Émile Nelligan,* dans *Le Travailleur,* vol. 36, n° 45, 10 novembre 1966, p. 1.

Petit poème de circonstance. Son auteur est un père dominicain de Sackville (N.-B.).

1412 [s.a.], *Un crépuscule de nuages gris s'écrasait dans le ciel,* dans *Tourbillon,* numéro spécial, novembre 1966, p. 21.

En dix-neuf vers libres, dont quelques passages seulement sont à retenir, ce poème, peu convaincant, n'en est pas moins provoqué par un sentiment sincère:

> Je revois ton beau vaisseau ce grand navire déserté
> Il survit allégé à la proue de mon cœur exalté
> Comme les paroles de ton âme déchirée sensible à rime
> Qui s'effritent au revers des ans qui passent
> Emmurés à tout jamais dans l'exil de la mort.

F. – Discographie

1) *Poèmes récités.*

1413 CATTA, René-Salvator, *Émile Nelligan, poète naufragé,* 1966, 27 poèmes dits par René-Salvator Catta. Enregistrement, gravure et fabrication: Select (Canada), M-298-115 (Mono). Réalisé par John Damant. La maquette est de Paul Gélinas.

L'auteur a choisi les poèmes suivants: « Le Vaisseau d'Or », « Thème sentimental », « Gretchen la pâle », « Bergère », « Violon d'adieu », « Le Violon brisé », « Prélude triste », « Chapelle de la morte », « Les Angéliques », « Soir d'hiver », « La Fuite de l'Enfance », « Clavier d'Antan », « Clair de lune intellectuel », « Un poète », « La Vierge noire », « Rondel à ma pipe », « La Romance du Vin », « Les Corbeaux », « Marches funèbres », « Je veux m'éluder », « Le puits hanté », « Prière du soir », « Devant deux portraits de ma mère », « Ma mère », « Premiers remords », « Le Saxe de famille », « Rêve d'artiste ».

2) *Poèmes de Nelligan sur disques.*

1414 **L'Idiote aux cloches** et **Le Mai d'amour.** — Dans *Renée Claude,* vol. 4, disque Select SSP-24, 146 Montréal 1967. Stéréo SSP-146, 33⅓ tours, Mono SP 12 146. Arrangements et direction d'orchestre de François Dompierre. Photo de la maquette de Ronald Labelle. Une réalisation de John Damant.

L'Idiote aux cloches a été repris dans *Renée Claude,* stade 1, [1967], disque Select, Mini Micro, 33⅓ tours, Mono SMM-733.007.

1415 **Soir d'hiver.** — Dans Claude LÉVEILLÉE, *L'Étoile d'Amérique,* disque Leko, stéréo, production Silo, KS 100, 33⅓ tours, Montréal, Columbia Records of Canada Limited, 1969. Dirigé par Yves Lapierre; orchestré par Yves Lapierre, Marcel Lévêque, François Hertel et Léon Bernier.

Soir d'hiver a été repris dans *Claude Léveillée à Paris,* vol. 2, Stéréo FS 639, FL 339, Montréal, Columbia Records of Canada Limited, [s.d.]. Enregistrement à Paris: Studio Davon. Direction musicale: François Raubert et son orchestre. La mélodie de ce poème est extraite de la comédie musicale « Il est une saison ».

Soir d'hiver (mélodie d'« Il est une saison ») a été repris dans *Les Grands succès de Claude Léveillée,* Montréal, disque Columbia, GFS 90012, 1971.

Soir d'hiver, avec la musique de Claude Léveillée, est aussi interprété par Monique Leyrac, disque London, stéréo FC 827, 45 tours, 1970. Orchestré par Frank Dervieux.

1416 **Le Vaisseau d'Or.** — Dans Nicole PERRIER, *Poésie et chanson,* disque Harmonie HFS 9049, Montréal, Columbia Records of Canada Limited, [s.d.]. Musique de Claude Léveillée; orchestré par André Gagnon.

3) Chansons d'hommage.

1417 GÉLINAS, Marc, et Marcel LEFEBVRE, *Émile Nelligan,* chanson en hommage à Nelligan, enregistrée d'abord sur un disque de 45 tours GBD-201, ensuite sur disque Jupiter, 33⅓ tours YDS-8013. Arrangements et orchestre par Jean Larose. Paroles de Marc Gélinas, musique de Marcel Lefebvre.

G. – Filmographie

1418 RADIO CANADA, « Qui était Émile Nelligan », documentaire réalisé par Pierre Charlebois avec la collaboration de Luc Lacourcière, de Gilles Corbeil, de Paul-Émile Prince et de Camille Ducharme. Animation: Paul-Émile Tremblay, Wilfrid Lemoyne et Mlle La Rochelle. Programmé par la télévision le 7 novembre 1966, dans le cadre de l'émission « Aujourd'hui ». Durée: 25 minutes.

NOTE

Le film comprend une série de témoignages (questions et réponses) sur la vie de Nelligan, projetés sur les paysages propres au destin du poète, avec un accompagnement musical. C'est Luc Lacourcière qui assume le rôle principal parmi les personnes interviewées; il parle successivement des parents de Nelligan, de ses séjours à Cacouna, de ses expériences d'écolier, de sa façon de vivre et d'écrire, de ses amours (le nom de Mlle Marie Beaupré est mentionné), de sa participation à l'École littéraire de Montréal, et enfin de sa maladie. Le neveu de Nelligan, Gilles Corbeil, évoque le souvenir de la mère du poète, tandis que le docteur Paul-Émile Prince fait revivre quelques moments passés en compagnie de Nelligan, au Collège Sainte-Marie. Le comédien Camille Ducharme communique quelques-unes de ses impressions quant à une rencontre avec le poète en 1937. Parmi les documents qui servent d'illustration on remarque quelques photos de Nelligan et quelques pièces d'archives conservées par la famille Corbeil. Deux poèmes sont récités: « Le Vaisseau d'Or » et « La Romance du Vin ». Ce film documentaire sans prétention offre une agréable rétrospective du destin artistique de Nelligan.

1419 FOURNIER, Claude, « Le Dossier Nelligan », long métrage en couleurs, avec la collaboration de Marie-José Raymond, de Christine Charbonneau, de Luc Durand et de Paul Hébert. Première projection sur l'écran de la Bibliothèque nationale du Québec, à Montréal, le mercredi 19 février 1969, à l'occasion d'une soirée que présidait Jean-Noël Tremblay, alors ministre des Affaires culturelles du Québec. Programmé par la télévision le 27 avril 1969. Commandité par l'Office du Film du Québec.

NOTE

La filmographie de Claude Fournier est déjà bien connue. Tour à tour cameraman, scénariste, réalisateur, producteur, membre de l'équipe Candid Eye de Richard Leacock et de D. A. Pennebaker, Fournier est un fervent partisan du cinéma de reportage. En soi, le projet d'un film sur Nelligan était louable. Mais il semble que Claude Fournier l'ait mal conçu et qu'il fût peu favorisé par les circonstances. Dans une interview publiée par *Le Devoir*, le 22 février 1969 (p. 13), Fournier a reconnu ne pas aimer tourner des films sur des morts, car il se veut témoin du présent. Pour lui, « Le Dossier Nelligan » ce fut « un bonbon culturel, une pièce de musée ». Ne disposant que d'un an pour le réaliser, Fournier nous fait déguster un « bonbon » de couleur que sa composition hétérogène rend passablement indigeste. Nous regrettons que le film fût un échec que le cinéaste lui-même avait prévu. La forme, comme le contenu en sont responsables. Le sujet ne traite pas de Nelligan poète, mais de Nelligan schizophrène. Sans doute parce que le cinéaste, de la vie de Nelligan, ne voulait évoquer que les années passées à la Retraite Saint-Benoît et à l'Hôpital Saint-Jean-de-Dieu. De ce fait, manquent des moments essentiels du destin poétique de Nelligan, en particulier ses séjours à Cacouna, son amitié pour Louis Dantin, les séances de l'École littéraire de Montréal... La reconstitution biographique s'avère donc peu convaincante et, de surcroît, maladroitement interrompue par des témoignages de Mme Béatrice

Campbell, de Gilles Corbeil et de Luc Lacourcière, sans parler de remarques mal synchronisées de Marc Gélinas, de Camille Ducharme, d'Alfred DesRochers, de Michel Beaulieu ou de Gaston Miron. Cela nous vaut plusieurs caricatures « baroques » assorties d'un hurlement qui se prétend le texte chanté de « Vierge noire ». Vouloir donner à ce « dossier » la forme et l'intention d'un procès avec juge, procureur général et procureur « spécial » sent le désir d'originalité à tout prix. A vrai dire, le film n'est qu'une longue et ennuyeuse discussion entrecoupée d'images et de témoignages mal situés. François Tassé, dans le rôle du procureur général, y défend la réputation du poète, face à un procureur « spécial », joué par Luc Durand qui, lui, oppose des « arguments scientifiques », comme il est dit dans un communiqué officiel de l'office du film du Québec, sur ce « dossier ». L'examen médical de Nelligan est fait par le docteur Paulus, pendant que le juge, incarné par Paul Hébert, impassible, passe au crible les dépositions avant de rendre un « jugement final ». Un seul poème de Nelligan est dit dans le film : « La Vierge noire », par Christine Charbonneau, sur une musique de François Dompierre.

Claude Fournier prétendait « établir dans la mesure du possible la vérité », pour discréditer le mythe fabriqué par Louis Dantin et Luc Lacourcière. Il y a échoué. Le public a très vite jugé son entreprise dépourvue de cohérence et son auteur peu au fait de Nelligan. Après cela, les études de Dantin et de Lacourcière demeurent aussi solides qu'auparavant, mais le long métrage de Claude Fournier n'est plus, aujourd'hui, qu'une dissertation à propos de la schizophrénie dont le prétexte — rendre justice à Nelligan — a tourné court, faute de compétence en la matière. Le film à la mémoire de Nelligan reste à faire.

Appendices

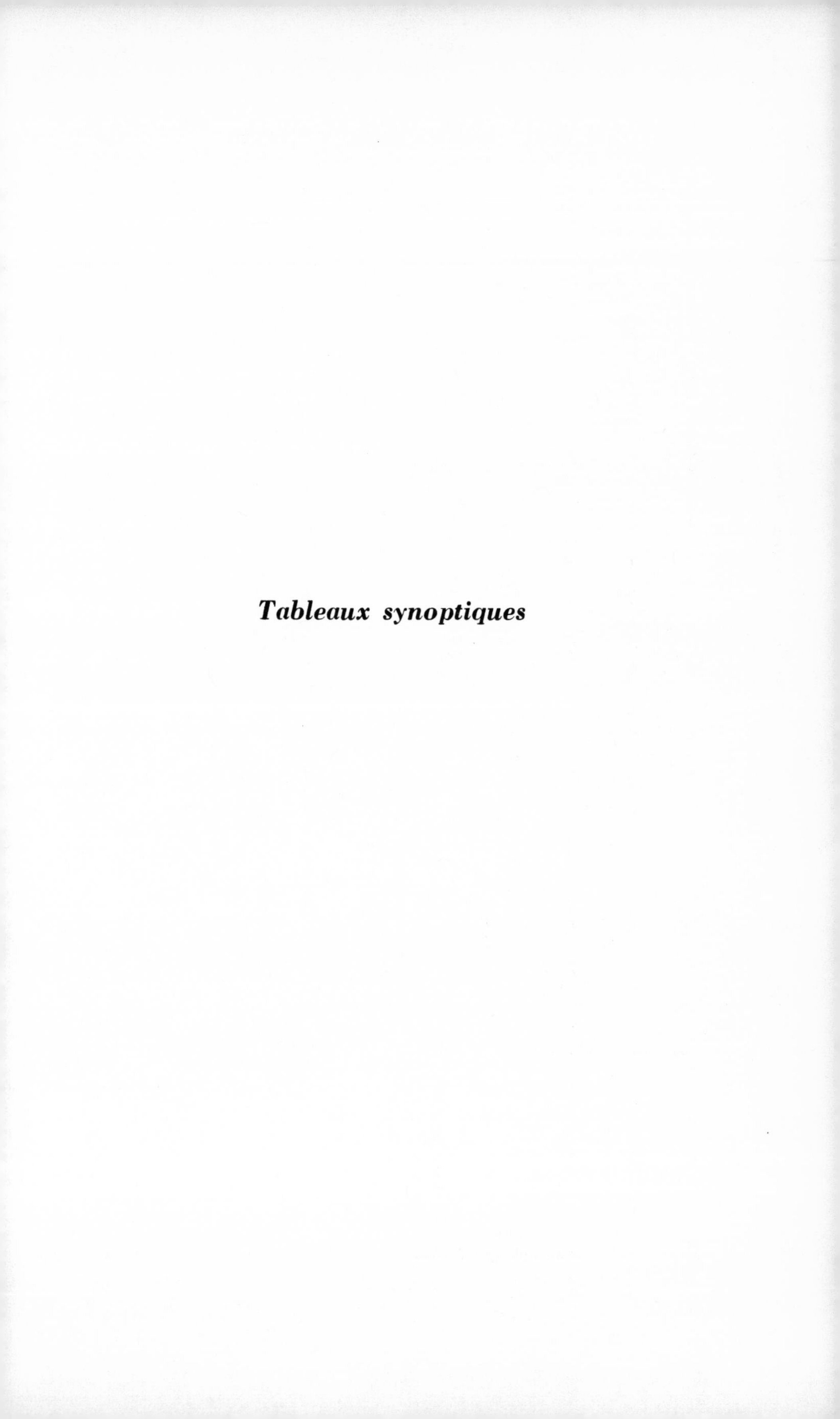

Tableaux synoptiques

1420 TABLEAU SYNOPTIQUE I

Poèmes de Nelligan publiés dans les journaux et revues

13 juin 1896 - 17 août 1902

DATE	*Le Samedi*	*L'Alliance nationale*	*Le Monde illustré*	*La Patrie*	*Petit Messager du Très Saint-Sacrement*	*Les Débats* *Les Vrais Débats* *L'Avenir*	*Le Spectateur*	*La Presse*
entre le 13 juin 1896 et le 9 août 1899	Rêve fantasque Silvio Corelli pleure Nuit d'été Chanson de l'ouvrière Nocturne Cœurs blasés Mélodie de Rubinstein Charles Baudelaire Béatrice	Rythmes du soir	Le Voyageur Vieux piano Moines en défilade Paysage (fauve) Sculpteur sur marbre Sonnet d'or Sur un portrait de Dante	L'Ultimo Angelo del Correggio L'Idiote aux cloches Le Talisman L'Organiste des anges Les Communiantes	Les Déicides		Le Talisman	
entre le 9 août 1899 et le 17 août 1902		Rêve d'artiste	Le Récital des anges La Réponse du crucifix	Les Saintes au vitrail (Amour immaculé) Rêve d'artiste Les Camélias roses Les Petits Oiseaux	Les Communiantes La Réponse du crucifix	Idiote aux cloches Amour immaculé La Romance du Vin L'Homme aux cercueils Sieste ecclésiastique La Réponse du crucifix Clair de lune intellectuel Jardin sentimental Chapelle de la mort Sainte Cécile		L'Homme aux cercueils

1421 TABLEAU SYNOPTIQUE II

Poèmes de Nelligan
soumis ou lus à l'École littéraire de Montréal

10 février 1897 - 26 mai 1899

DATE DE LA RÉUNION	TITRE DU POÈME	SOURCES		OBSERVATIONS
		Procès-verbaux	*Journaux*	
10 fév. 1897	Berceuse Le Voyageur	P.V., p. 30		Poèmes soumis par Arthur de Buissières pour que Nelligan devienne membre de l'École.
*25 fév. 1897	Tristia Sonnet d'une Villageoise Carl Vohndher est mourant	P.V., p. 31		
*15 mars 1897	Aubade Sonnet hivernal Harem **céleste**	P.V., p. 35		
*16 (?) déc. 1897	Danse des Gypsies Fantômes		*Le Monde illustré* (1er janv. 1898, p. 563) (8 janv. 1898, p. 579)	
*4 fév. 1898	Les Tristesses		*Le Monde illustré* (19 fév. 1898, p. 682)	
26 sept. 1898	(1)	P.V., p. 55		Un sonnet de Nelligan dit par H. Desjardins.
24 oct. 1898	(1)	P.V., p. 61		Un poème de Nelligan récité par Jean Charbonneau.
2 déc. 1898	(?)	P.V., p. 66		Élaboration du programme de la 1re séance publique.
*9 déc. 1898	L'Idiote aux cloches Un rêve de Watteau	P.V., p. 68		Nelligan redevient membre de l'École. Poèmes acceptés pour la 1re séance publique.

1421 TABLEAU SYNOPTIQUE II
Poèmes de Nelligan
***soumis ou lus à l'École littéraire de Montréal* (suite)**
10 février 1897 - 26 mai 1899

DATE DE LA RÉUNION	TITRE DU POÈME	SOURCES		OBSERVATIONS
		Procès-verbaux	*Journaux*	
*14 déc. 1898		P.V., p. 70		Nelligan s'inscrit comme conférencier; le sujet: « Les poètes étrangers ».
*29 déc. 1898 (1re séance publique)	(Un rêve de Watteau) Le Récital des Anges (L'Idiote aux cloches)		*La Minerve* (30 déc. 1898, p. 4) *La Patrie* (30 déc. 1898, p. 1) *La Presse* (30 déc. 1898, p. 8)	
*27 janv. 1899	Le Perroquet Bohème blanche Le Roi du Souper	P.V., p. 75		Poèmes soumis par Nelligan.
*3 fév. 1899	(Bohème blanche)	P.V., p. 77		
*10 fév. 1899	(Le Roi du Souper) Le Menuisier funèbre Le Suicide du Sonneur (Le Perroquet)			
*17 fév. 1899		P.V., p. 81		Nelligan propose que Hector Demers soit admis membre de l'École.
*22 fév. 1899	Les Carmélites Nocturne séraphique Notre-Dame-des-Neiges	P.V., p. 84		Poèmes soumis pour la 2e séance publique.
*24 fév. 1899	(Le Perroquet) (Bohème blanche) (Les Carmélites) (Nocturne séraphique) (Le Roi du Souper) (Notre-Dame-des-Neiges)		*La Minerve* (24 fév. 1899, p. 4) *La Presse* (24 fév. 1899, p. 3) *La Patrie* (24 fév. 1899, p. 8)	*La Patrie* et *La Presse* annoncent « Le Soir du Souper » au lieu de « Le Roi du Souper ».

*31 mars 1899	Le Suicide de Val d'Or	P.V., p. 93		
*7 avril 1899 (3e séance publique)	Prière vespérale Petit Vitrail de chapelle Amour immaculé La Passante		*La Minerve* (7 avril 1899, p. 4) *La Patrie* (7 avril 1899, p. 3) *La Minerve* (8 avril 1899, p. 6) *La Patrie* (8 avril 1899, p. 3) *Le Monde illustré* (22 avril 1899, p. 802-803)	
*26 mai 1899 (4e séance publique)	Le Talisman La Romance du Vin Rêve d'artiste Robin des bois		*La Presse* (26 mai 1899, p. 7)	
17 nov. 1899	L'Homme aux cercueils	P.V., p. 116		Poème de Nelligan lu par Charles Gill.
2 avril 1900 (5e séance publique)	(Un rêve de Watteau) (L'Homme aux cercueils)		*La Patrie* (3 avril 1900, p. 6) *La Presse* (3 avril 1900, p. 5)	Poèmes lus par Jean Charbonneau et Charles Gill. « L'Homme aux cercueils » cité en entier dans *La Presse*.

Trente-quatre poèmes de Nelligan ont été présentés à l'École littéraire de Montréal dont neuf, lus plus d'une fois, sont mis ici entre parenthèses. Sept de ces poèmes ont été lus par les amis du poète: Henry Desjardins, Jean Charbonneau et Charles Gill. Nelligan assista à seize réunions: les dates de celles-ci sont marquées par un astérisque. La présence de Nelligan, sans que celui-ci récite ses poèmes, est également signalée dans les procès-verbaux de l'École en date des 3 et 22 mars 1897, de même que du 28 décembre 1898.

1422 TABLEAU SYNOPTIQUE III

Poèmes de Nelligan

***d'après l'étude de Louis Dantin, publiée dans* Les Débats**

17 août - 28 septembre 1902

DATE *Les Débats* 3ᵉ année, 1902	POÈMES CITÉS AU COMPLET		POÈMES PARTIELLEMENT CITÉS		LE TITRE SEUL EST CITÉ	FRAG-MENTS	VERS ISOLÉS
	avec le titre	*sans titre*	*avec le titre*	*sans titre*			
N° 143: 17 août				Le Vaisseau d'Or			
N° 144: 24 août			Les Carmélites	Communion pascale Rêve d'une nuit d'hôpital Rondel à ma pipe Confession nocturne Le cloître noir	Bénédictin mourant	Or, j'ai la vision . . . [Déraison] La Mort de la prière Le Fou	« Ohé, ohé ! quel chapelet . . . »
N° 145: 31 août		Clair de lune intellectuel	Gretchen la pâle Éventail	Mazurka	Les Moines noirs Les Moines blancs Idiot putride La Mort du moine Balsamines Vieille armoire Potiche		
N° 146: 7 sept.	Petit Vitrail (sans le 10ᵉ vers) Placet pour les cheveux	Sérénade triste Devant le feu Tristesse blanche		Devant mon berceau Ténèbres Le Mai d'amour	Le Roi du souper Les Roses d'hiver Fantaisie blonde Violon de vilanelle L'Idiote aux cloches		

N° 147: 14 sept.	La Belle Morte	Roses d'octobre Christ en croix	Les Corbeaux Le Jardin d'antan	La Romance du Vin Soirs d'hiver			
N° 148: 21 sept.	Five O'Clock			Le Regret des joujoux Ruines Rêve de Watteau Château en Espagne Le Cloître noir Pour Ignace Paderewski La Sorella dell'amore Le Corbillard Les Angéliques Les Virgiliennes Caprice blanc Les Camélias Jardin sentimental Lied fantasque Hiver sentimental Sonnet de Gretchen sur les trois perroquets morts Le Soulier de la morte		Le Soir sème l'Amour . . . Je plaque . . .	« Veux-tu m'astraliser la nuit » « Jumeau de l'Idéal, ô brun enfant d'Apelle »
N° 149: 28 sept.						Je sens voler	
TOTAL	4	6	5	29	12	6	3

GRAND TOTAL 65 poèmes cités ou mentionnés

1423

Tableau synoptique IV

Poèmes de Nelligan d'après les sources imprimées et manuscrites

13 juin 1896 - 20 novembre 1952

I	II	III	IV	V
Poèmes de Nelligan mentionnés ou cités avant 1904 : ils font partie de l'édition Dantin	Poèmes de Nelligan non mentionnés avant 1904 mais qui figurent dans l'édition Dantin	Poèmes de Nelligan mentionnés ou publiés avant 1904, mais qui ne font pas partie de l'édition Dantin	Poèmes de Nelligan publiés après 1904	Poèmes de Nelligan provenant de la Collection Nelligan-Corbeil
Clair de lune intellectuel	Clavier d'antan	Rêve fantasque	A une femme détestée	Petit Hameau
Mon âme	La Fuite de l'enfance	Silvio Correlli pleure	Le Vent, le vent triste de l'automne	Aubade rouge
Le Vaisseau d'Or	Dans l'allée	Nuit d'été (I)	A Georges Rodenbach	Pan moderne
Devant mon berceau	Le Berceau de la muse	La Chanson de l'ouvrière	Le Crêpe	Virgilienne
Le Regret des joujoux	Thème sentimental	Nocturne	Un poète	Château rural
Devant le feu	Le Missel de la morte	Cœurs blasés	Le Tombeau de Chopin	Qu'elle est triste
Premiers remords	Chapelle de la morte	Mélodie de Rubinstein		Maints soirs
Ma mère	Beauté cruelle	Charles Baudelaire		Je veux m'éluder
Devant deux portraits de ma mère	Rêves enclos	Béatrice		Prélude triste
Le Talisman	Le Salon	La Berceuse		Frère Alfus
Le Jardin d'antan	Le Violon brisé	Le Voyageur		Le Suicide d'Angel Valdor
Ruines	Chopin	Je sais là-bas . . .		Les Chats
Les Angéliques	Violon d'adieu	Vieux piano		Le Chat fatal
Rêve d'artiste	Frisson d'hiver	Moines en défilade		Le Spectre
Caprice blanc	Soirs d'octobre	Salons allemands		La Terrasse aux spectres
Placet	Automne	Rythmes du Soir (1re version des « Soirs d'automne »)		La Vierge noire
Le Robin des bois	Nuit d'été (II)	Sculpteur sur marbre		Soirs hypocondriaques
Le Mai d'amour	Tarentelle d'automne			
La Belle Morte	Presque berger			
Amour immaculé				

L'œuvre de Nelligan comprend 164 poèmes identifiés. La première et la deuxième colonnes, 107 poèmes en tout, résument la matière de l'édition Dantin. La troisième colonne, 34 titres, pourrait être comparée aux « Pièces retrouvées » de l'édition Lacourcière qui n'en compte pourtant que 27. La différence s'explique ainsi: nous situons ici les pièces qui peuvent être datées: « La Berceuse », « Je sais là-bas », « Salons allemands », « Le Tombeau de Charles Baudelaire », « Sonnet de Gretchen sur les trois perroquets morts » et « La Sorella dell'amore »; de plus, on y trouve la première version de « Nuit d'été » que Luc Lacourcière range parmi les variantes. Conséquemment, la colonne IV ne compte que 6 poèmes: elle correspond à la section « Après 1904 » de l'édition Lacourcière où figurent « Berceuse » et « Salons allemands », respectivement datés de février et de septembre 1897. La cinquième colonne groupe 17 titres, tous provenant de la Collection Nelligan-Corbeil. On pourrait la comparer à la section « Poèmes posthumes » de l'édition Lacourcière, où figurent trois autres poèmes: « Le Tombeau de Charles Baudelaire », « Je sais là-bas . . . », et « La Sorella dell'amore » que nous avons inclus dans la colonne III.

TABLEAU SYNOPTIQUE IV *(suite)*

I	II	III	IV	V
Poèmes de Nelligan mentionnés ou cités avant 1904 : ils font partie de l'édition Dantin	Poèmes de Nelligan non mentionnés avant 1904 mais qui figurent dans l'édition Dantin	Poèmes de Nelligan mentionnés ou publiés avant 1904, mais qui ne font pas partie de l'édition Dantin	Poèmes de Nelligan publiés après 1904	Poèmes de Nelligan provenant de la Collection Nelligan-Corbeil
Châteaux en Espagne	Bergère	Sonnet d'or		
Soirs d'hiver	Les Vieilles Rues	Sur un portrait de Dante		
Five o'clock	Soirs d'automne	Petit Vitrail		
Pour Ignace Paderewski	Banquet macabre	Le Tombeau de Charles Baudelaire		
Gretchen la pâle	Le Cercueil	Sieste ecclésiastique		
Lied fantasque	Chapelle dans les bois	La Bénédictine		
Rondel à ma pipe	Diptyque	Fra Angelico		
Hiver sentimental	Chapelle ruinée	Communion pascale		
Mazurka	L'Antiquaire	La Mort de la prière		
Rêve de Watteau	Le Saxe de famille	Déraison (Vision)		
Jardin sentimental	Vieille romanesque	Le Fou		
Les Petits Oiseaux	Musiques funèbres	Je plaque . . .		
Violon de Villanelle	Marches funèbres	Le Soir [sème l'Amour . . .]		
Les Corbeaux	Le Puits hanté	Sonnet de Gretchen sur les trois perroquets morts		
Le Corbillard	Le Bœuf spectral	La Sorella dell'Amore		
Le Perroquet	Le Lac	Je sens voler . . .		
Confession nocturne	Noël de vieil artiste	Refoulons la sente		
Le Tombeau de la négresse	Mon Sabot de Noël			
Sainte Cécile	Sous les faunes			
Billet céleste				
Rêve d'une nuit d'hôpital				
Le Cloître noir	Vieille armoire			
Les Communiantes	Potiche			
Les Déicides	L'Homme aux cercueils			
La Mort du moine	L'Idiote aux cloches			
La Réponse du crucifix	L'Ultimo Angelo del Corregio			
Les Carmélites	La Cloche dans la brume			
Notre-Dame-des-Neiges	Christ en croix			
Prière du soir	Sérénade triste			
Fantaisie créole	Tristesse blanche			
Les Balsamines	Roses d'octobre			
Le Roi du souper	La Passante			
Paysage fauve	Ténèbres			
Éventail	La Romance du Vin			
Les Camélias				
Le Soulier de la morte				

Poèmes de Nelligan mis en musique

1424

L'Idiote aux cloches

Musique par D.-A. Fontaine,
accompagnement de L. Daveluy.
(*Le Passe Temps*, 11 avril 1914, p. 126-127.)

REFRAIN
- ni! Devers les cieux romains. 1° et 2°: Je veux trouver les clo - ches, clo - ches, Je veux trou-
- le-vait, tout au loin, sa voix: ______
- rê-ve d'or fut ex-au-cé. ____ 3°: Un an - ge prit les clo - ches, clo - ches, Il prit tou-
- ver les clo - ches Et je les au - rai dans ma main. ______ Eh! lon lon laire, eh!
- tes les clo - ches Et les lui pla - ça dans la main. ______ Eh! lon lon laire, eh!
lon lon là, ______ Je veux trouver les clo - ches, clo - ches, Je veux trou-
lon lon là, ______ Un an- ge prit les clo - ches, clo - ches, Il prit tou-
- ver les clo - ches Et je les au - rai dans ma main. ____ Eh lon lon laire, eh lon lon là.
- tes les clo - ches Et les lui pla - ca dans la main. ____ Eh lon lon laire, eh lon lon là.
D.C.

1425

Le Sabot noir [1]
Musique par Charles Baudouin [2].
(Paris, Nouvelle édition mutuelle, H. Hérelle et Cie — éditeurs, 1920 [?].)

Charles BAUDOUIN

Le Sabot noir

Mélodie

Poésie de

Émile NELLIGAN

Prix net : 2 fr.

NOUVELLE ÉDITION MUTUELLE
H. HÉRELLE & Cie, Éditeurs
16, Rue de l'Odéon -- PARIS

[1] Le titre est celui de Charles Baudouin qui l'a conçu à partir de ces deux vers de Nelligan:

Nous avons tant de désespoir
Que notre sabot en est noir.

La mélodie ne correspond qu'à la deuxième partie du poème que Nelligan intitula « Mon sabot de Noël ».

[2] Reproduit avec la permission du Consortium Musical — Editions Philippo, de Paris. Nous remercions Mme Annette-M. Baudouin et M. Léon Lortie de leur précieuse collaboration.

LE SABOT NOIR

MÉLODIE

(Voix élevées)

Poésie de
Emile Nelligan

Musique de
Charles Baudouin

Nouvelle Edition Mutuelle
H. HÉRELLE et Cie Editeurs
16, rue de l'Odéon. Paris.

N.E.M. 2044

2
Jé_sus ne descend plus pour nous Nous a_vons trop eu de jou_joux
Mais c'est main_te of_fre nouveau-née Dans l'in_fer_na_le che_mi_né_e.
très accentué
cresc.
sf
sf pesamment
De plus en plus agité
f
cresc.
poco rit.
tragique
ff
a Tempo
fff
Nous a_vons tant de dé_ses_poirs Que no_tre sa_
dim.
f

3
f
-bot en est noir.
Laissez languement expirer le son.
ritard. e cresc.
ff
au Mouvt
très effacé et lointain
pp
p
sf
très lent et angoissé
Les meurt-de-faim et les ar-tis-tes N'ont pour tout
cresc.
douloureux
pp
bien que leur cœur tris- te.
f
sf
ppp
Gr. Imp. A. Mounot. Paris.
N.E.M. 2044

1426

Soirs d'automne

Musique de Charles Baudouin [1].
(Paris, Nouvelle édition mutuelle, H. Hérelle et Cie — éditeurs, 1921 [?].)

Charles BAUDOUIN

Soirs d'automne

Nocturne

Poésie de

Émile NELLIGAN

Prix net : 2 fr. 50

NOUVELLE ÉDITION MUTUELLE
H. HÉRELLE & Cie, Éditeurs
16, Rue de l'Odéon — PARIS

[1] Reproduit avec la permission du Consortium Musical — Editions Philippo, de Paris. Nous remercions Mme Annette-M. Baudouin et M. Léon Lortie de leur précieuse collaboration.

SOIRS D'AUTOMNE

NOCTURNE

(Voix élevées)

Poésie de
Emile Nelligan

Musique de
Charles Baudouin

Nouvelle Edition Mutuelle
H. HÉRELLE et Cie Editeurs
16, rue de l'Odéon_Paris.

N.E.M. 2045

2
un peu plus vite (env. = 76)
plus fort
Dans les soirs a chan-
dim.
-té la gaî - té des par - ter - res Où
plus doux
dan - se un clair de lu - ne en des po - ses o - bli - ques,
mf
p
poco rit.
p plus lent
Et de grands souffles vont, lourds et mé - lan - co - li - ques, Troubler le
plus lent
toujours pp
pp

3
très doux
pp
rê_ve blanc des oi_seaux so_li_tai_res.
rall.
a Tempo
Tempo 1º
encore plus doux que la première fois
ppp
pp
Voi_ci que la tu_li_pe et voi_là que les ro_ses Et les lys cris_tal_lins,
pourprés de crépus_cu_le, Rayonnent triste_ment au so_leil qui re_cu_le,
mf
rit.

4
a Tempo
Emportant la dou_leur des bêtes et des cho_ses.
a Tempo
dim.
en pressant un peu
cresc.
Et mon a_mour meur_tri, __ comme u_ne chair qui sai_gne, Repo_se sa bles_
suivez
M.G.
cresc.
rall.
_sure et calme ses né_vro_ses,
a Tempo
Et voi_ci que les lys, la tu_li_pe et les
a Tempo
rall.
roses Pleurent les souvenirs où mon â_me se bai_gne.
dim.
M.G.
M.D.
dim.

1427

Soir d'hiver

Musique de Claude Léveillée [1].
(Montréal, Fides et Claude Léveillée, 1965, productions Michel Legrand et April Music, Paris.)

SOIR D'HIVER

UNE CHANSON DE

CLAUDE LÉVEILLÉE

Disques C.B.S

Productions Michel Legrand
et April Music
Paris

[1] Reproduit avec l'aimable permission de Claude Léveillée et des Editions Fides.

SOIR D'HIVER

Paroles de
E. NELLIGAN

Musique de
Claude LÉVEILLÉE

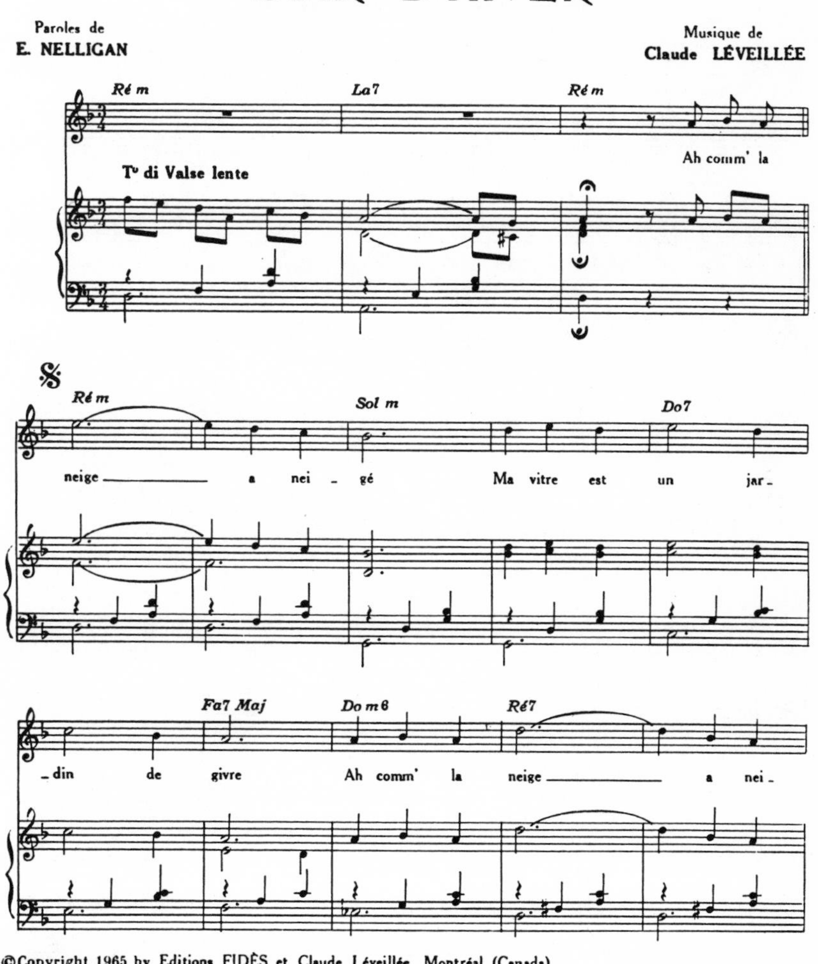

2e fois
Al Coda
Mi7
Sol m6
B. La
La7
Ré m
-gé
Qu'est-ce que le spas - me de vivre
Ré m7
Sol m
Do7
Fa
La7
A la dou - leur que j'ai que j'ai
Tous les é -
Ré m
Sol m
Do7
-tangs gi - sent ge - lés Mon âme est noire, où
-seaux de Fé - vri - er Au si - nis - tre fris -
Fa
Do m6
Ré7
vis-je où vais-je Tous ces es - poirs gi - sent ge -
-son des choses Pleu - rez oi - seaux de Fé - vri -

Imprimé par E. M. P. I. Noisy-le-Sec (Seine)

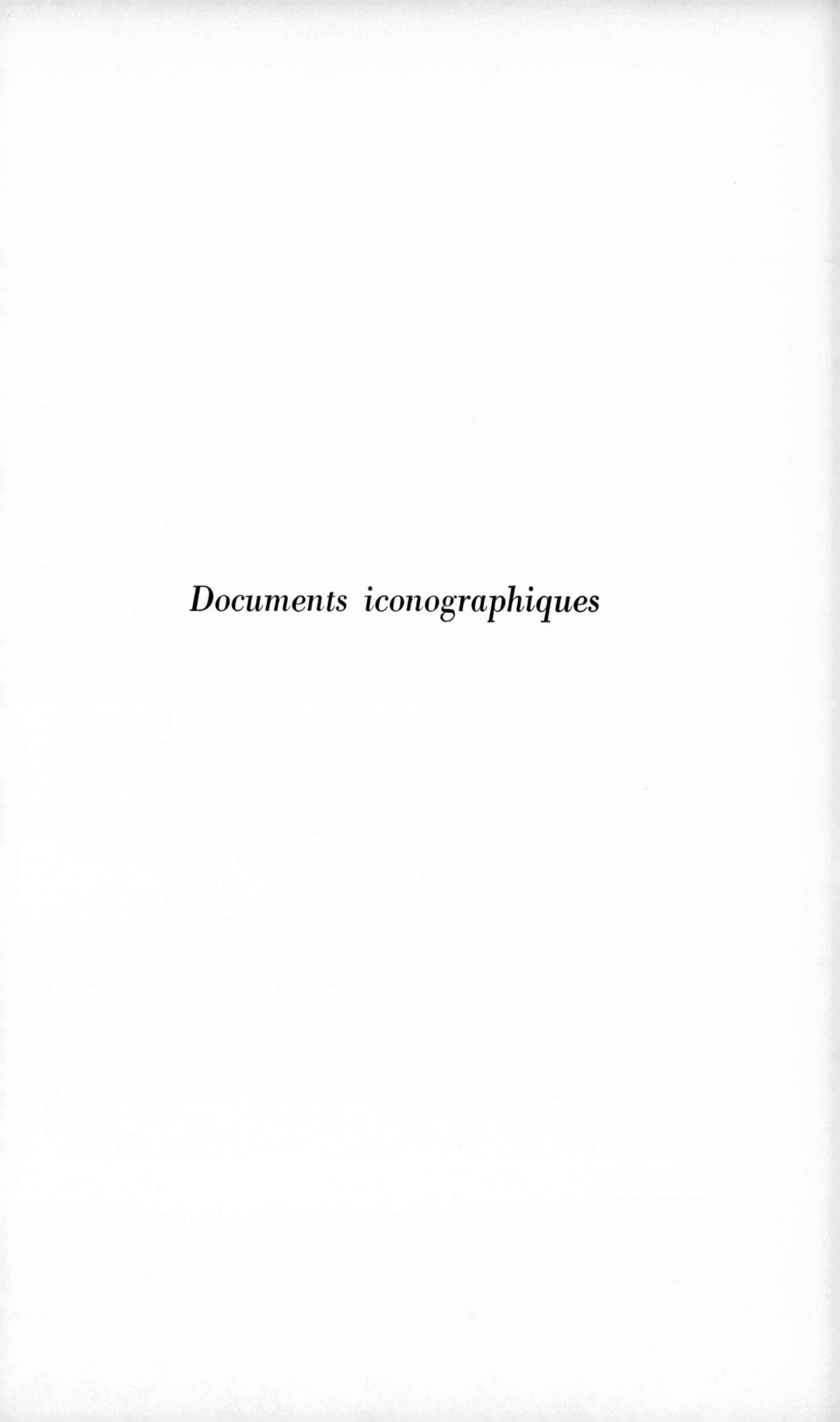

Documents iconographiques

Votre tout dévoué
Émile Nelligan

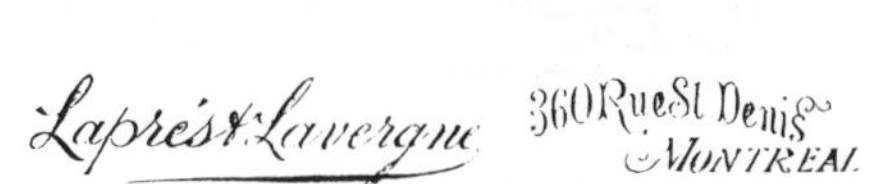

1428 **ÉMILE NELLIGAN**

Nelligan à dix-neuf ans, d'après une photographie originale, exécutée par Laprés et Lavergne. Collection Paul Wyczynski.

Nelligan peu de temps avant sa mort, d'après une photographie originale, avec signature du poète. Collection Paul Wyczynski.

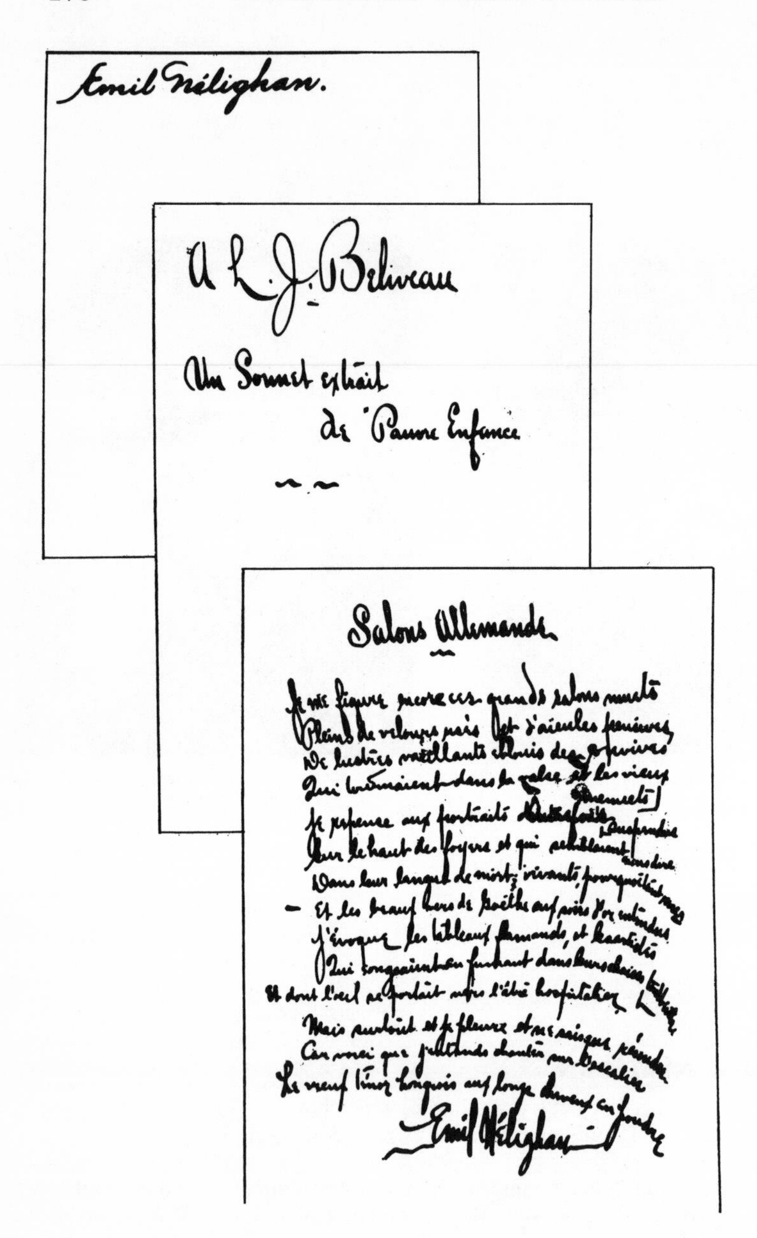

Emil Néligan.

A L. J. Béliveau

Un Sonnet extrait
de 'Pauvre Enfance

Salons Allemands

Emil Néligan

1429 **SALONS ALLEMANDS**

Manuscrit. Trois pages extraites d'un « Album-Souvenir » de Louis-Joseph Béliveau; signature stylisée de Nelligan, dédicace et sonnet autographe datent de septembre 1897.

Le Récital des Anges

Clavecin Céleste

à Sainte Cécile

Petite Chapelle à ma mère

à Serge Usène

Les Pieds sur les Chenêts

Soirs de Névrose

1430 RÉCITAL DES ANGES

Le premier plan autographe des poésies de Nelligan (esquisse). Collection Nelligan-Corbeil.

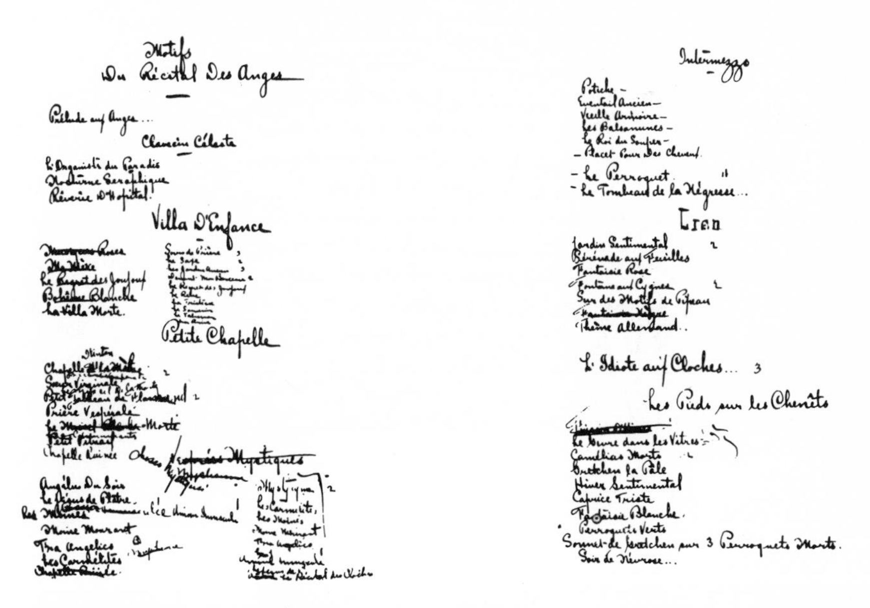
Motifs du Récital des Anges

Clavecin Céleste

Villa d'Enfance

Petite Chapelle

Intermezzo

Le Perroquet

Le Tombeau de la Négresse

L'Idiote aux Cloches

Les Pieds sur les Chenêts

1431 MOTIFS DU RÉCITAL DES ANGES

Le deuxième plan autographe des poésies de Nelligan. Collection Nelligan-Corbeil.

VII

Aubade Rouge

L'aube éclabousse les monts de sang
Tout drapés de fine brume,

Et l'on entend meugler frémissant
Un boeuf au naseau qui fume.

Voici l'heure de la boucherie
Le tenant par son licol

Les gars pour la prochaine tuerie
Ont mis le mouchoir au col.

La hache s'abat avec tel han,
Qu'ils pensent contre habitude

Procumbit bos. Tel l'éléphant
Croule en une solitude.

Le sang gicle. Il laboure des cornes
Le sol teint d'un rouge hideux

Et Phebus chante aux beuglements mornes
Du boeuf qu'on pupiture à deux.

1432 **AUBADE ROUGE**

Poème autographe. Collection Nelligan-Corbeil.

Le Samedi

VOL. VIII. No 2
MONTREAL, 13 JUIN 1896

JOURNAL HEBDOMADAIRE ILLUSTRÉ DE 24 PAGES

$2.50 PAR ANNEE.
LE NUMERO 5 CTS.

RÊVE FANTASQUE

(*Pour le* SAMEDI)

Les bruns chêneaux altiers traçaient dans le ciel triste,
D'un mouvement rhythmique, un bien sombre contour ;
Les beaux ifs langoureux, et l'ypreau qui s'attriste
Ombrageaient les verts nids d'amour

Ici, jets d'eau moirés et fontaines bizarres ;
Des Cupidons d'argent, des plants taillés en cœur,
Et tout au fond du parc, entre deux longues barres,
Un cerf bronzé d'après Bonheur.

Des cygnes blancs et noirs, aux magnifiques co[illegible]
Folatrent bel et bien dans l'eau et sur la mousse ;
Tout près des nymphes d'or — là-haut la lune douce !
—Vont les oiseaux en gentils vols.

Des sons lents et distincts, faibles dans les rallonges,
Harmonieusement résonnent dans l'air froid ;
L'opaline nuit marche, et d'alanguissants songes
Comme elle envahissent l'endroit.

Aux chants des violons, un écho se réveille ;
Là-bas, j'entends gémir une voix qui n'est plus ;
Mon âme, soudain triste à ce son qui l'éveille,
Se noie en un chagrin de plus.

Qu'il est doux de mourir quand notre âme s'afflige,
Quand nous pèse le temps tel qu'un cuisant remords,
— Que le désespoir ou qu'un noir penser l'exige —
Qu'il est doux de mourir alors !

Je me rappelle encor... par une nuit de mai,
Mélancoliquement tel que chantait le hâle,
Ainsi j'écoutais bruire au-delà du remblai
Le galop d'un noir Bucéphale.

Avec ces vagues bruits fantasquement charmeurs
Rentre dans le néant, le rêve romanesque ;
Et dans le parc imbu de soudaines fraîcheurs,
Mais toujours aussi pittoresque,

Seuls, les chêneaux pâlis tracent dans le ciel triste,
D'un mouvement rythmique, un moins sombre contour ;
Les ifs se balançants et l'yprau qui s'attriste
Ombragent les verts nids d'amour.

EMILE KOVAR.

1433 **RÊVE FANTASQUE**

Le premier poème de Nelligan, publié dans *Le Samedi,* le 13 juin 1896.

LE MONDE ILLUSTRÉ

ABONNEMENTS:
Un an, $2.00 - - - Six mois, $1.50
Quatre mois, $1.00, payable d'avance
Vendu dans les dépôts - - 5 cents la copie

14me ANNÉE, No 700.—SAMEDI, 2 OCTOBRE 1897
BERTHIAUME & SABOURIN, PROPRIÉTAIRES.
BUREAUX, 42, PLACE JACQUES-CARTIER, MONTRÉAL.

ANNONCES:
La ligne, par insertion - - - - - 10 cent.
Insertions subséquentes - - - - 5 cent.
Tarif spécial pour annonces à long terme

LE VOYAGEUR

A mon père.

Las d'avoir visité mondes, continents, villes,
Et vu de tout pays, ciel, palais, monuments,
Le voyageur enfin revient vers les charmilles
Et les vallons rieurs qu'aimaient ses premiers ans.

Alors sur les vieux bancs au sein des soirs tranquilles,
Sous les chênes vieillis, quelques bons paysans,
Graves, fumant la pipe, auprès de leurs familles
Ecoutaient les récits du docte aux cheveux blancs.

Le printemps refleurit. Le rossignol volage
Dans son palais rustique a de nouveau chanté,
Mais les bancs sont déserts car l'homme est en voyage,

On ne le revoit plus dans ses plaines natales.
Fantôme, il disparut dans la nuit, emporté
Par le souffle mortel des brises hivernales.

EMIL NELLIGAN

Montréal, septembre 1897.

1434 **LE VOYAGEUR**

Poème de Nelligan, publié dans *Le Monde illustré,* le 10 février 1897.

L'Alliance Nationale

Organe de la Société de secours mutuels "L'Alliance Nationale"

"VINCIT CONCORDIA FRATRUM."

Vol. III, No 9. Montréal, Septembre 1897. 50 cts par an.

RYTHMES DU SOIR

Voici que le dahlia, la tulipe et les roses
Parmi les lourds bassins, les bronzes et les marbres
Des grands parcs où l'Amour folâtre sous les arbres
Chantent dans les soirs bleus ; monotones et roses

Chantent dans les soirs bleus la gaité des parterres,
Où danse un clair de lune aux pieds d'argent obliques,
Où le vent de sherzos quasi mélancoliques
Trouble le rêve lent des oiseaux solitaires,

Voici que le dahlia, la tulipe et les roses,
Et le lys cristallin épris du crépuscule,
Blémissent tristement au soleil qui recule,
Emportant la douleur des bêtes et des choses ;

Voici que le dahlia, comme un amour qui saigne,
Attend d'un clair matin les baisers frais et roses,
Et voici que le lys, la tulipe et les roses
Pleurent les souvenirs dont mon âme se baigne.

Montréal, 1897. EMIL NELLIGAN.

1435 **RYTHMES DU SOIR**

Poème de Nelligan, publié dans *L'Alliance nationale,* le 9 septembre 1897.

L'ULTIMO ANGELO DEL CORREGGIO

Pour Madame W. Hately...

L'air hagard, prunelle pâlie,
Dernier tableau lombard discret ;
Dans sa mansarde d'Italie
Le divin Corrège expirait.

Autour de l'atroce grabat,
La bonne famille du maitre
Cherche un peu de sa vie à mettre
Dans son coeur presque en mort qui bat.

Mais la vision cérébrale
Fermente la fièvre du corps,
Et son âme qui couve un râle
Sonne, de bizarres accords.

Il veut peindre. Très lentement
De l'oreiller il se soulève
Simulant quelque Archange en rêve
En oubli d'Eden un moment.

Son oeil fouille la chambre toute
Et soudain s'arrête étonné ;
Il voit son modèle, il n'a doute
Dans ce berceau du dernier né.

Son jeune enfant près du panneau,
Tout rose, dans le linge orange
A joint ses petites mains d'ange
Vers le cadre du Bambino.

Et sa généreuse prière
Comme un pur souffle à ciel fait lien,
C'est un vent suave en clairière
Dans du soir d'or italien.

Vite, qu'on m'apporte un pinceau,
Mes couleurs crie le pauvre artiste
Je veux peindre la pose triste
De mon enfant dans son berceau.

" Mon pinceau ! " délire Corrège,
Je veux saisir comme un condor
Mon sublime idéal de neige
Avant qu'il prenne son vol d'or."

Comme il peint ! comme sur la toile,
Le Génie y glisse sa nef,
C'est un Ariel à blond chef
Tout blanc en chemise d'étoile.

Mais le peintre pris tout à coup
D'un hoquet, retombe. Il expire,
Tandis que la sueur au cou
Y laisse comme un signe de cire.

Tel mourut Allegri, l'étrange
Artiste dont le coeur fut plein
De son enfant qu'il créât Ange
Avant d'en faire un orphelin !

EMILE NELLIGAN.

1436 L'ULTIMO ANGELO DEL CORREGGIO

Poème de Nelligan, publié dans *La Patrie,* le 22 septembre 1898.

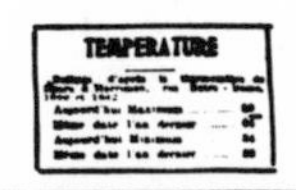

La Patrie

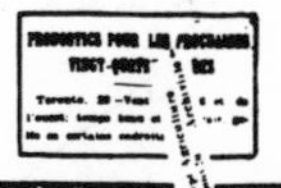

21e ANNEE — No 178 - SEIZE PAGES MONTREAL, SAMEDI, 23 SEPTEMBRE 1899 LE NUMERO: UN CENTIN

POESIE

REVE D'ARTISTE

A Mlle R. B....

Parfois, j'ai le désir d'une sœur bonne et
(tendre.
D'une sœur angélique au sourire discret :
Sœur qui m'enseignera doucement le secret
De prier comme il faut, d'espérer et d'at-
(tendre

J'ai le désir très pur d'une amie éternelle,
D'une sœur d'amitié dans le règne de
(l'art :
Qui me saura veillant à ma lampe très
(tard
Et qui me couvrira des cieux de sa pru-
(nelle :

Qui me prendra les mains quelquefois dans
(les siennes
Et me chuchotera maint fraternel conseil
Avec le charme ailé des voix musiciennes

Et pour qui, je saurai, si j'aborde à la
(gloire
Fleurir un immortel jardin plein de soleil
Dans l'azur des beaux vers d'un livre à
(sa mémoire)

EMILE NELLIGAN.

1437 **RÊVE D'ARTISTE**

Poème de Nelligan, paru dans *La Patrie*, le 23 septembre 1899.

LES SOIRÉES

DU

CHATEAU DE RAMEZAY

PAR

L'ÉCOLE LITTÉRAIRE DE MONTRÉAL

LOUIS FRÉCHETTE, WILFRID LAROSE, CHARLES GILL
GONZALVE DESAULNIERS, E. Z. MASSICOTTE
JEAN CHARBONNEAU, GERMAIN BEAULIEU, ALB. FERLAND
HENRI DESJARDINS, ÉMILE NELLIGAN
G. A. DUMONT, ARTHUR DE BUSSIÈRES, PIERRE BÉDARD
HECTOR DEMERS, ANTONIO PELLETIER
H. DE TRÉMAUDAN, ALBERT LOZEAU

MONTRÉAL
EUSÈBE SENÉCAL & CIE., IMPRIMEURS-ÉDITEURS
20, rue Saint-Vincent

1900

1438 **LES SOIRÉES DU CHÂTEAU DE RAMEZAY**
Page de titre du premier volume collectif de l'École litéraire de Montréal, publié en 1900.

I

Un rêve de Watteau

Quand les pastours, le soir des crépuscules roux,
Menant leurs grands boucs noirs aux râles d'or des flûtes,
Vers le hameau natal, de par delà les buttes
S'en revenaient le long des champs piqués de houx,

Bohêmes écoliers, âmes vierges de luttes,
Pleines de candeur blanche et de jours sans courroux,
En rupture d'étude, aux bois jonchés de brous
Nous allions gouailleurs prêtant l'oreille aux chutes

Des ruisseaux dans le val que longeait en jappant
Le petit chien berger des calmes fils de Pan
Dont le pipeau qui pleure appelle tout au loin...

Puis las, nous nous couchions, frissonnants jusqu'aux
[moelles
Cependant que parfois dans nos palais de foin
Nous déjeunions d'aurore et nous soupions d'étoiles !

1439 **UN RÊVE DE WATTEAU**

Poème de Nelligan, publié dans *Les Soirées du Château de Ramezay*.

Illustré de 18 grandes compositions
et de 26 dessins de Lagacé.

+ Petit Vitrail +

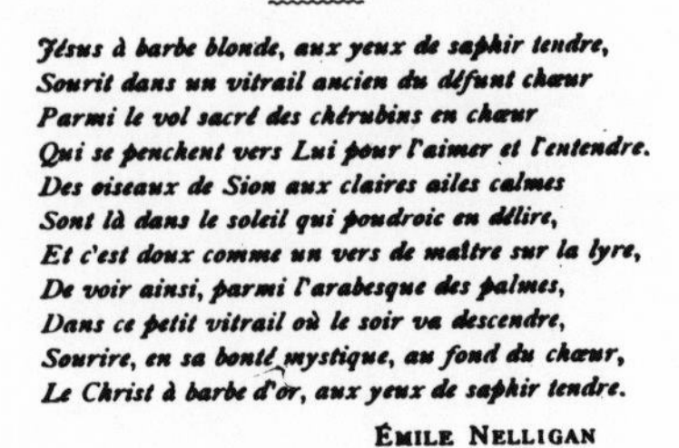

Jésus à barbe blonde, aux yeux de saphir tendre,
Sourit dans un vitrail ancien du défunt chœur
Parmi le vol sacré des chérubins en chœur
Qui se penchent vers Lui pour l'aimer et l'entendre.
Des oiseaux de Sion aux claires ailes calmes
Sont là dans le soleil qui poudroie en délire,
Et c'est doux comme un vers de maître sur la lyre,
De voir ainsi, parmi l'arabesque des palmes,
Dans ce petit vitrail où le soir va descendre,
Sourire, en sa bonté mystique, au fond du chœur,
Le Christ à barbe d'or, aux yeux de saphir tendre.

ÉMILE NELLIGAN

Franges d'Autel

. . . POESIES DE . . .
Serge Usène, Emile Nelligan, Lucien Renier,
Arthur de Bussières, Albert Ferland,
J.-B. Lagacé, Amédée Gélinas.
Louis Dantin, etc.

MONTRÉAL
1900

1440 **PETIT VITRAIL**

Poème de Nelligan, publié dans *Franges d'autel* en 1900 (p. 74), avec un motif décoratif de J.-B. Lagacé, accompagné de la page de titre du recueil.

Les Débats

JOURNAL INDÉPENDANT

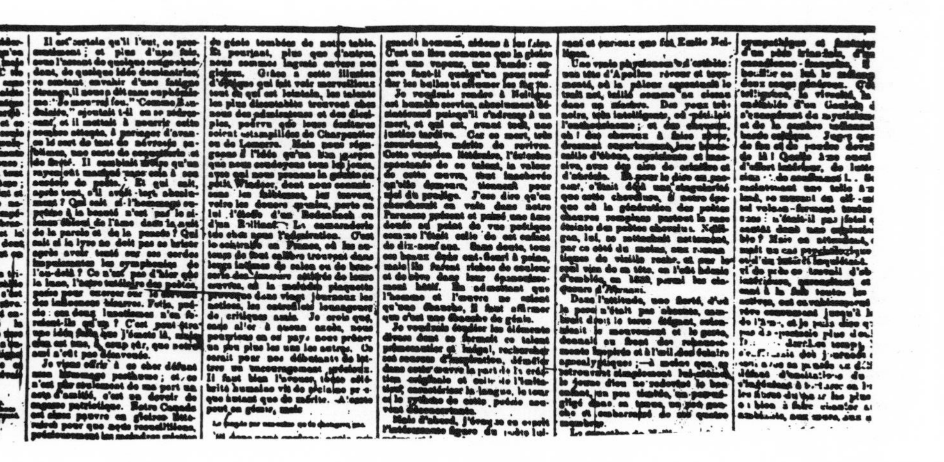

Émile Nelligan

1441 **ÉMILE NELLIGAN**

La première tranche de l'étude de Louis Dantin, publiée dans *Les Débats*, le 17 août 1902.

Emile Nelligan

et son Œuvre

Montréal, 1903

1442 **ÉMILE NELLIGAN ET SON ŒUVRE**
Page de titre de la première édition des poésies de Nelligan.

Gondolar.

Gondolar Gondolard
Que fais-tu sur le chemin de Hand

Ma mère est folle et je suis fou
Et je m'en vais je ne sais où.

Gondolar Gondolard
Chez mademoiselle Bernhard

On assassina le pauvre idiot
On l'écrasa sous un chariot
Et puis le chien après l'idiot

Dies irae dies illa
A jamais devant ce trou là
Gondola Gondola.

121

Sur le Tombeau
de Paul.

Verlaine [illegible] de [illegible]
[illegible] des jardins
Sanglotants des jets-d'eau
pleurant de la nuit reine

Thème sentimental

[illegible]
[illegible] le plan[illegible] des [illegible]
[illegible]
[illegible]
Et les [illegible]
[illegible]
[illegible]
[illegible]
[illegible]
[illegible]
[illegible]
[illegible] le plan[illegible] des [illegible]

Émile Nelligan

Les corbeaux

[illegible] de corbeaux
[illegible]
[illegible] grands corbeaux [illegible]
[illegible]
[illegible] des tombeaux.
[illegible]
[illegible]
[illegible]
[illegible]
[illegible]
[illegible]
[illegible]
[illegible]
[illegible]

Émile Nelligan

1443 **QUATRE POÈMES AUTOGRAPHES**

Poèmes tirés des carnets d'hôpital d'Émile Nelligan: *Gondolar* (« Carnet » I, p. 121); *Sur le tombeau de Paul* (« Carnet » II, p. 63); *Thème sentimental* (« Carnet » IV, p. 56); *Les Corbeaux* (« Carnet » V, p. 50). Collection Paul Wyczynski.

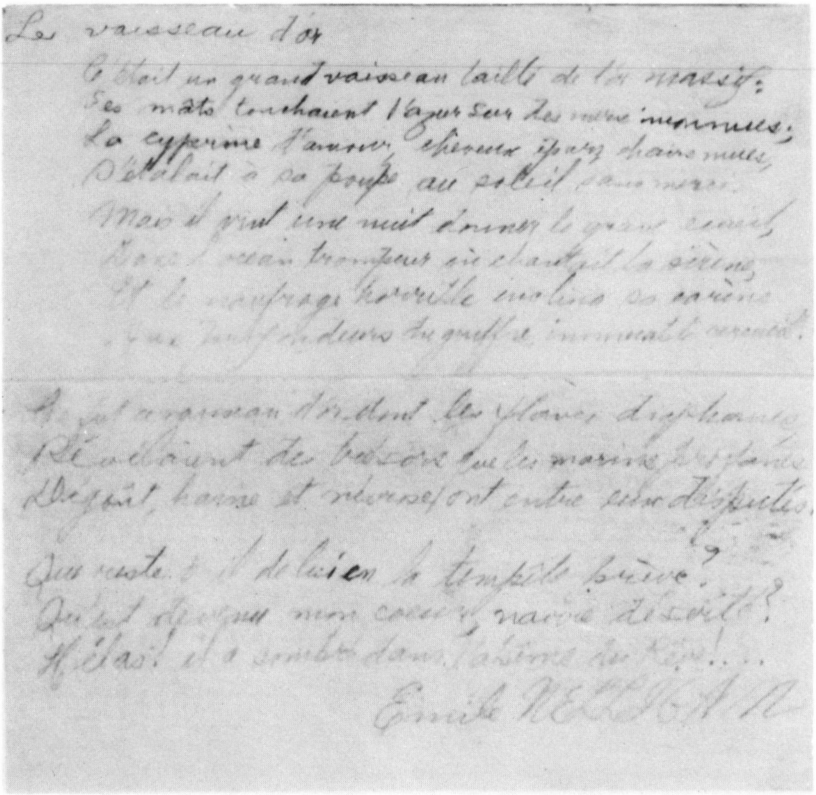
Le vaisseau d'or

C'était un grand vaisseau taillé de l'or massif:
Ses mâts touchaient l'azur sur des mers inconnues;
La cyprine d'amour, cheveux épars, chairs nues,
S'étalait à sa proue au soleil sans merci.

Mais il vint une nuit heurter le grand écueil
Dans l'Océan trompeur où chantait la Sirène,
Et le naufrage horrible inclina sa carène
Aux profondeurs du gouffre, immuable cercueil.

Ce fut un vaisseau d'or, dont les flancs diaphanes
Révélaient des trésors que les marins profanes,
Dégoût, haine et névrose, ont entre eux disputés.

Que reste-t-il de lui dans la tempête brève?
Qu'est devenu mon cœur, navire déserté?
Hélas! il a sombré dans l'abîme du rêve!...

Émile NELLIGAN

1444 **LE VAISSEAU D'OR**

Poème autographe, communiqué par M. Raymond Gauthier. En dépôt au Centre de recherche en civilisation canadienne-française de l'Université d'Ottawa.

Index

I. — Index alphabétique

1) Noms des auteurs cités
2) Poèmes de Nelligan
3) Nelligan dans la presse périodique

II. — Index thématique

1) L'École littéraire de Montréal
2) Comptes rendus des éditions des poésies de Nelligan
3) Thèses consacrées à Nelligan
4) Hommage à Nelligan en 1966
5) Le film « Dossier Nelligan »
6) Conférences sur Nelligan
7) Documentation iconographique

Abréviations et sigles employés dans l'index

Chiffre sans aucun indice	renvoie à la notice bibliographique
Chiffre entre parenthèses	renvoie à la note qui suit la notice
n.	renvoie à la référence au bas de la page; exp. p. 14-n. 1
p.	renvoie à la page
t.	situé avant le chiffre renvoie à la notice qui contient un tableau

Index alphabétique

1) *Noms des auteurs cités.*

— C —

2) *Les poèmes de Nelligan* [1].

[1] Les titres en italiques désignent les poèmes qui figurent dans l'édition critique (dans le corps de l'ouvrage) de M. Luc Lacourcière.

— D —

— E —

— F —

— G —

— O —

— P —

— Q —

— R —

[2] Dans l'histoire des poèmes de Nelligan, le titre « Sainte Cécile » coiffe deux textes différents.

3) *Nelligan dans la presse périodique.*

Index thématique

1) *L'École littéraire de Montréal.*

2) *Comptes rendus des éditions des poésies de Nelligan.*

3) *Thèses consacrées à Nelligan*[1].

[1] L'astérisque avant le titre désigne une thèse en préparation.

* Joeck, Suzan A., *Plant and Animal Imagery in the Poetry of Émile Nelligan*, p. 14-n. 1.

Kieffer, c.s.v., Michel-I., *L'École littéraire de Montréal*, p. 14-n. 1, 413, 927.

* Lapointe, Gatien, *L'Angoisse chez Émile Nelligan*, p. 14-n. 1.

Lévis, s.c., [Roger Fortier], R.F., *Le Vaisseau d'Or d'Émile Nelligan*, p. 14-n. 1, 470, 975.

Paquin, i.c., R.F. Léon-Victor, *L'Influence parnassienne sur la littérature canadienne-française et particulièrement chez Émile Nelligan, Paul Morin, René Chopin et Arthur de Bussières*, p. 14-n. 1, 464, 988.

* Wallace, Barbara, *L'Ambiguïté des valeurs dans l'œuvre poétique d'Émile Nelligan*, p. 14-n. 1.

Wyczynski, Paul, *Émile Nelligan : sources et originalité de son œuvre*, p. 14-n. 1, 635, 1027.

4) *Hommage à Nelligan en 1966.*

p. 14, 203, 204, 210, 213, 221, 222, 223, 224, 225, 228, 234, 254, 256, 259, 260, 264, 270, 288, 299, 300, 317, 320, 331, 332, 333, 342, 354, 356, 361, 362, 365, 374, 386, 396, 403, 405, 406, 407, 425, 426, 427, 433, 436, 437, 439, 451, 454, 455, 460, 466, 479, 486, 489, 490, 497, 512, 515, 534, 535, 538, 541, 542, 568, 569, 574, 581, 595, 598, 599, 611, 618, 698, 699, 700, 701, 702, 703, 704, 705, 706, 707, 708, 709, 710, 711, 712, 713, 714, 715, 716, 717, 718, 719, 720, 721, 722, 723, 724, 725, 726, 727, 728, 729, 730, 731, 732, 733, 734, 735, 736, 737, 738, 739, 740, 741, 1084, 1087, 1088, 1089, 1090, 1091, 1092, 1093, 1094, 1095, 1096, 1097, 1098, 1099, 1100, 1101, 1102, 1103, 1105, 1106, 1107, 1108, 1116, 1117, 1118, 1121, 1122, 1123, 1124, 1125, 1127, 1128, 1129, 1130, 1131, 1134, 1135, 1136, 1137, 1138, 1139, 1140, 1141, 1142, 1143, 1144, 1145, 1146, 1147, 1148, 1150, 1151, 1152, 1154, 1155, 1159, 1160, 1161, 1162, 1163, 1164, 1165, 1166, 1167, 1168, 1169, 1170, 1171, 1375, 1376, 1377, 1378, 1380, 1381, 1382, 1384, 1388, 1389, 1395, 1397, 1398, 1399, 1400, 1403, 1404, 1405, 1406, 1408, 1409, 1410, 1411, 1412, 1413, 1418.

5) *Le film « Dossier Nelligan ».*

227, 235, 251, 309, 318, 349, 429, 496, 521, 530, 531, 760, 761, 762, 763, 764, 765, 766, 768, 769, 770, 771, 772, 773, 776, 1280, 1312, 1313, 1314, 1315, 1316, 1317, 1318, 1319, 1320, 1321, 1328, 1330, 1331, 1337, 1338, 1339, 1340, 1341, 1342, 1419, (1419).

6) *Conférences sur Nelligan.*

Bessette, Gérard, 243, 295, 574, 733, 1123.

Charbonneau, Jean, 474.

Deschamps, Nicole, 295, 310.

DesRochers, Alfred, 315.

Duhamel, Roger, 329.

Emmanuel, Pierre, 337.

Éthier-Blais, Jean, 716.

Garon, R.P. Yves, 189, 295, 370, 574, 733.

Jones, Henri, 295, 374, 412, 722.

Lacourcière, Luc, 295, 420, 574, 596, 733.

Lafleur, Dr Lionel, 427.

Lebel, Maurice, 295.

Robidoux, Réjean, 257, 558, 1096.

Vachon, Georges-André, 295, 450, 615.

Wyczynski, Paul, 647, 1366.

7) *Documentation iconographique.*

SUPPLÉMENT

Les notices bibliographiques qui suivent nous sont parvenues après la composition du présent ouvrage; groupées sous forme de supplément, elles seront intégrées dans la seconde édition de la *Bibliographie descriptive et critique d'Émile Nelligan*; nous les présentons ici dans l'ordre chronologique.

CHAUVIN, Jean, **Ateliers**, Montréal et New York, Louis Carrier et Cie et Les Éditions du Mercure, 1928, 266 pages, surtout p. 144.
« Parmi les bustes [d'Alfred Laliberté], lisons-nous à la p. 144, [figurent] ceux du peintre Maurice Cullen, de Louvigny de Montigny, de Landry, de Cartier, de Belcourt et cette belle tête douloureuse du poète Nelligan dont Jean Désy possède l'unique exemplaire. »

SARAULT, Louise, *Émile Nelligan, de la prononciation de son nom,* dans *Le Droit,* 32e année, nº 65, 18 mars 1944, p. 3.
L'auteur reproche à un conférencier (qu'elle ne nomme pas) d'avoir prononcé le nom de Nelligan à la française, lors d'une récente causerie radiophonique au poste local; elle prétend respecter les origines irlandaises du poète, en accentuant la consonne finale de son nom. Les contemporains de Nelligan prononçaient d'habitude son nom à la façon anglaise. Le poète lui-même, cependant, préférait la manière française et francisa son nom à l'occasion en écrivant « Néligan ».

Livres reçus à la rédaction, dans *Les Carnets viatoriens,* 11e année, nº 3, 1946, p. 235-236, surtout p. 236.
On annonce la parution de la quatrième édition des *Poésies* de Nelligan, chez Fides, au prix de $1.25 l'exemplaire.

Petit Vitrail, dans *Notre Temps,* vol. 3, nº 10, 20 décembre 1947, p. 1.
On reproduit le texte du poème de Nelligan, *Petit Vitrail,* comme si celui-ci était inconnu, ce que laisse sous-entendre cette note de la rédaction: « Nous remercions l'ami qui a bien voulu faire bénéficier notre journal de son intéressante découverte. »

VALOIS, Charles, *Poésie, Théâtre,* dans *Les Carnets viatoriens,* 15e année, juillet 1950, p. 211-215, surtout p. 215.
Compte rendu du livre de Roger Rolland, *Poésie et Versification.* A Nelligan on concède « la victoire sur le cheval classique » tout simplement « parce qu'il a lu Baudelaire ». Bonne remarque mais pas assez précise car avant d'admirer Baudelaire, Nelligan avait découvert Verlaine et ce fut pour lui le véritable point de départ vers la modernité.

BOUCHER, André-Pierre, *Je crois aux astres,* dans *Châtelaine,* vol. 8, nº 1, janvier 1967, p. 18.
Commentaire sur les gens nés sous le signe du Capricorne. Nelligan est aussi le poète « de la grande désespérance capricornienne ».

Tout sur tout, dans *Châtelaine,* vol. 11, nº 10, oct. 1970, p. 8.

Propos sur une école polyvalente de Montréal, baptisée « Émile Nelligan ».

TABLE DES MATIÈRES

Achevé d'imprimer
aux ateliers de
l'IMPRIMERIE LE DROIT LTÉE
Ottawa, Canada
K1N 5Y7
le 15 novembre 1973